MAIBERGER · TOPOGRAPHISCHE UND HISTORISCHE UNTERSUCHUNGEN ZUM SINAIPROBLEM

ORBIS BIBLICUS ET ORIENTALIS

Zum Autor:

Paul Maiberger, Jahrgang 1941, Studium der Theologie und Orientalistik in Mainz, München, Wien und Berlin. Teilnahme an Ausgrabungen in Kamid el-Loz (Libanon) und Tell Masos (Israel). In Mainz 1971 Promotion in Semitistik und Islamkunde; Priesterweihe; 1981 Promotion und 1983 Habilitation im Alten Testament. Seit 1978 Lehrbeauftragter für Hebräisch und ab 1983 Privatdozent für Altes Testament an der Universität Mainz. Neben einigen Aufsätzen, darunter über die syrischen Inschriften von Kamid el-Loz sowie von Tell Masos, erschienen seine beiden Dissertationen: «Das Buch der kostbaren Perle» von Severus Ibn al-Muqaffaʿ. Einleitung und arabischer Text (Kapitel 1–5), Wiesbaden 1972 (Akademie der Wissenschaften und der Literatur. Veröffentlichungen der Orientalischen Kommission Bd. 28) und: Das Manna. Eine literarische, etymologische und naturkundliche Untersuchung, Wiesbaden 1983 (Ägypten und Altes Testament Bd. 6).

ORBIS BIBLICUS ET ORIENTALIS 54

PAUL MAIBERGER

Topographische und historische Untersuchungen zum Sinaiproblem

Worauf beruht die Identifizierung
des Ǧabal Mūsā mit dem Sinai?

UNIVERSITÄTSVERLAG FREIBURG SCHWEIZ
VANDENHOECK & RUPRECHT GÖTTINGEN
1984

CIP-Kurztitelaufnahme der Deutschen Bibliothek

Maiberger, Paul:

Topographische und historische Untersuchungen zum Sinaiproblem. Worauf beruht die Identifizierung des Gabal Musa mit dem Sinai? / Paul Maiberger
Freiburg (Schweiz): Universitätsverlag;
Göttingen: Vandenhoeck und Ruprecht, 1984.

(Orbis biblicus et orientalis; 54)
ISBN 3-7278-0300-2 (Universitätsverlag)
ISBN 3-525-53675-5 (Vandenhoeck und Ruprecht)

Paulusdruckerei Freiburg Schweiz

V O R W O R T

Vorliegende Arbeit wurde vom Fachbereich 01 -Katholische Theologie- der Johannes Gutenberg-Universität Mainz als Habilitationsschrift angenommen. Mein Dank gilt dem Fachbereich, insbesondere den beiden Gutachtern, Herrn Professor Dr. Bernhard LANG und Herrn Prälat Professor emer. Dr. Heinrich SCHNEIDER, der mich in die alttestamentliche Wissenschaft einführte und meine Studien stets mit Rat und Tat begleitete.

Durch das freundliche Entgegenkommen von Herrn Professor Dr. Othmar KEEL und von Herrn Professor Dr. Adrian SCHENKER kann die Arbeit in der Reihe Orbis Biblicus et Orientalis erscheinen. Frau Elfriede BRÖNING, Münster, hat mit Sorgfalt und Einfühlungsvermögen die optisch wohlgefällige Druckvorlage erstellt, Frau Dipl. theol. Gerlinde NEUFURTH,Mainz, beim Lesen der Korrekturen geholfen. Ihnen allen möchte ich herzlich danken.

Mainz, im August 1983

Paul Maiberger

INHALTSVERZEICHNIS

EINFÜHRUNG

Bis um die Mitte des vergangenen Jahrhunderts hatte niemand daran gezweifelt, daß der Ǧabal Mūsā, zu dessen Füßen das berühmte Katharinenkloster liegt, der Sinai der Hl. Schrift sei. Erst nachdem die damals aufkommende Pentateuchkritik verschiedene Quellen und Traditionen in den fünf Büchern Mose entdeckte, auf die man die unterschiedlichen Bezeichnungen Gottesberg - Sinai - Horeb zurückführte, drängte sich die Vermutung auf, daß hinter diesen Namen auch verschiedene Vorstellungen von der geographischen Lage dieses Berges stehen könnten, die in der endredaktionellen Darstellung zusammengeflossen sind zu einem die irdischen Regionen überragenden ideellen Berg, in dem Israel als Schauplatz der Gesetzgebung den Gipfel seiner Lebensordnung und Weisheit verehrte. Wo allerdings die historischen Bergheiligtümer zu suchen und welche Traditionen mit ihnen zu verknüpfen sind, darüber haben die Exegeten nicht nur wegen der Schwierigkeit, die jeweiligen Überlieferungen und Bearbeitungen klar und überzeugend voneinander zu trennen, sondern auch aufgrund mangelnder topographischer Hinweise und präziser geographischer Angaben bis heute keine Übereinstimmung erzielen können. Weitgehend einig war man sich nur bald darin, daß der traditionell als Sinai geltende Ǧabal Mūsā, dem die gesamte Halbinsel ihren Namen verdankt, nicht der Berg sein konnte, auf dem Jahwe sein Gesetz verkündet hatte, und den man um so leichter zu verwerfen geneigt war, als ihm bereits Jahrzehnte zuvor die Sirbāltheorie und die Vulkanhypothese diesen Anspruch streitig machten. Seine Verehrung als Sinai schrieb man den Fabeleien leichtgläubiger Anachoreten zu, die im 4. Jh. auf der Suche nach den Schauplätzen der Wüstenwanderung irgendwelchen, heute nicht mehr kontrollierbaren Überlieferungen gefolgt seien. Dessen ungeachtet haben zahlreiche Pilger, nicht selten unter großen Gefahren und Anstrengungen, den Ǧabal Mūsā als vermeintlichen Berg der Gesetzgebung und zu seinen Füßen im Katharinenkloster den sogenannten Brennenden Dornbusch besucht. Seit dem Aufkommen der Pentateuchkritik sind die Touristen dank der verbesserten Verkehrsmöglichkeiten immer zahlreicher und bequemer, aber dafür um so skeptischer und fragender zu diesen Stätten gekommen. Gewiß ist jeder von der Großartigkeit und Schönheit der dortigen Gebirgswelt beeindruckt, doch hätte er gerne gewußt, worauf eigentlich die Identifizierung des Ǧabal Mūsā mit dem Sinai beruht. Daß die frühchristlichen Anachoreten unter den vielen Bergen der Halbinsel gerade diesen erkoren, muß ja wohl seine Gründe gehabt haben. Heute nimmt man allgemein an, daß die Einsiedler in der Verehrung dieses Berges durch die Nabatäer den Nachklang einer israelitischen, bis in mosaische Zeiten zurückgehenden Heilighaltung festzustellen meinten und daß die eindrucksvollen, mit den Schilderungen der Hl. Schrift gut in Einklang zu bringenden topographischen Verhältnisse sie in dem Glauben, sich am richtigen Ort zu befinden, nur bestärkt haben konnten. Da die Nabatäer aber auch den Sirbāl als heilig verehrten, wie die Inschriften, die sie dort sogar noch zahlreicher hinterlassen haben, beweisen, und dieser Gebirgsstock noch großartiger und imposanter wirkt - weshalb einige Forscher in ihm den wahren Sinai sehen wollten - , fragt man sich zu Recht, warum die christlichen Eremiten nicht ihn, sondern den Ǧabal Mūsā erwählten.

Die Antwort auf diese Frage scheint der arabische Geograph Yāqūt (1179-1229) mit einer bisher kaum beachteten, weil nicht richtig verstandenen Bemerkung, mit der er zu erklären versucht, warum die muslimischen Gelehrten verschiedene Berge für den auch im Koran erwähnten Sinai hielten, indirekt zu geben. Die Araber haben sich nämlich schon vor mehr als tausend Jahren über die Lage des Sinai gestritten, wie man den Korankommentaren und anderen Werken entnehmen kann. Daher sollen hier aus der arabischen Literatur, was bisher nur sporadisch und ansatzweise, aber noch nicht umfassend und detailliert genug geschehen ist, alle Nachrichten über den Sinai und seine Lokalisierung vorgestellt werden, weil sie im Zusammenhang mit dem Hinweis von Yāqūt das noch ungelöste Problem, worauf die Identifizierung des Ǧabal Mūsā mit dem Sinai beruht, einer Lösung näherführen können. Es soll hier also nicht ein neuer Berg als Konkurrent im Wettstreit um den wahren Sinai nominiert, sondern nur der Frage nachgegangen werden, warum man den Ǧabal Mūsā dafür hielt und ob vielleicht diese Gleichsetzung bis in biblische Zeiten zurückreicht. Da keiner der seit der Pentateuchkritik zahlreich vorgeschlagenen Berge genügend Anhänger fand, konnte der Ǧabal Mūsā, wenn auch durch manche Zweifel erschüttert, dank einer altehrwürdigen Tradition und als bedeutendes Zentrum christlicher Frömmigkeit in der breiten Öffentlichkeit seine Position behaupten, so daß es angebracht erschien, abschließend die Geschichte von der Erbauung des Katharinenklosters nach einer dort aufbewahrten kleinen arabischen Handschrift, die mir die Congress Library Washington im Mikrofilm dankenswerterweise zur Verfügung stellte, erstmals mit Übersetzung und Kommentar zu edieren.

KAPITEL I: DER SINAI DER CHRISTEN

§ 1: *Die Frage nach dem Zeitpunkt der Ansiedlung christlicher Eremiten am Ǧabal Mūsā*

Immer wieder begegnet man der Meinung, während der Christenverfolgung durch Decius (249-251) seien Tausende von Anachoreten in die Sinaihalbinsel bis zum Ǧabal Mūsā geflüchtet [1]. Diese Ansicht stützt sich auf einen in der Kirchengeschichte (VI,42) von EUSEBIOS zitierten Brief des alexandrinischen Bischofs Dionysios aus dem Jahr 251, wonach sich viele Christen aus Ägypten zum 'Αράβιον oder 'Αραβικὸν ὄρος in Sicherheit gebracht hätten [2]. S. SCHIWIETZ aber weist darauf hin [3], daß unter dieser Bezeichnung schon bei Herodot das auf der Ostseite des Nils gelegene Gebirge und keineswegs das sinaitische Zentralmassiv verstanden wurde. So soll sich während dieser Zeit der geschichtlich umstrittene hl. Paulos von Theben, der allerdings schon von HIERONYMUS als "Ureinsiedler" angesehen wurde [4], in die Einsamkeit der ostägyptischen Wüste (4o km westl. des Roten Meeres) zurückgezogen haben. Daß sich aber damals bereits Eremiten am Ǧabal Mūsā niedergelassen hätten, ist schon deswegen unwahrscheinlich, weil der übrigens zur selben Zeit, um das Jahr 251, geborene hl. Antonios der Einsiedler, der eigentliche Begründer dieser Lebensform, erst um das Jahr 3o6 sein bald darauf von vielen nachgeahmtes Anachoretenleben im Gebirge von Kolzum (bei Sues) aufnahm [5], so

---

1 P. COMPAGNONI, Sinai: The Exodus Trip, Jerusalem 1974, 13. So auch E. ROBINSON, Palästina und die südlich angrenzenden Länder, Bd. 1, Halle 1841, 2oo und H. SKROBUCHA, Sinai, Olten und Lausanne 1959, 25.

2 GCS 9/2, 61o (= PG 2o,615).

3 S. SCHIWIETZ, Das morgenländische Mönchtum. 2. Bd.: Das Mönchtum auf Sinai und in Palästina im vierten Jahrhundert, Mainz 1913, 1o.

4 Vgl. PL 23,18: "Paulum quemdam Thebaeum principem istius rei fuisse, non nominis; quam opinionem nos quoque probamus".

5 S. SCHIWIETZ, Das morgenländische Mönchtum. 1. Bd.: Das Ascetentum der drei ersten christl. Jahrhunderte und das egyptische Mönchtum im vierten Jahrhundert, Mainz 19o4, 7o, Anm. 11.

daß frühestens einige Jahre danach, wie SCHIWIETZ vermutet [6], seine Schüler das Einsiedlerleben in die benachbarte Sinaihalbinsel verpflanzt haben konnten.

Auch Alfred ADAM [7] möchte das dortige Eremitentum nicht auf die Flucht vor der Christenverfolgung zurückführen. Ebensowenig wie die Angst vor Gefahr dürfte das negative Motiv der Weltverneinung die inspirierende Kraft dieser asketischen Lebensform gewesen sein, als vielmehr das positive Ideal einer radikalen Nachfolge Christi. Vermutlich hatte man damals die Sinaihalbinsel als heilige Landschaft der Wüstenwanderung Israels in allegorischer Weise auf den mühsamen, entbehrungs- und versuchungsreichen Weg der nach Vollkommenheit ringenden und der ewigen Heimat zustrebenden Seele übertragen, eine Idee, die in der geistlichen Deutung der einzelnen Stationen des Wüstenzuges (Num 33) durch ORIGENES (um 185 - um 254) ihren Ausdruck gefunden hatte [8].

Doch dürfte nicht von ungefähr kurz nach dem Auftreten des Einsiedlers Antonios noch ein weiteres Anliegen seine Schüler auf die Sinaihalbinsel geführt haben. Damals hatte durch das sogenannte Edikt von Mailand im Jahr 313 das Christentum die Freiheit erhalten und konnte von nun an ungehindert und immer stärker in der Öffentlichkeit in Erscheinung treten. Jetzt war es auch endlich möglich, die heiligen Stätten der Bibel zu besuchen bzw. erst einmal ausfindig zu machen [9] und durch Kirchen und Wallfahrten zu verehren. So gewannen auch die Schauplätze der Wüstenwanderung Israels große Anziehungskraft, insbesondere der auch für Christen verehrungswürdige Ort der Gesetzgebung und Gottesoffenbarung, nämlich der Sinai mit dem Brennenden Dornbusch. Diese in der Einsamkeit der Wüste gelegenen Stätten der Heilsgeschichte waren für das beschauliche Leben eines Eremiten ebenso heilige wie ideale Orte.

Jedenfalls hatte man bereits gegen Ende des 4.Jh. den Sinai und alle damit verbundenen Schauplätze "lokalisiert". Die Heilig-Land-Pilger, die Interesse, Zeit und Geld hatten und die Mühe nicht scheuten, setzten wohl ihren

---

6 SCHIWIETZ a.a.O. Bd. 2, 9.

7 A. ADAM, Der Sinai und das Katharinen-Kloster: GGA 217 (1965) 216.

8 ORIGENES, In Numeros homilia 27: PG 12,780-801; vgl. 27,4: "Sed et anima cum de Aegypto vitae hujus proficiscitur, ut tendat ad terram repromissionis, pergit necessario ad illas, quae apud Patrem ab initio praeparatae sunt mansiones."

Ehrgeiz darein, auch diese zu besuchen, wie die um das Jahr 4oo reisende Nonne AETHERIA [1o], der man, nachdem sie jenen heiligen Gottesberg Sinai (*illam montis Dei sancti Syna* 3,2) bestiegen und in dem auf dem Gipfel erbauten Kirchlein (*in ipsa summitate montis illius ... nichil enim est ibi aliud nisi sola ecclesia* 3,5) Eucharistie gefeiert hatte, alle jene denkwürdigen Orte zeigte: die ebenfalls auf dem Gipfel befindliche Höhle des Mose (*spelunca, ubi fuit sanctus Moyses* 3,7), die Höhle des Elia (*spelunca, ubi latuit sanctus Helias* 4,2), den Ort, wo Aaron mit den siebzig Ältesten stand (*locum, ubi steterat sanctus Aaron cum septuaginta senioribus* 4,4), den immer noch vorhandenen und Ranken treibenden Dornbusch (*rubus usque in hodie uiuet et mittet uirgultas* 4,6), den Ort, an dem die Kinder Israels lagerten (*locum, ubi fuerunt castra filiorum Israhel* 5,3), die Stelle, an der das Goldene Kalb errichtet wurde (*locum, ubi factus est uitulus ille* 5,3), den gewaltigen Felsen, an dem der darüber erzürnte Mose die Gesetzestafeln zerschmetterte (*petram ingentem ... ad quam petram iratus fregit tabulas* 5,4), die Stelle, an der jenes Kalb verbrannt wurde (*locum, ubi incensus est uitulus ipse* 5,6), den Ort, an dem die siebzig Ältesten vom Geist Moses empfingen (*locum, ubi de spiritu Moysi accepterunt septuaginta uiri* 5,7), den Ort, wo den Israeliten nach Speise gelüstete (*locum, ubi filii Israhel habuerunt concupiscentiam escarum* 5,7), den Ort, der Brand(stätte) heißt, wo ein Teil des Lagers in Feuer aufging (*locum, qui appellatus est incendium, quia incensa est quaedam pars castrorum* 5,7), den Ort, an dem ihnen das Manna und die Wachteln herabregneten (*locum, ubi eis pluit manna et coturnices* 5,8), die Stelle, an der zum erstenmal das Offenbarungszelt errichtet wurde (*locus, in quo confixum a Moyse est primitus tabernaculum* 5,9), die Lustgräber (*memorias concupiscentiae* 5,1o) und alle heiligen Stätten, die sie zu sehen wünschte (*loca sancta omnia, quae desiderauimus* 5,11).

---

9 EUSEBIUS von Caesarea (+339) versuchte in seinem Onomastikon (von Hieronymus 39o ins Lateinische übersetzt und teilweise erweitert) die biblischen Orte zu lokalisieren, wobei er sich zuweilen auf die Traditionen seiner Zeit stützte.

1o Ihr lateinischer Reisebericht ist mehrmals kritisch ediert, unter anderem in: CSEL 39 (1898) 37-1o1 und CCSL 175 (1965) 37-9o. Der erste Teil wurde in der deutschen Übersetzung von Karl Vretska, Die Pilgerreise der AETHERIA (Peregrinatio Aetheriae). Eingeleitet und erklärt von Hélène Pétré, Stift Klosterneuburg bei Wien, NÖ. 1958, übernommen und mit zahlreichen Anmerkungen versehen von H. DONNER, Pilgerfahrt ins Heilige Land. Die ältesten Berichte christlicher Palästinapilger (4. - 7. Jahrhundert), Stuttgart 1979, 82-137; vgl. auch ebd. 69-81

Seit wann die Eremiten den Ǧabal Mūsā als Sinai verehrten, ist nicht genau bekannt, doch findet sich in dem Bericht des ägyptischen Einsiedlers AMMONIOS [11], der zwei oder drei Jahrzehnte vor Aetheria auf seiner Pilgerreise in das Hl. Land auch den Berg Sinai, das ἅγιον ὄρος, wie er ihn nennt, um das Jahr 373 besuchte und dort von dem Mord an vierzig Mönchen durch räuberische Blemmyer hörte, ein kleiner Hinweis, der den oben angenommenen zeitlichen Ansatz bestätigen dürfte. Ammonios erwähnt nämlich Einsiedler, die in Raithu, dem Schauplatz des Blutbades (in der Nähe des heutigen, auf der Ostseite des Suesgolfes gelegenen Hafenortes aṭ-Ṭūr), eine Lokalität, die man mit Elim (Ex 15,27) identifizierte [12], bereits ein sechzigjähriges Anachoretenleben hinter sich hatten [13]. Dies führt, von seinem Besuchsjahr 373 an zurückgerechnet, auf das Jahr 313, den terminus post quem für das Aufsuchen und Verehren der hl. Stätten aufgrund der im Mailänder Edikt gewährten Religionsfreiheit, was zugleich mit dem Auftreten des hl. Antonios und seiner Nachahmer gut zusammentrifft. Man wird also davon ausgehen dürfen, daß frühestens im 2. Jahrzehnt des 4. Jahrhunderts sich Einsiedler bei aṭ-Ṭūr, ferner in der Oase Fīrān und am Sirbāl [14] sowie rings um den Ǧabal Mūsā niedergelassen haben [15].

Einführung und Literaturhinweise. Für Donner 74 scheint eher die Zeit um und nach 4oo für die Reise Aetherias in Frage zu kommen.

11 AMMONII Monachi Relatio, de Sanctis Patribus, Barbarorum incursione in monte Sina, & Raithu peremptis, in: Illustrium Christi Martyrum lecti triumphi ... F. Franc. Combefis ... produxit, Latinè reddidit, strictim notis illustrauit, Parisiis 166o, 88-132 (144).
Gegen R. LEPSIUS, Briefe aus Aegypten, Aethiopien und der Halbinsel des Sinai ..., Berlin 1852, 445, dem diese im 4. Jh. verfaßte Schrift des Ammonios bei seiner gleich zu besprechenden Sirbāltheorie im Wege stand, weshalb er sie einfach als eine spätere, vom Nilus-Bericht abhängige, "unverkennbar erfundene Erzählung" bezeichnete, hatte SCHIWIETZ a.a.O. Bd. 2, 6-15 mit guten Gründen die Echtheit dieser Quelle verteidigt und die Reise des Ammonios in die Jahre 373-378 datiert.

12 Dort wären, sagt AMMONIOS, ed. Combefis 95f (vgl. SCHIWIETZ a.a.O. Bd. 2, 29), die 12 Quellen und die 7o Palmen der Hl. Schrift, die aber inzwischen zahlreicher geworden seien (ἔνθα καὶ πηγαὶ εἰσὶν δώδεκα καὶ φοίνικες ἑβδομήκοντα κατὰ τὴν γραφὴν, νῦν δὲ τῷ χρόνῳ πλεονέσαντες).

13 οἱ μὲν ἀπὸ τεσσαράκοντα ἐτῶν, καὶ πεντήκοντα, καὶ ἑξήκοντα μείναντες ἐν τῷ τόπῳ; ed. Combefis 97.

14 Dort hatte man Refidim, den Schauplatz der Amalekiterschlacht (Ex 17), lokalisiert, wie das Onomastikon (142,22) des Eusebios bezeugt: Ῥαφιδίμ...ἔνθα καὶ πολεμεῖ Ἰησοῦς τὴν Ἀμαλὴκ ἐγγὺς Φαράν.

15 Nach der (nur mündlichen!) Tradition der Sinaimönche habe die Kaiserin Helena im Anschluß an ihre Palästinareise auch den Sinai besucht und dort die Kapelle am Brennenden Dornbusch und einen Schutzturm errichten sowie die auf den Moseberg führenden Stiegen verlegen lassen. Dies er-

§ 2: *Die Sirbāltheorie*

Warum gerade dem Ǧabal Mūsā und nicht dem imposanteren Sirbāl die Ehre zuteil wurde, der Sinai zu sein, mag in der Tat verwunderlich erscheinen. Der Sirbāl erreicht eine Höhe von 2o7o m und ragt als fünfgipfliger Gebirgsstock nahezu 1.5oo m über der Oase Fīrān (6oo m ü.d.M.) steil empor, wodurch er weitaus eindrucksvoller und höher wirkt als der 2285 m hohe Ǧabal Mūsā, dessen Umgebung (Katharinenkloster und Ebene ar-Rāḥa) bereits mehr als 1.5oo m über dem Meeresspiegel liegt. Die majestätische Größe des Sirbāl sowie die zahlreichen nabatäischen Inschriften in seiner Nähe liessen den berühmten Reisenden Johann Ludwig BURCKHARDT im Jahr 1816 den Gedanken aussprechen, "daß zu irgendeiner Zeitperiode der Berg Serbal der vornehmste Wallfahrtsort auf der Halbinsel war, und daß er für den Berg galt, wo Moses die Gesetzestafeln empfing", obgleich er der Meinung war, "daß entweder der Dschebel Musa oder der Katharinenberg der wirkliche Horeb ist". Erst durch die Erbauung des mehr Sicherheit bietenden Katharinenklosters sei die Verehrung des Sirbāl als Berg der Gesetzgebung auf den Ǧabal Mūsā übertragen worden [16].

---

wähnt z.B. R. POCOCKE, A Description of the East, and Some other Countries. Vol. I: Observations on Egypt, London 1743, 146. Angeblich soll diese Nachricht, wie auch SKROBUCHA a.a.O. 25 ungeprüft weitergibt, von dem alexandrinischen Patriarchen EUTYCHIUS (Saᶜīd ibn Baṭrīq, 877-94o) stammen. In seinen Annalen berichtet er zwar, die Kirche sei in diesen Turm, dessen Fundamente man J.L. BURCKHARDT, Reisen in Syrien, Palästina und der Gegend des Berges Sinai ..., 2. Bd., Weimar 1824, 877f, im Klostergarten zeigte, hineingebaut, doch ist von der Kaiserin Helena hier nicht die Rede (vgl. den von L. Cheikho edierten arab. Text: CSCO 5o,2o2 und die alte lat. Übers. von E. Pococke: PG 111,1o71). AMMONIOS, ed. Combefis 9of, der ohne nähere Angaben Kirche und Turm erwähnt, sowie AETHERIA (4,6-8), die nur von der Kirche und einem Garten, aber nicht vom Turm spricht, schweigen sich ebenfalls über die Kaiserin aus, und auch sonst ist in den alten Quellen eine Sinai-Fahrt Helenas nirgends bezeugt. Die hochbetagte Kaiserin dürfte eine solch beschwerliche Reise auch kaum unternommen haben. Es ist aber durchaus möglich, daß die Mönche, wie der jüngst vom Katharinenkloster hrsg. Fremdenführer von E. PAPAIOANNOU, The Monastery of St.Catherine, Sinai, Tel Aviv 1976, 7 angibt, das Patronat der frommen und wohltätigen Mutter Konstantins erbaten und sie ihnen daraufhin um das Jahr 33o Kirche und Turm errichten ließ.

16 BURCKHARDT a.a.O. II 964f. Die aus dem 2. u. 3. Jh. nC stammenden Inschriften waren auch für B. MORITZ, Der Sinaikult in heidnischer Zeit: AGWG.PH NF 16,2 (1916) 1-64 ein Beweis, daß der Sirbāl den Nabatäern als heiliger Berg galt. Selbst heute noch halten ihn die Araber heilig und opfern auf seinem Gipfel. BURCKHARDT (971), der am 1. Juni 1816 als

Diese Vermutung Burckhardts wurde für den Ägyptologen Richard LEPSIUS zur Gewißheit. Er stellte 1846 die Behauptung auf: Der Sirbāl ist der wahre Sinai! [17] Wenn ihm auch sogleich durch KUTSCHEIT heftig widersprochen wurde [18], so schlossen sich doch andere seiner Ansicht an, wie die Engländer John HOGG [19] und William Henry BARTLETT [2o].

Nur halb adoptierte die neue Theorie der bekannte Geograph Carl RITTER, der zwischen dem "Berg Gottes" und dem Sinai unterscheiden und im Sirbāl den "Berg Gottes" sehen wollte [21]. Später aber rückte er von dieser Meinung wieder ab, weil der Sirbāl, durch seine Inschriften als heidnische Kultstätte ausgewiesen, wohl kaum ein heiliger Berg Jahwes gewesen sein dürfte [22].

---

erster Europäer den Sirbāl bestiegen hatte, machten sie heftige Vorwürfe, weil er dadurch ihrem Glauben nach die Heiligkeit des Berges verletzt hatte.

17 R. LEPSIUS, Reise von Theben nach der Halbinsel des Sinaï vom 4. März bis zum 14. April 1845, Berlin 1846, 37 u. 46 und DERS., Briefe a.a.O. 34o-356 u. Anm. 5o, 417-431.

18 J.V. KUTSCHEIT, Hr. Professor Dr. Lepsius und der Sinai, Berlin 1846.

19 J. HOGG, Mount Serbal the true Sinai: Gentleman's Magazine, London, März 1847, 265-268. DERS., Remarks and additional Views on Dr. Lepsius's Proof that Mount Serbal is the true Mount Sinai: Transactions of the Royal Society of Literature of the United Kingdom, 2. Ser., Vol. III, London 1847/48 (185o) 183-236.

2o W.H. BARTLETT, Forty Days in the Desert, on the Track of the Israelites ..., London 1849, 55-58.
Auch C. FORSTER, The Israelitish Authorship of the Sinaïtic Inscriptions ..., London 1856, 77f identifizierte den Sirbāl aufgrund der zahlreichen nabatäischen Inschriften, in denen er "short and simple records of the wonders and miracles of the Exode" vermutete, mit dem Sinai, was er darüber hinaus durch die vermeintliche Etymologie von *Sirbāl* als Compositum aus صارة *ṣāra* Jugum montis und بعل *ba*[c]*l* Dominus = "Gottesberg" bestätigt sah. Vgl. auch DERS., Sinai Photographed, or, Contemporary Records of Israel in the Wilderness, London 1862, 87-113.
Ferner hielt R.W. STEWART, The Tent and the Khan: A Journey to Sinai and Palestine, Edinburgh 1857, 11o, 116, 144-149 den Sirbāl für den Sinai wegen der Bedeutung der Oasenstadt Fairān in frühchristlicher Zeit, der nabatäischen Inschriften, des angeblichen Namensbestandteils Ba[c]al sowie der Oasenbenennung Fairān, die vom Berg Paran herrühre, wie der Sinai in Dtn 33,2 und Hab 3,3 heiße.

21 C. RITTER, Die Erdkunde im Verhältniß zur Natur und zur Geschichte des Menschen ... - Die Erdkunde von Asien, Bd. VIII, 2.Abt., 1. Abschn.: Die Sinai-Halbinsel, Berlin [2]1848, 742.

Ein eifriger Verfechter der Sirbāl-Theorie war dagegen der Ägyptologe Georg EBERS, der die ganze Sinai-Sirbāl-Frage von neuem aufrollte [23], wobei er sich besonders auf den nestorianischen Mönch KOSMAS Indikopleustes stützte, der um das Jahr 535 durch das Peträische Arabien reiste und scheinbar den Sirbāl für den Sinai hält, da er sagt, der Sinai sei 6.ooo Schritte von Pharan entfernt [24].

Diese Angabe hatte schon ein Jahrzehnt zuvor Constantin TISCHENDORF, ein Gegner der Sirbāltheorie, als subjektive Ansicht des Kosmas zurückgewiesen [25]. Stephan SCHIWIETZ hat jedoch darauf aufmerksam gemacht [26], daß die Montfaucon'sche Ausgabe des Kosmas bei der Schilderung der Ereignisse zwischen Refidim und Gesetzgebung am Sinai vom Zusammenhang her offensichtlich eine (übrigens durch Sternchen angedeutete) Lücke aufweist, so daß man, wenn man sie nicht beachtet, zu der Ansicht kommen kann, Kosmas habe den Sirbāl für den Sinai gehalten. Aus der von WINSTEDT besorgten neuen Edition, die aufgrund einer sinaitischen Handschrift den fehlenden Text zum Teil ergänzen konnte, geht klar hervor, daß Kosmas zwischen dem "Berg bei Refidim" (= Fīrān) oder Sirbāl und dem Sinai sehr wohl unterscheidet [27]. Außerdem hatte die 1884 durch GAMURRINI entdeckte Peregrinatio Aetheriae die Theorie, die Verehrung des Sirbāl sei nachträglich auf den Ǧabal Mūsā übertragen worden, als unhaltbar erwiesen, da nunmehr aufgrund ihrer topographischen Angaben, der vielen von ihr beschriebenen, bis auf den heutigen Tag

---

22 C. RITTER, Die Sinaitische Halbinsel und die Wege des Volkes Israel zum Sinai, in: Evangelischer Kalender. Jahrbuch für 1852, hrsg. von F. Piper, 3. Jg., Berlin 1852, 51f.

23 G. EBERS, Durch Gosen zum Sinai ..., Leipzig 1872, 38o-426 u. Anm. 422, 585f sowie G. EBERS und H. GUTHE, Palästina in Bild und Wort ..., 2. Bd., Stuttgart und Leipzig 1884, 39o-41o.

24 Vgl. COSMAE Indicopleustae, Christianorum opinio de mundo: sive, Topographia Christiana, in: Collectio nova Patrum et Scriptorum Graecorum ... ed. Bernardus de MONTFAUCON, Tom. II, Parisiis 17o6, 196: ... ἐν τῷ Σιναΐῳ ἐγγὺς ὄντι τῆς Φαρὰν ὡς ἀπὸ μιλίων ἕξ.

25 C. TISCHENDORF, Aus dem heiligen Lande, Leipzig 1862, 98.

26 SCHIWIETZ a.a.O. Bd. 2, 6f und DERS., Die altchristliche Tradition über den Berg Sinai und Kosmas Indikopleustes: Kath. 88 (19o8) 9-3o.

27 E.O. WINSTEDT, The Christian Topography of Cosmas Indicopleustes, Cambridge 19o9, 14o: Εἶτα πάλιν παρενέβαλον εἰς Ῥαφιδὶν, εἰς τὴν νῦν λεγομένην Φαράν. In dem ergänzten Text heißt es dann (S.141): τρίτῳ δὲ μηνὶ ἦλθον εἰς τὸ ὄρος τὸ Σινᾶ.

tradierten hl. Stätten und vor allem wegen der Erwähnung eines (auch jetzt noch vorhandenen) Kirchleins auf dem Gipfel des Gottesberges, das es auf dem Sirbāl niemals gab, eindeutig feststand, daß bereits im 4. Jh. der Ǧabal Mūsā als Sinai gegolten hat. Nichtsdestoweniger hielten Franz von HUMMELAUER [28] und Adolf KELLER [29] an der Meinung fest, der Sirbāl sei eine Zeitlang als der Sinai angesehen worden [30]. C.T. CURRELLY [31] meinte gar, die Beschreibung Aetherias passe nicht auf den Ǧabal Mūsā, sondern beziehe sich auf den Sirbāl. Erst nachdem das Katharinenkloster den Anspruch geltend gemacht hatte, am Fuß des Sinai zu liegen, habe eine spätere Hand in ihren Reisebericht die dorthin führenden Entfernungsangaben interpoliert. Den Grund für diese Verlegung sah Ludwig SCHNELLER in dogmatischen Streitereien: Nachdem der Bischof Theodor von Fīrān und seine Anhänger auf der Lateransynode 649 und auf dem 6. Konzil von Konstantinopel 680/1 als Monotheleten verurteilt worden waren, hätten sich die rechtgläubigen Bewohner der gebannten Oasenstadt zum Ǧabal Mūsā zurückgezogen und sich dort "einen neuen, orthodoxen Sinai" geschaffen [32]. Dagegen hält Gustav HÖLSCHER [33] die Feindseligkeiten der Beduinen für ausschlaggebend und vertritt, wie schon Johann Ludwig Burckhardt, die ebenso unhaltbare Meinung, die Mönche von Fīrān seien vor den Blemmyern und Sarazenen in das von Justinian (+565) erbaute Festungskloster am Ǧabal Mūsā geflüchtet, auf den dann die Tradition vom Berg der Gesetzgebung übergegangen sei. Es gibt aber kein einziges Zeugnis und nicht den geringsten Hinweis dafür, daß sich einst die christ-

---

28 F. de HUMMELAUER, Commentarius in Exodum et Leviticum (CSS), Parisiis 1897, 188.

29 A. KELLER, Eine Sinai=Fahrt, Frauenfeld 1901, 166.

30 Auch J.G. KINNEAR, Cairo, Petra, and Damascus, in 1839 ..., London 1841, 89, meinte, der Sirbāl sei vor der Gründung des Katharinenklosters von den Pilgern als Sinai angesehen worden.

31 C.T. CURRELLY, Mount Sinai and Gebel Serbâl, in: Sir W.M.F. PETRIE, Researches in Sinai, London 1906, 252.

32 L. SCHNELLER, Durch die Wüste zum Sinai ..., Leipzig 1910, 126 u. 130. Dieser Ansicht war übrigens schon H. GRAETZ, Die Lage des Sinai oder Horeb: MGWJ 27 (1878) 353.

33 G. HÖLSCHER, Sinai und Choreb: FS R. Bultmann (65. Geburtstag), Stuttgart und Köln 1949, 132.

liche Überlieferung bei der Lokalisierung des Sinai auf den Sirbāl und den Ǧabal Mūsā verteilt habe [34]. Diese stand seit dem 4. Jh. immer nur auf Seiten des Ǧabal Mūsā.

§ 3: *Die Vulkanhypothese*

Der durch die Bemerkung Burckhardts ausgelöste Streit war noch nicht recht in Gang gekommen, als sich bereits eine neue Theorie zu Wort meldete. Sie sprach dem gesamten Zentralmassiv überhaupt die Ehre ab, den Berg Sinai zu besitzen, und damit die Berechtigung, der ganzen Halbinsel den bis heute üblichen Namen zu geben. In Wirklichkeit müsse man diese Ansicht auf den Irrtum und die Fabeleien der dortigen Mönche zurückführen und den wahren Berg Sinai außerhalb der fälschlich nach ihm benannten Halbinsel auf dem gegenüberliegenden östlichen Festland suchen. Vorkämpfer dieser Idee war der heute fast in Vergessenheit geratene englische Geograph Charles Tilstone BEKE.

Aufgrund seiner Hypothese, daß Miṣraim nicht Ägypten, sondern ein eigenständiges Königreich auf der Sinaihalbinsel war, das sich vom heutigen Sueskanal bis zum Golf von Aqaba, dem Yām Sūf der Bibel,erstreckte [35], verlegte er den Sinai in das Gebiet östlich des Golfes von Aqaba und der Arava, eine Lage, die er in der Folgezeit unbeirrt verteidigte [36]. Dabei war ihm schon im Jahr 1835, so schreibt er später [37], der Gedanke gekommen,

---

34 So immer noch A. van den BORN / H. HAAG, Sinai, in: H. HAAG (Hrsg.), Bibel-Lexikon, Einsiedeln.Zürich.Köln ²1968, 1594; vgl. auch H. HAAG, Sinai: LThK IX (1964) 783. Ebenso E. ZENGER, Der Gott der Bibel, Stuttgart 1979, 68. Für die Angabe, ägyptische Christen hätten den biblischen Sinai noch näher bei Ägypten festzulegen versucht, bleibt er den Beleg allerdings schuldig.

35 C.T. BEKE, Origines Biblicae: or, Researches in Primeval History, Vol. I, London 1834, 1o, 167-19o, 267-31o.

36 C.T. BEKE, On the Localities of Horeb, Mount Sinai, & Midian, in connexion with the hypothesis of the distinction between Mitzraim and Egypt: British Magazine, a monthly journal of literature, science and art 7 (June 1835) 672-675; DERS., Vertheidigung gegen Herrn Dr. Paulus, in Betreff seiner Recension über meine Origines Biblicae, Leipzig 1836, 38; DERS., On the Passage of the Red Sea by the Israelites, and its Locality; and on the Situation of Mount Sinai: The Asiatic Journal N.S. 26 (London, May-August 1838) 13-15; DERS., A Few Words with Bishop Colenso on the subject of the Exodus of the Israelites and the Position of Mount Sinai, London 1862, 9-11.

37 C.T. BEKE, Mount Sinai a Volcano, London ²1873, 1o.

der Sinai müsse ein Vulkan gewesen sein, der zur Zeit des Auszugs und der Gesetzgebung, wie er aus der Theophanie Ex 19,16-19 herauslas, gerade aktiv war. Aufgrund dieser Hypothese suchte er ihn dann Jahre danach [38] in dem vulkanischen Gebiet der *Ḥarrat ar-Rağlā* [39] und identifizierte ihn auf seiner 1874 unternommenen Erkundungsfahrt, bestärkt durch den Hinweis von IRBY und MANGLES, die am 17. Mai 1818 im Nordosten von Aqaba "three dark volcanic summits" und einen "another volcanic mount" gesehen haben wollten [4o], mit dem etwa 15 km nordöstlich von Aqaba liegenden 1.592 m hohen "*Gebel en-Nur*" ("Licht"-Berg) oder "*Gebel Baġir*" [41]. Doch mußte ihm sein Begleiter MILNE, ein nachmals bekannter Erdbebenforscher, die enttäuschende Nachricht bereiten, daß dieser Berg kein Vulkan war, sondern aus Granit bestand [42], was ihn dazu veranlaßte, seine langverfochtene Meinung zu ändern: "Therefore 'Mount Sinai a volcano' must be given up" [43]. Außerdem ist, wie BURTON feststellen konnte, die Bezeichnung "*Gebel en-Nur*" den Arabern völlig unbekannt und der Name "*Gebel Baġir*" richtig "*Ğebel Bāqir*" zu lesen, denn er bezieht sich auf das dortige Weli eines Šaiḫ Muḥammad Bāqir [44]. Beke hat denn auch nach all dem seinem Freund Burton zugegeben, er habe sich "egregiously mistaken with respect to the volcanic character of 'Mount Sinai'" [45]. Trotzdem hielt er an der Lage des Sinai östlich des Golfes von Aqaba fest, worin ihm Burton zustimmte [46].

---

38 C.T. BEKE, ebd. 8-14, 39-44; DERS., Mount Sinai: The Athenaeum Nr. 2363, 8. Febr. (London 1873) 184 u. Nr. 2364, 15. Febr. (1873) 214f.

39 O. LOTH, Die Vulkanregionen (Ḥarra's) von Arabien nach Jâḳût: ZDMG 22 (1868) 37of.

4o C.L. IRBY and J. MANGLES, Travels in Egypt and Nubia, Syria, and the Holy Land, London 1844, 115f; vgl. C.T. BEKE, Mount Sinai: The Athenaeum Nr. 241o, 3. Jan. (1874) 25 und The Late Dr. Charles BEKE's Discoveries of Sinai in Arabia and of Midian, edited by His Widow, London 1878, 129.

41 BEKE's Discoveries 387-488.

42 Vgl. die Beschreibung des Berges von J. MILNE, Geological Notes on the Sinaitic Peninsula and North-Western Arabia: The Quarterly Journal of the Geological Society of London 31 (1875) 19f.

43 BEKE's Discoveries 439.

44 R.F.BURTON,The Land of Midian (Revisited), 2 vols., London 1879, I 238f.

45 Ebd. I 23.

46 Zu dem ganzen Unterfangen Beke's, das H. GRESSMANN, Mose und seine Zeit (FRLANT 18, NF 1), Göttingen 1913, 418, Anm. 7 eine "Tragikomödie der Irrungen" nannte, vgl. auch E. OBERHUMMER, Die Sinaifrage: Mitteilungen der k.k. Geographischen Gesellschaft 54 (Wien 1911) 632f.

A. LUCAS, The Route of the Exodus of the Israelites from Egypt, London 1938, 7of u. 77-79 spricht sich indessen immer noch für Beke's "Mt.Sheikh

§ 4: *Lokalisierungsversuche aufgrund der Pentateuchkritik*

Der Verlegung des Gesetzesberges aus der traditionellen Sinaihalbinsel auf die Ostseite des elanitischen Meerbusens verhalf erst die damals aufblühende Pentateuchkritik mit dem gänzlich anderen Argument der Quellenscheidung voll zum Durchbruch. Die in der Endredaktion der biblischen Darstellung als Synonyme erscheinenden Namen Gottesberg, Horeb und Sinai wurden nicht nur unterschiedlichen Traditionen, sondern auch jeweils anderen Lokalisationen zugeteilt. Doch gingen auch hier die Ansichten, welcher Berg wo liege und wer mit wem identisch sei, entsprechend den Quellentheorien und literarkritischen Methoden auseinander.

4.1 Julius WELLHAUSEN [47] vertrat die Meinung, nach J und E wären die Israeliten von Ägypten aus direkt nach Kadesch-Barnea, dem "wahren Schauplatz der mosaischen Geschichte" gezogen. Hier habe der Bundesschluß stattgefunden und hier müsse auch der Gottesberg gesucht werden. Dagegen sei die wahre und ursprüngliche Bedeutung des Sinai völlig unabhängig von der Gesetzgebung in Kadesch [48]. Da in den alten poetischen Stücken Ri 5,4f;

Mohammed Bagir" aus, da auf ihn die biblischen Angaben am besten paßten.

47 J. WELLHAUSEN, Prolegomena zur Geschichte Israels, Berlin ^{3}1883, ^{6}19o5, 348f u. 35o, Anm. 1.

48 E. AUERBACH, Moses, Amsterdam 1953, 167-172 unterscheidet einen doppelten Faden der Sinaitradition. Nach der einen Überlieferung (Ex 24,1-11) gehören der Berg Sinai, eine in strahlendes Licht und heitere Bläue gehüllte feierliche und friedliche Stätte der Gottheit, sowie der Brennende Dornbusch in die Nähe von Kadesch. Eine andere, jüngere Tradition (Ex 19; 24,12-18) kannte einen vulkanischen Sinai in Midian (vgl. Dtn 33,2), östl. und südöstl. des Golfes von Aqaba, an dem die Israeliten auf ihrem Wüstenzug aber nie gewesen sind. Da beide als Wohnsitz Jahwes angesehen wurden und denselben Namen tragen, herrscht zwischen ihnen kein sachlicher, sondern nur ein literargeschichtlicher Gegensatz. In der wiederholten Bearbeitung des Stoffes habe die Tradition vom Feuerberg in Midian eine Reihe der Kadescherzählungen in sich aufgesogen und sei immer mehr in den Mittelpunkt der Offenbarungs-, Gesetzgebungs- und Bundeserzählungen gerückt.
G. HÖLSCHER, Sinai und Choreb: FS R. Bultmann (65. Geburtstag), Stuttgart u. Köln 1949, 128f hält einen der Berge südöstlich von Kadesch für den Sinai und verlegt aufgrund von Dtn 1,2 den Horeb nach Midian. H. GRAETZ, Die Lage des Sinai oder Horeb: MGWJ 27 (1878) 357f identifiziert den Sinai mit dem 32 km südl. von ᶜAin Qadeš aufragenden Ǧabal ᶜArā'if, den G. WESTPHAL, Jahwes Wohnstätten: BZAW 15 (19o8) 42f für den Horeb, den geschichtlichen Gottesberg des Mose in Edom, hielt und der später von J und E fälschlicherweise in den Süden der Sinaihalbinsel verlegt worden sei. Nicht allzuweit von Kadesch, ohne eine genauere Lokalisierung vorzuschlagen, suchten den Sinai BÖNHOFF, Die Wanderung Israels in

Dtn 33,2f und Hab 3,7 der Weg Jahwes vom Sinai über das Gebiet östlich der Arava nach Kadesch führt, müsse dieser Berg südöstlich von Edom in Midian lokalisiert werden [49], dessen Kernland man auf der Ostseite des Golfes von Aqaba suchte [5o].

4.2 Durch diesen geographischen Hinweis wurde die von Beke selbst für tot erklärte Vulkantheorie zu neuem Leben erweckt. Unabhängig (?) von ihm hatte wieder Hermann GUNKEL aufgrund der Theophanieschilderung Ex 19,16-19 die Ansicht vertreten, der Sinai müsse, wenn man "die Beschreibung davon

---

der Wüste mit besonderer Berücksichtigung der Frage "Wo lag der Sinai?": ThStKr 8o (19o7) 217 und R. KITTEL, Geschichte des Volkes Israel, 1. Bd., Gotha ^{2}1912, 511 (in der 3. Aufl. 1916, 535 neigt auch er zum Ǧabal ^{c}Arā'if). Den südwestl. von Kadesch gelegenen, weithin sichtbaren und monumental aufgebauten Ǧebel Jelek (Ya^{c}allaq, 1o75 m) faßte T. WIEGAND, Sinai, Berlin u. Leipzig 192o, 53f ins Auge. C.S. JARVIS, Yesterday and To-day in Sinai, Edinburgh and London (1931) ^{3}1933, 171f und The Forty Years' Wanderings of the Israelites: PEFQS 1938, 32 (vgl. auch 37) denkt dagegen an den nordöstl. vom Ǧebel Jelek (ungefähr 5o km südl. von al-^{c}Arīš und etwa 4o km westl. von Kadesch) sich erhebenden Ǧebel Hellal (914 m). M. HAREL, Masa^{c}ēi Sinai, Tel Aviv 1969, 274ff gibt den Ǧebel Sin Bišr (618 m; etwa 5o km südöstl. von Sues) für den Sinai aus. H. GRIMME, Althebräische Inschriften vom Sinai, Darmstadt 1923, 87-9o; Die altsinaitischen Buchstabeninschriften, Berlin 1929, 35, 43, 8o, 84, 1o4f; Altsinaitische Forschungen (SGKA 2o/3), Paderborn 1937, 29-31, 68, 74f, 8o, 95-97 glaubte in den Inschriften von Serābiṭ el-Ḫādem viermal den Namen Sinai (סני) zu lesen und vermutete darunter eine Bezeichnung der dortigen Gegend, in der als "Berg *von* Sinai" (nicht: "Berg Sinai") noch am ehesten der stark in die Augen fallende doppelgipflige Umm Riǧlain (südwestl. der Ruinenstätte) in Betracht komme. Auch S. LANDERSDORFER, Die Bücher der Könige (HSAT), Bonn 1927, 118f suchte daraufhin im Felsplateau von Serābiṭ el-Ḫādem den Sinai. Demgegenüber hatte D. NIELSEN, The Site of the Biblical Mount Sinai: JPOS 7 (1927) 194-2o8 Jahwe für ursprünglich einen Mondgott gehalten und den Sinai in Petra lokalisiert.

49 Diese Ortslage vertraten auch G.F. MOORE, A critical and exegetical Commentary on Judges (ICC),Edinburgh 1895, New York 19o1, 14o und B. STADE, Die Entstehung des Volkes Israel, Giessen 1897, 12.

5o Wichtigster Anhaltspunkt für die dortige Lage war jene offenbar nach dem Stamm Midian (LXX: Μαδιαμ, Μαδιαν) benannte Stadt am Roten Meer, die bei Josephus (Ant.II 11,1) und EUSEBIUS (Onomastikon, ed. Klostermann 124) Μαδιανη heißt. PTOLEMAEUS (VI 7,2) nennt sie Μοδιανα oder Μοδουνα, während sie an anderer Stelle (VI 7,27) unter dem Namen Μαδιαμα als binnenländische Stadt erscheint. Die Araber sprechen von Madyan.

unbefangen liest", ein Vulkan gewesen sein [51], den man"mit gutem Grunde an der vulkanreichen nordöstlichen Küste des Roten Meeres" zu suchen ha-

---

51 H. GUNKEL, Das alte Testament im Licht der modernen Forschung, München 19o5, 69. Zum erstenmal aufgestellt hatte Gunkel diese These in: DLZ 24 (19o3) 3o58f. Für einen bestimmten Berg oder geographischen Raum hatte er sich dabei noch nicht ausgesprochen. Vgl. auch DERS., Ausgewählte Psalmen, Göttingen ²19o5, ³1911, 77f u. 189f.
Gunkels Hypothese wurde von E. DENNERT, War der Sinai ein Vulkan?: GlWis 2 (19o4) 298-3o6 abgelehnt, weil die wichtigsten Kennzeichen eines Vulkanausbruchs, nämlich Aschenregen und Lavastrom, im biblischen Bericht nicht erwähnt werden und man die in Ex 19,16-19; Dtn 4,11 u. 9,15 geschilderten Naturgewalten durchaus mit Gewitter und Erdbeben erklären könne.
E. MEYER, Die Israeliten und ihre Nachbarstämme, Halle a.S. 19o6, 69, Anm. 1 pflichtet jedoch Gunkel bei und bemerkt, Mordtmann und ihm sei schon 1872 der Gedanke gekommen, der Sinai müsse ein Vulkan gewesen sein, wobei ihnen die Vulkanregion Nordarabiens vorschwebte. Doch hätten sie diese "Entdeckung" wieder aufgegeben, da sie hörten, auf der Sinaihalbinsel habe es niemals Vulkane gegeben und es ihnen damals völlig fernlag, den Sinai woanders zu suchen. Offensichtlich war ihnen die Theorie von Beke, der schon 1835 an einen Vulkan gedacht haben wollte, unbekannt. Doch sind weder Beke noch Meyer und Gunkel als die Urheber der Vulkanhypothese anzusehen. Solche Ideen wurden bereits von Vertretern der Aufklärung verbreitet, wie F.L. Graf zu STOLBERG, Geschichte der Religion Jesu Christi, 2. Bd., Hamburg 1811, 59f bezeugt. Diese "flachen Spötter", sagt er, "faseln ferner: Sinai sey ein feuerspeiender Berg gewesen, dessen Ausbruch Moses abgewartet habe ... daher ... diese Donner, dieses Beben des Berges, diese Rauchsäule!" Desgleichen erfahren wir vom Bibelübersetzer Dominikus von BRENTANO, Die heilige Schrift des alten Testaments. Erster Theil,welcher die fünf Bücher Mosis enthält etc., Frankfurt am Main 1797, zu Ex 19,18: "Es hat an Religionszweiflern nicht gemangelt, welche, um das Wunderbare dieser Erscheinung zu schwächen, vorgegeben haben, es könne dieses ein natürlicher Vulkan gewesen seyn ..." Nun bedarf es nicht gerade einer großen Phantasie und Entdeckergabe, die bei der Theophanie am Sinai geschilderten Naturerscheinungen mit einem Vulkanausbruch in Verbindung zu bringen. Daran hatten früher schon viele gedacht. Aber nicht alle glaubten diese zunächst einleuchtende Erklärung aufrechterhalten zu können, da der Ǧabal Mūsā niemals ein Vulkan war und deshalb, wie Brentano zu bedenken gibt, weder die entsprechende Gestalt noch einen Krater besitzt. Daher meint Johann Jacob SCHEUCHZER, Kupfer=Bibel, 1. Tl., Augspurg und Ulm 1731, 258: Der Sinai "ist nur diß eintzige mal ein Vulcanus, weil GOTT dessen nur bey dieser ausserordentlichen Gelegenheit nöthig hatte". Dieselbe Position vertrat fast hundert Jahre zuvor Andreas RIVET, Commentarii, In Librum secundum Mosis, qui Exodus apud Graecos inscribitur ..., Lugduni Batavorum 1634, 499: "Non enim fingendum est, talem fuisse montis illius naturam, ut in locis ejus cavernosis lateret ignis materia, quae tandem incensa naturali modo, ignes illos evomuerit, quod in multis montibus usu venire notum est ex historiis & Geographia, ut in Aethna Siciliae monte, in quo igneas irruptiones saepè fieri ..." Gegen einen echten Vulkan spreche auch, daß "Lapides montis non fuerunt in vicinam planitiem projecti; cinis non operuit Israelitarum castra". So kommt denn Rivet (S. 5oo) zu dem Ergebnis: "Terrae autem, & montis velut salientis ad Dei praesentiam motus, non sunt quaerendae causae in naturâ, nec hic disputandum de Physicis rationibus hujus commotionis; Cum enim quaecumque hic facta sunt ad miracula pertineant ..."

be [52]. Seine Vorstellung von der Lage des Sinai südöstlich von Aqaba versuchte Hugo GRESSMANN durch eine Verknüpfung der Vulkanhypothese mit den Argumenten der Pentateuchkritik zu unterstützen [53].

4.3 Bei dieser erneuten Verlegung aus der Sinaihalbinsel hat es wiederum nicht an Versuchen gefehlt,einen ganz konkreten Berg mit dem Sinai zu identifizieren. WELLHAUSEN meinte noch: "Wo der Sinai gelegen hat, wissen wir nicht und die Bibel ist sich schwerlich einig darüber; das Streiten über die Frage ist bezeichnend für die Dilettanten" [54]. Nichtsdestoweniger versuchte McNEILE das Problem zu lösen. Anders als Wellhausen vermutete er aufgrund seiner literarkritischen Beobachtungen den Sinai unweit von Kadesch, den Horeb dagegen in Midian auf der Ostseite des Golfes. Seine Methode zur Bestimmung der Ortslage muß allerdings als Dilettantismus bezeichnet werden. Als Ausgangspunkt wählte er Ex 18,27, dessen Angabe, Jitro "went his way into his own land" er so verstehen wollte, daß Jitro einen anderen Weg eingeschlagen habe als die bald darauf vom Gottesberg abziehenden Israeliten, denen er sich sonst leicht bis zum Nordende des Golfs von Aqaba hätte anschließen können. Da die Israeliten eine nordwestliche Richtung genommen hätte, müsse er demnach nach Nordosten gegangen sein! Folglich habe man den Horeb westlich oder südwestlich von Midian zu suchen. Ebensogut erraten ist auch der dafür in Frage kommende Berg. Es könnte sei- Meinung nach der *Ǧabal Ḥarb* (2.35o m) gewesen sein, der ein wenig südlich vom 28. Breitengrad auf etwa der gleichen Höhe wie die Süd-Spitze der Sinaihalbinsel liegt, was sich gut mit Dtn 1,2 vereinbaren lasse, da er ziemlich genau elf Tagesreisen von Kadesch-Barnea entfernt sei [55].

---

52 H. GUNKEL, Ausgewählte Psalmen, [3]1911, 118.

53 H. GRESSMANN, Mose und seine Zeit, Göttingen 1913, 418; vgl. DERS., Der Ursprung der israelitisch-jüdischen Eschatologie, Göttingen 19o5, 4o-49; DERS., Palästinas Erdgeruch in der israelitischen Religion, Berlin 19o9, 66-76. Die Erinnerung an den Aschenregen bzw. Lavastrom habe sich, so meint er (S. 7o), in der Erzählung verloren.

54 J. WELLHAUSEN, Prolegomena, Berlin [4]1895, 35o, Anm. 1.

55 A.H. McNEILE, The Book of Exodus (WC), London 19o8, [2]1917, CV; vgl. auch die Karte neben S. XCIII. Auch P. HAUPT, The Burning Bush and the Origin of Judaism: PAPS 48 (19o9) 365 sowie: Midian und Sinai: ZDMG 63 (19o9) 511 u. 524, Anm. 56, der ebenfalls für einen Vulkan in Midian eintrat, dachte, durch McNeile angeregt, an den Ǧabal Ḥarb.

4.4 Ein anderer Identifizierungsvorschlag kam von Alois MUSIL, der am 2. Juli 191o "unverhofft die ... wichtigste Entdeckung" seiner Forschungsreise nach Arabien machte, die den Leser nicht minder überrascht, wenn er ohne jede Begründung erfährt, daß der heilige Vulkan *Ḥala-l-Bedr* (*Ḥallat al-Badr*) zwischen der *Ḥarrat ar-Rḥa* (*Ḥarrat ar-Raḥā*) im NW und der *Ḥarrat al-ᶜAwêreẓ* (*Ḥarrat al-ᶜUwairiḍ*) [56] im O u. SO der wahre Sinai ist [57]. Ohne nochmals darauf zurückzukommen, trat er später (1926) für eine andere Stelle ein. Da er das Land Midian südöstlich von Aqaba sucht, lokalisiert er auch dort den Horeb, den er aufgrund der biblischen Notizen und Itinerarangaben in der Nähe des *Šeᶜīb al-Ḫrob*, am nordöstlichen Rand der welligen Hochebene von al-Ḫraibe, etwa 2o km nördlich der Oase ᶜAinūna vermutet. Die in den Traditionen unterschiedlichen Bezeichnungen Horeb oder Gottesberg und Sinai beziehen sich seiner Meinung nach auf denselben Berg [58].

4.5 Auch Martin NOTH vermutet den Sinai im Vulkangebiet südlich von Tabūk, doch hält er es für müßig, seine dortige Lage anhand der biblischen Angaben präzisieren zu wollen. Ausgehend von der Hypothese, im Stationenverzeichnis Num 33,3-49 liege das Itinerar eines Wallfahrtsweges zum Sinai vor, verlegt er die einzelnen Orte der Wüstenwanderung mit der Begründung, sie hätten auf der Sinaihalbinsel bisher nicht befriedigend lokalisiert

---

56 Die in Klammern stehende genauere Transkription richtet sich nach J. PIRENNE, Le site préislamique de al-Jaw, la Bible, le Coran et le Midrash: RB 82 (1975) 34-69; vgl. die Karten S. 38, 4o u. 43.

57 A. MUSIL, (Vorbericht über seine letzte Reise nach Arabien): AAWW.PH 48 (1911)154. Dieser von Musil behaupteten Identität glaubte W.J. PHYTHIAN-ADAMS, The Mount of God: PEFQS (193o) 2o9 sowie: The Volcanic Phenomena of the Exodus: JPOS 12 (1932) 87, der im Horeb/Sinai ebenfalls einen Vulkan in Midian vermutete, aus guten Gründen zustimmen zu können.

58 A. MUSIL, The Northern Ḥeǧâz ..., New York 1926, 269 u. 296-298. Unabhängig von Musil war im Jahr 1951 auch H.St. PHILBY, The Land of Midian, London 1957, 222-224 im Hinblick auf die "Höhlen Jitros" und den "Gebetsplatz Jitros" (vgl. S. 212) auf den Gedanken gekommen, den in der Nähe gelegenen doppelgipfligen Granitberg "Hurab" (von seinem Begleiter "Hrub" und von Musil "Hrob" gesprochen) aufgrund der Namensähnlichkeit mit dem biblischen Horeb zu identifizieren, obwohl er hörte, daß sich der Name Hurab eigentlich auf das dortige Wādi beziehe, der Berg selber aber al-Manīfa ("der Hohe, der Erhabene") genannt werde (vgl. S. 224).

werden können, auf die östliche Seite des Golfs von Aqaba, wo er den zum Sinai führenden Weg besonders mit Hilfe der topographischen Forschungen Musils zu rekonstruieren versucht [59].

4.6 Die Lage des Berges außerhalb der Sinaihalbinsel möchte GABRIEL durch andere Argumente erhärten. Da dieses Gebiet zum Machtbereich des Pharao gehörte und durch kein einziges Zeugnis als Wohnsitz der Midianiter ausgewiesen ist, tritt er, ganz bewußt die Vulkan- und Quellenscheidungshypothese beiseite lassend, mit Entschiedenheit dafür ein, den nach seiner Meinung offenbar mit dem midianitischen Gottesberg identischen Sinai in der Heimat dieses Stammes auf der Ostseite der Arava zu suchen [6o].

4.7 Wenn auch nach manchen der Sinai in Wirklichkeit nichts mit dem heute so genannten Berg im Süden der gleichnamigen Halbinsel zu tun hat, so fehlte es dennoch nicht an Forschern, die der Überzeugung waren, daß seine dortige Lage nicht etwa erst von den Anachoreten des 4. Jh. erfunden worden war, sondern offenbar bereits auf biblischer Grundlage beruhte.

Diese Ansicht versuchte Eduard MEYER [61] wiederum mit Hilfe der Pentateuchkritik zu begründen. Seiner Meinung nach war in den ursprünglichen Bericht, demzufolge das Volk von Ägypten aus direkt nach Kadesch zog, in der Bearbeitung von J^2 die Wanderung zum Berg der Gesetzgebung, dem Sinai oder Horeb, einem Vulkan in Midian, eingeschoben worden (Ex 16 - Num 19). Da aber "der Sinai in einen Zug von Ägypten nach Palästina absolut nicht hineinpaßte" [62], habe der von J^2 abhängige E den Sinai in Midian durch den Gottesberg oder Horeb im Süden der Sinaihalbinsel ersetzt und auf ihn die vulkanischen Züge übertragen [63].

---

59 M. NOTH, Der Wallfahrtsweg zum Sinai (4. Mose 33): PJ 36 (194o) 5-28. In seiner "Geschichte Israels", Göttingen [6]1966, 124 schwächt er seine Position insofern etwas ab, als er zwar für die Lage des Sinai im nordwestarabischen Vulkangebiet sachliche Gründe annimmt, die ihm aber nicht so eindeutig und ausreichend erscheinen, um diese Annahme auch wirklich zu beweisen. Vgl. auch seinen Kommentar zum Buch Exodus (ATD) Göttingen [4]1968, 125f.

6o J. GABRIEL, Wo lag der biblische Sinai?: WZKM 39 (1932) 123-132.

61 E. MEYER, Die Israeliten und ihre Nachbarstämme ..., Halle 19o6, 6o-71.

62 Ebd. 71.

63 Die Ansicht Meyers teilt auch C.A. SIMPSON, The Early Traditions of Israel ..., Oxford 1948, 422.

4.8 Eine ähnliche Position vertrat auch von GALL [64]. Sinai und Horeb waren für ihn zwei verschiedene Berge. Der Sinai des J lag irgendwo in Midian, an der Westküste Arabiens, der Horeb des E dagegen (seit etwa 7oo vC) auf der Sinaihalbinsel und müsse der Sirbāl gewesen sein. Beide als Wohnsitz Gottes angesehenen Berge hätten aber von Anfang an nicht als Konkurrenten nebeneinander existiert, sondern vermutlich sei von qenitischen Stämmen, die ihre ehemalige Heimat in Arabien verlassen mußten, die Verehrung des Sinai auf den Horeb, einen zuvor ebenfalls wohl heiligen Berg, verpflanzt (in Dtn 1,2 urspr. Sinai durch Horeb ersetzt!) worden. Später seien - im Volksbewußtsein vielleicht schon vor der Zusammenarbeitung von J und E - beide Berge, die ursprünglich nichts miteinander zu tun hatten, als identisch aufgefaßt und wegen der im Zusammenhang mit dem Exodusereignis geographisch günstigeren Lage auf der Sinaihalbinsel lokalisiert worden, wie es denn bei P und in der Schlußredaktion des Pentateuch der Fall sei.

4.9 Daß er dort bereits in der Königszeit gesucht wurde, nimmt auch Yohanan AHARONI an [65], nur stützt er sich dabei auf topographische und archäologische Indizien. So soll angeblich der Sinai nach den poetischen Texten Dtn 33,2 und Hab 3,3 "Pharan" heißen [66], eine Bezeichnung, die sich im Namen der Oase "Fairān" zu Füßen des Sirbāl erhalten habe. Nach dem

---

64 A. Frhr. von GALL, Altisraelitische Kultstätten (BZAW 3), Giessen 1898, 1-22.

65 Y. AHARONI, Kadesch-Barnea und der Berg Sinai, in: B. Rothenberg, Y. Aharoni und A. Hashimshoni, Die Wüste Gottes. Entdeckungen auf Sinai, München.Zürich 1961, 153-159.

66 Schon SAᶜADJA GAON (882-942) meinte aufgrund von Dtn 33,2, Sinai,Seïr und Paran seien drei verschiedene Namen desselben Berges, die sich auf die ringsumliegenden Landschaften beziehen. In Verbindung mit Seïr denkt er aber sicher nicht an die Oase Fīrān, sondern an den Ǧabal Fārān auf der Westseite der Arava, so daß er den Sinai irgendwo nordwestl. von Elat sucht. Vgl. *Kitâb al-Amânât wa'l-Iᶜtiqâdât* von Saᶜadja b. Jûsuf al-Fajjûmî. Hrsg. von S. Landauer, Leiden 188o, 133 und R. WEILL, Le séjour des Israélites au désert et le Sinai dans la relation primitive ..., Paris 19o9, 114.
So wollte B. MORITZ, Der Sinaikult in heidnischer Zeit (AGWG.PH NF 16/2), Berlin 1916, 34 den Sinai der alten Poesie in dem westl. von Edom gelegenen 1.2oo m hohen Ǧabal al-Makrā wiederfinden, dessen Südende heute noch Ǧabal Fārān heiße. Diese Ansicht teilte auch E. BOCK, Moses und sein Zeitalter, Stuttgart 1935, 66.
Jüngst hat man dem Gebiet von Seïr wieder größere Beachtung geschenkt, als im nubischen Soleb in Fremdvölker- und Städtelisten aus der Zeit Amenophis' III. (etwa 14o2-1364) ein "Land der *sch'św jhw'*" auftauchte; vgl. R. GIVEON, Les bédouins Shosou des documents égyptiens (DMOA 22),

Scherbenfund des dortigen Tells war die Ortslage seit der Eisenzeit II, d.h. seit der Periode der Könige von Juda während des ersten Tempels, ununterbrochen besiedelt und dürfte deswegen wohl kaum ihren Namen geändert haben. Mit Pharan, so nimmt er an, sei in biblischer Zeit aber offenbar nicht nur die Hauptstadt, sondern die gesamte Wüste der Sinaihalbinsel bezeichnet worden. (Heute wird nur das zum Katharinenkloster führende Wādi nach der Oase benannt). Wenn nun der Horeb nach Dtn 1,2 elf Tagesreisen von Kadesch-Barnea entfernt ist, so komme man genau in das südliche Zentralmassiv. Aharoni legt sich weder auf den Ǧabal Mūsā, noch auf den Sirbāl fest, sondern begnügt sich mit der Annahme, daß dort irgendein heute nicht mehr eindeutig zu identifizierender Berg als Sinai galt.

4.1o WINNET spricht sich für einen der beiden Berge aus, rückt aber den zeitlichen Ansatz etwas tiefer. Seiner Meinung nach gehört der Horeb der alten Tradition (J, E) an und wurde in Midian, vom nachexilischen D dagegen (Dtn 33,2; Ri 5,4f; Dtn 1o,6f) in Edom lokalisiert. Die Bezeichnung Sinai sei erst von P aufgebracht worden und stelle einen späteren Versuch dar, den Horeb zu identifizieren, wahrscheinlich mit dem Ǧabal Mūsā oder dem Sirbāl [67].

4.11 Dagegen möchte Jean KOENIG erst den jüdischen Gelehrten der exilischen und nachexilischen Zeit, die den Pentateuch kompilierten und über die Ursprünge des Judentums reflektierten, die Annahme einer südlichen Route auf der Sinaihalbinsel als Weg Israels aus Ägypten über den Sinai nach Kadesch zuschreiben und damit die geographische Umdeutung des Sinai, der als Vulkan östlich des Golfes von Aqaba liege und den er mit Musil für

---

Leiden 1971, Document 6a u. 16a sowie S. 267-271. Es ist jedoch umstritten, ob der Eigenname *jhw'* mit dem Gottesnamen YHWH identisch ist. Da in einer Liste Ramses' II. aus Amara-West von einem "Land der Schasu $S^{c}rr$" die Rede ist, das man für Seʿir hält, möchten die Befürworter der Gleichung *jhw'*/YHWH daraus kombinieren, daß die Schasu Anhänger Jahwes im Seʿirgebirge waren, was zeitlich wie örtlich mit der Überlieferung Ri 5,4 u. Dtn 33,2 gut übereinstimmen würde. S. HERRMANN, Geschichte Israels, München ^{2}198o, 1o8 glaubt daher die Gottesbergtraditionen vom Hochgebirge der südlichen Sinaihalbinsel lösen und in das Gebiet der Arava in die Nähe von Seʿir in den Großraum von Kadesch verlegen zu dürfen.

67 F.V. WINNET, The Mosaic Tradition (NMES 1), Toronto 1949, 71-76. Auch nach E. KAUTZSCH, Die Heilige Schrift des Alten Testaments ... übers. u. hrsg., Tübingen ^{3}19o9, I 1o6,b kann "als Berg der Gesetzgebung nur für P mit einiger Sicherheit der heutige Sinai angenommen werden".

die *Ḥallat al-Badr* hält. Die arabische Bezeichnung *al-Badr* ("Vollmond") entspreche genau dem biblischen Namen Sinai, der mit dem besonders von den Nomaden verehrten Mondgott Sin zusammenhänge. Daher sei er als anstößig von E und D durch Horeb ersetzt worden. In den zwölf beschrifteten Steinen einer vorislamischen Opferstätte (*al-Maḏbaḥ* genannt) am Nordrand der *Ṯadra al-Badr* möchte er jene zwölf Steinmale wiedererkennnen, die Mose für die zwölf Stämme Israels errichtete (Ex 24,4). Zwanzig Kilometer von *al-Badr* entfernt erinnerten die "Grotten der Diener des Moses" (*maġāyir ᶜabīd Mūsā*) an die Höhle des Propheten Elia (1 Kön 19,9). Das "düstere Land" (ארץ צלמות Jer 2,6), durch das Jahwe die Israeliten in der Wüste führte, seien die schwarzen Lavafelder jener Gegend, von den Arabern *ḥarrāt* genannt, womit er חררים bei Jer 17,6 vergleicht. Der Sinai-Vulkan ist daher für ihn "une montagne de feu dans un dêsert de ténēbres" [68].

68 J. KOENIG, La localisation du Sinaï et les traditions des scribes: RHPhR 43 (1963) 2-31 (vgl. 11f) u. 44 (1964) 2oo-235; DERS., Itinéraires sinaïtiques en Arabie: RHR 166 (1964) 121-141; DERS., Le Sinaï montagne de feu dans un dêsert de ténèbres: RHR 167 (1965) 129-155; DERS., Le problème de la localisation du Sinaï: Acta Orientalia Belgica: Correspondance d'Orient 1o (Bruxelles 1966) 113-123; DERS., Le site de al-Jaw dans l'ancien Pays de Madian, Paris 1971. Vgl. dazu J. PIRENNE a.a.O. 63-69, die es für nicht ausgeschlossen hält, daß die Juden Nordarabiens die zwölf Stelen des vorislamischen Heiligtums von al-Ǧaw als jene zwölf von Mose für die Stämme Israels errichteten Steinmale ansahen und infolgedessen den Vulkan al-Badr für den Sinai hielten. Möglicherweise knüpften sie - wie auch Muḥammad - an eine "midianitische" Tradition der Exodusereignisse an, die in den Bibeltext interpoliert worden sei.
Der Authentizität des angeblich aus der Umgebung der Ḥallat al-Badr stammenden Bild- und Inschriftenmaterials, das Koenig in seiner letzten Arbeit (1971) verwertet, sind jedoch, wie B. ZUBER, Vier Studien zu den Ursprüngen Israels. Die Sinaifrage und Probleme der Volks- und Traditionsbildung: OBO 9 (1976) 4o-49 nachweist, starke Bedenken entgegengzubringen. Daß in dieser Gegend eine uralte, in biblische oder vorbiblische Zeit zurückreichende Kulttradition bestanden habe, gehe aus diesem dubiosen Material nicht mit Sicherheit hervor.
Dennoch neigt auch Zuber zur Vulkantheorie. Allerdings sei das für eine Lokalisierung des Sinai in Frage kommende Gebiet geologisch und vulkanologisch immer noch viel zu wenig erforscht, als daß man sich auf einen bestimmten Berg festlegen könnte. "Abschliessend kann soviel gesagt werden: Es bleibt unbenommen, weiter nach dem biblischen Sinai-Vulkan zu forschen, nur ist dafür ein Abstecher ins ferne Arabien nicht unbedingt notwendig. Von den nordwestarabischen nicht wesentlich verschiedene vulkanische Vorkommen gibt es auch in der direkten Nachbarschaft des biblischen Israel. Beobachtungen oder Ueberlieferungen von vulkanischen Phänomenen können hier zu jedem Zeitpunkt biblischer Traditionsbildung ins Vorstellungsgut Israels eingegangen sein, ohne dass es beim heutigen Stand unserer Kenntnisse möglich wäre, mehr als die blosse Möglichkeit zu bestätigen" (S. 4o).

4.12 Die *Ḥallat al-Badr* favorisiert auch GESE [69]. Aus der Angabe in Dtn 1,2, der (Wallfahrts-) Weg zwischen Kadesch und dem Sinai über das Seïrgebirge betrage elf Tagesreisen, errechnet er eine Entfernung von 56o km, womit man genau zu diesem Berg komme. Auch das Itinerar von Num 33 führe dorthin. Da diese Kompilation jedoch JEP voraussetze, stehe fest, daß man - entgegen der Ansicht von Koenig - im 5. Jh. vC den Sinai noch in madjān lokalisiert hat. Dies sei sogar noch im 1. Jh. nC der Fall gewesen. Aus Gal 4,25, wonach "Hagar der Sinaiberg in Arabien" ist, wie er die umstrittene Stelle zu übersetzen vorschlägt, weil nach einer alten jüdischen Ortslegende Hagar mit Ḥiǧra identifiziert wurde, gehe hervor, daß noch Paulus den Sinai in der Nähe dieser bedeutenden midianitischen Stadt gesucht hat. Erst im 3. Jh. nC sei der Sinai in das Gebiet der von Rom zurückgedrängten Nabatäer auf die südliche Sinaihalbinsel verlegt worden.

Das von Gese vorgebrachte etymologische Argument für eine Gleichsetzung von Hagar = Ḥagar (al-Ḥeǧra) hält DAVIES [7o] jedoch nicht für besonders überzeugend, da ה und ח im späteren Hebräisch und Aramäisch nicht so leicht austauschbar sind wie ה und א . Vor allem aber spricht gegen diese Identifizierung die Beobachtung, daß das חגרא der Targume (Gen 1,67; 2o,1; 25,18; Ex 15,22; 1 Sam 15,7; 27,8) offensichtlich das Gebiet des Limes Palaestinae im Auge hat und eine Gleichsetzung mit al-Ḥiǧra den älteren jüdischen Exegeten - und mithin auch Paulus - unbekannt ist. Erst die seit der Zerstörung Jerusalems (7o nC) dort ansässigen Juden dürften, vermutlich in dem Bestreben, ihrer neuen Heimat die Ehre eines biblischen Schauplatzes zuteil werden zu lassen, Hagar mit al-Ḥaǧar in Verbindung gebracht haben, was insofern nahelag, als ihr Sohn Ismael als Stammvater der Araber galt. Nach dem Auftreten Muḥammads konnten solche Ortslegenden auch bei den Arabern Eingang finden, die sie uns schließlich überliefert haben. So wird im *Ta'rīḫ* von aṭ-ṬABARĪ (839-923) berichtet, Ibrahīm habe sich mit *Hāǧar* und Ismāᶜīl nach *al-Ḥaǧar* begeben und sie dort ihrem Schicksal überlassen [71]. An diesem Ort hätten auch beide ihre letzte Ruhestätte gefunden [72].

---

69 H. GESE, Τὸ δὲ Ἁγὰρ Σινὰ ὄρος ἐστὶν ἐν τῇ Ἀραβίᾳ (Gal 4,25), in: Das ferne und nahe Wort. Festschrift für L. Rost = BZAW 1o5 (1967) 81-94. Der Aufsatz erschien auch in: H. GESE, Vom Sinai zum Zion (BEvTh 64), München 1974, 49-62.

7o G.I. DAVIES, Hagar, el-Heǧra and the Location of Mount Sinai: VT 22 (1972) 152-16o.

71 Abū Ǧaᶜfar Muḥammad Ibn Ǧarīr aṭ-ṬABARĪ, *Ta'rīḫ ar-rusul wa-'l-mulūk:* Annales ... ed. M.J. de Goeje, I. 1, Lugd.Bat. 1879-1881, 279:
فعمد بهما الى موضع الحجر فانزلهما فيه .

KAPITEL II: DER SINAI DER MUSLIME

§ 1: *Namenserklärung und Lage des Sinai bei Yāqūt*

Nun kennen arabische Traditionen aber auch einen Berg Sinai - schon lange vor Beke und der Pentateuchkritik - auf der Ostseite des Golfes von Aqaba. Diese Lokalisierung dürfte ebenfalls auf jüdische Anschauungen zurückgehen und darauf beruhen, daß man die nordwestarabische Stadt Madyan am Roten Meer mit Midian gleichsetzte, wohin Mose vor dem Pharao geflohen war (Ex 2,15; vgl. Sure 28,22), und folglich in deren Nähe den Gottesberg-Horeb-Sinai suchte. Allerdings sprechen die Araber auch von einem Sinai in der Gegend von Elat, und da man daneben natürlich noch den Ǧabal Mūsā (beim Katharinenkloster) als Sinai kannte, hatte man die Berge manchmal miteinander verwechselt, wie aus dem Geographischen Wörterbuch (*mu^cǧam al-buldān*) von YĀQŪT (um 1179-1229) hervorgeht. Die Erklärung, die Yāqūt für diese Vielzahl der Berge gibt, ist nun insofern außerordentlich aufschlußreich, als sie der langgesuchte Schlüssel zu jener komplizierten Frage sein könnte, wie es zur Identifizierung des Ǧabal Mūsā mit dem Sinai durch christliche Eremiten im frühen 4. Jh. gekommen ist.

1.1 In diesem bedeutenden Werk, an dem Yāqūt von 1215 bis zu seinem Tod gearbeitet hat, schreibt er unter dem Stichwort طور "*Ṭūr*" [73], wie der Sinai im Koran gewöhnlich heißt:

---

72 Ebd. 352: ودُفن (اسماعيل) في الحجر عند قبر امّه هاجر. Nach islamischer Tradition hatte Abraham Hagar und Ismael bis nach Mekka begleitet und sie dort ausgesetzt. In Mekka soll auch Ismā^cīl neben seiner Mutter Hāǧar im Hiǧr des Ḥaram begraben worden sein; vgl. R. PARET, Ismā^cīl: EI, New Ed. IV (1978) 184f.

73 Šihāb ad-Dīn Abū ^cAbdallāh Yaqūb ibn ^cAbdallāh al-Ḥamawī YĀQŪT ar-Rūmī, *Kitāb mu^cǧam al-buldān*: Jacut's Geographisches Wörterbuch, hrsg. von F. Wüstenfeld, 6 Bde, Leipzig 1866-1873, vgl. Bd. 3 (1868) 557.

وبالقرب من مصر عند موضع يسمّى مَدْيَن جبل يسمّى الطور ولا يخلو من
الصالحين وحجارته كيف كسرت خرج منها صورة شجرة العُلَّيق وعليه
كان الخطاب الثانى لموسى عم عند خروجه من مصر ببنى اسراءيل وبلسان
النبط كلّ جبل يقال له طور فاذا كان عليه نبتٌ وشجر قيل طور سيـنـا

"Und in der Nähe von Ägypten liegt bei einem Ort namens Madyan ein Berg, der *aṭ-Ṭūr* ("Der Berg") genannt wird; und er ist nicht leer von (d.h. er ist bevölkert von vielen) Frommen; und wie (auch immer) seine Steine zerbrochen werden, kommt aus ihnen das Bild eines Rankengewächses zum Vorschein. Auf ihm war die zweite Rede (Gottes) an Mose - Friede über ihm - als er mit den Kindern Israels aus Ägypten zog. In der Sprache der Nabatäer aber heißt jeder Berg *Ṭūr*, und wenn auf ihm Pflanzen und Bäume (Sträucher) wachsen, heißt er *Ṭūr Sīnā*."

Unter dem Stichwort *Sainā* erwähnt Yāqūt noch einen anderen Moseberg, der mit diesem hier nicht identisch ist [74]:

سَيْنَا... اسم موضع بالشام يضاف اليه الطور فيقال طور سيناء وهو الجبل
الذى كلّم الله تعالى عليه موسى بن عمران عم ونودِىَ فيه وهو كثير الشجر

"*Saina* ... ist der Name eines Ortes in aš-Šām. In seiner Nähe liegt der *Ṭūr*; und so wird er *Ṭūr Sainā'* [75] genannt. Das ist der Berg, auf dem der erhabene Gott zu Mose, dem Sohn ^{c}Imrāns, - Friede über ihm - sprach, und an dem er berufen wurde, und er ist voller Bäume (Sträucher)."

1.2 Es fällt auf, daß Yāqūt nicht nur einen zweiten Moseberg kennt, sondern auch eine andere Ableitung seines Namens [76]. Hatte er *Ṭūr Sīnā* als einen mit Pflanzen und Bäumen bewachsenen Berg erklärt, so führt er *Ṭūr Sainā'* auf einen in der Nähe befindlichen Ort zurück. Damit folgt er einer Tradition, die sich auch in dem 1134 vollendeten Korankommentar

---

74 Ebd. 3, 22o.

75 Der Sinai wird im Koran (Sure 23,2o) *Ṭūr "Sainā'"* genannt. J. HOROVITZ, Koranische Untersuchungen, Berlin und Leipzig 1926, 123 sieht in *Sainā'* "eine Angleichung der hebräischen oder syrischen Form Sinai an die arabische Femininbildung *fa^{c}lā*".

76 Aus diesem Grund dürfte der Herausgeber seines Wörterbuches, Wüstenfeld, (oder bereits die Handschriften?) den Ortsnamen als *Sainā* vokalisiert und dementsprechend *Ṭūr Sainā'* (mit Hamza!) gelesen haben, um ihn vom ersten Mosesberg, für den er vermutlich die Aussprache *Ṭūr Sīnā* (ohne Hamza!) annahm, zu unterscheiden. Neben der autoritativen koranischen Vokalisation *Sainā'* existierte noch die Lesart *Sīnā* (mit oder ohne Hamza), so daß die unterschiedliche Aussprache nichts zur Sache tut. Welche Konsequenzen sich daraus für die Nominalform und die etymologische Ableitung ergeben, wird weiter unten behandelt. In dieser Frage waren sich nämlich die arabischen Gelehrten selbst nicht im klaren, so daß ihre Meinungen nicht nur hinsichtlich der Lage dieses Berges, sondern auch bei der Erklärung seines Namens auseinandergingen.

(*al-Kaššāf* "Der Enthüller") von Abū 'l-Qāsim Maḥmūd Ibn ᶜUmar az-ZAMAḪŠARĪ (1o75-1144) findet. Dort heißt es zu *Ṭūr Sainā'* in Sure 23,2o [77]:

طور سيناء وطور سينين لا يخلو اما أن يضاف فيه الطور الى بقعة اسمها سيناء وسينون واما أن يكون اسم للجبل مركبا من مضاف .

"Was *Ṭūr Sainā'* und *Ṭūr Sīnīn* (Sure 95,2) betrifft, so ist es nicht ausgeschlossen, daß entweder in diesem (Kompositum) *aṭ-Ṭūr* mit einem Ort namens *Sainā'* oder *Sīnūn* verbunden ist (d.h. der Berg von *Sainā'*), oder aber daß dieser Name dem Berg als Nomen rectum einer Genitivverbindung zukommt (d.h. der Berg des *Sainā'*)."

Ähnlich schreibt zur betreffenden Stelle Abū 'l-Ḫair Nāṣir ad-Dīn al-BAIḌĀWĪ (gest. 1286 od. 1291-93 od. 1316) in seinem auf dem *Kaššāf* beruhenden Korankommentar (*Anwār at-tanzīl wa-asrār at-ta'wīl* "Das Licht der Offenbarung und das Geheimnis der Auslegung") [78]: ولا يخلو من ان يكون الطور للجبل وسيناء اسم بقعة اضيف اليها او المركب منهما علم له.

"Es ist nicht ausgeschlossen, daß sich *aṭ-Ṭūr* auf den Berg bezieht und *Sainā'* als Ortsname damit verbunden ist, oder die Verbindung der beiden stellt ein besonderes Kennzeichen (nämlich einen Eigennamen) für ihn (den Berg) dar."

Was aber *Sainā'*, das entweder Ortsname oder Hauptwort sein soll, bedeutet, wird in den beiden Kommentaren nicht gesagt. Offenbar weil die Nabatäer jedem mit Pflanzen und Bäumen bewachsenen Berg den Beinamen *Sīnā* geben, fügt Yāqūt die erläuternde Bemerkung hinzu, dieser in aš-Šām liegende Berg sei voller Bäume. Jetzt aber fragt man sich, ob der Berg nun nach dem Ort oder nach den Bäumen *Ṭūr Sainā'* genannt wird, ober ob Yāqūt vielleicht der Ansicht war, daß auch der Ort den Bäumen seinen Namen verdanke.

Wie dem auch sei, so wird jedenfalls seine Bemerkung, die Nabatäer würden jeden mit Pflanzen und Bäumen bewachsenen Berg *Ṭūr Sīnā* nennen, für die Frage, worauf die Identifizierung des Ǧabal Mūsā mit dem Sinai beruht, von entscheidender Bedeutung sein. Diese Namenserklärung setzt voraus, daß mehrere, zumindest zwei Berge so genannt und deswegen mit Mose in Verbindung gebracht wurden, was denn auch bei Yāqūt der Fall ist.

---

77 Maḥmūd Ibn ᶜUmar az-ZAMAḪŠARĪ, *Al-Kaššāf ᶜan ḥaqā'iq ġawāmiḍ at-tanzīl wa-ᶜuyūn al-aqāwīl fī wuǧūh at-ta'wīl*, 2 Bde, Kairo 13o8 (=189o/91); vgl. II 71.

78 Abū 'l-Ḫair Nāṣir ad-Dīn al-BAIḌĀWĪ: *Tafsīr al-qāḍī al-Baiḍāwī*, 2 Bde, Istambul 1314 (=1896/97); vgl. II 117.- BEIDHAWIi Commentarius in Coranum, ed. H.O. Fleischer, 2 Vol., Lipsiae 1848; vgl. II z. St.

1.3 Wenn bei dem *Ṭūr Sainā'* in aš-Šām Mūsā berufen wurde, dann handelt es sich demnach um den Berg der ersten Gottesrede im Unterschied zum Berg der zweiten Gottesrede oder der Gesetzgebung. Nach Sure 28,29f [79] erfolgte die Berufung des Mūsā "auf der Seite des Berges ... auf der rechten Talseite auf dem gesegneten Stück Land vom Baum (= "Dornbusch") her", nach 79,16 u. 2o,12 "im heiligen Tal Ṭuwā" (vgl. 26,1o u. 27,7f und wohl auch 28,44).

Im Gegensatz zur (endredaktionellen) biblischen Darstellung (vgl. Ex 3,12 mit 3,1) scheint im Koran der Berg der Gesetzgebung, an dem sich Allah mit den Kindern Israels verabredete (Sure 2o,8o) und von dessen rechten Seite her er Mūsā anrief und "zu vertraulichem Gespräch nahekommen" ließ (Sure 19,52; vgl. auch 28,46), nicht derselbe Berg zu sein, an dem er ihn aus dem Feuer des Brennenden Dornbuschs berief [8o]. Terminologisch kommt dies nicht zum Ausdruck, da beidesmal einfach vom "*Ṭūr*" gesprochen wird. Unter dieser Bezeichnung ist auch in den Suren 2,63+93; 4,154 u. 52,1 (in 7,143+171 dagegen mit "*ǧabal*") der Berg Sinai gemeint. Nur in Sure 23,2o erscheint er unter seinem eigentlichen Namen طور سيناء *Ṭūr Sainā'*, der in Sure 95,2 des Reimes wegen [81] zu طور سينين *Ṭūr Sīnīn* umgeformt wird. Es fragt sich, ob auch dieser Name, ebenso wie *Ṭūr*, für beide Berge gilt, die man dann nicht vom Namen her, sondern nur von den damit verknüpf-

---

79 Die Verszählung folgt der Kairener Koran-Ausgabe, auf der auch die hier zitierte Übersetzung von R. PARET, Stuttgart ²198o beruht. Vgl. auch zu dieser Stelle: Der Koran. Kommentar und Konkordanz von R. PARET, Stuttgart ²198o, 38o.

8o Nach HOROVITZ a.a.O. 125 und Jewish Proper Names and Derivatives in the Koran: HUCA 2 (1925) 169f ist mit dem "*Ṭūr al-aiman*" in den Suren 19, 52 u. 2o,8o (vgl. *Wādi al-aiman* 28,3o) nicht (wie hier mit PARET, Korankommentar 38o angenommen) der Sinai als Berg der Gesetzgebung, sondern der Berufung, d.h. die Stelle des Dornbuschs gemeint. Möglicherweise habe Muḥammad das hebr. *s^e^nä* (Dornbusch) mit dem ähnlich klingenden Sinai verwechselt, für den er dann die übliche Bezeichnung *Ṭūr* eingesetzt habe. Wahrscheinlich sei ihm aber noch bewußt gewesen, daß beide Stätten nicht identisch sind, da er nämlich dort, wo er den Berg der Berufung mit dem Dornbusch meint, nicht einfach vom *Ṭūr* , sondern vom "*Ṭūr al-aiman*" spreche, was "der Berg guter Vorbedeutung" heiße. Vgl. auch H. SPEYER, Die biblischen Erzählungen im Koran, Grono 1931 / Hildesheim ²1961, 255. Die Anschauung von Horovitz ist jedoch schon deswegen nicht haltbar, weil er *al-aiman* fälschlicherweise auf *Ṭūr* statt auf *ǧānib* ("rechte Seite"!) bezieht, worauf PARET in seinem Korankommentar 38o aufmerksam macht.

81 HOROVITZ a.a.O. 123 und PARET a.a.O. 514.

ten Ereignissen als Berg der Berufung und als Berg der Gesetzgebung oder der ersten und der zweiten Gottesrede unterscheiden muß. So ist es sicherlich bei Yāqūt der Fall, wenn er den Berg der zweiten Gottesrede oder Gesetzgebung, zu dem Mūsā die Kinder Israels führte, in die Nähe von Ägypten bei Madyan und den Berg der ersten Gottesrede oder Berufung nach aš-Šām in die Nachbarschaft von Sainā' verlegt.

1.4 Wo sich dieser Ort genau befindet, wissen wir nicht. Man muß jedoch berücksichtigen, daß damals mit aš-Šām nicht nur das eigentliche Syrien, sondern ein viel größeres Gebiet bezeichnet wurde, das sich bis Nordwest-Arabien hinein erstreckte. Nach MUQADDASĪ (gest. um 1000) umfaßte aš-Šām auch den Distrikt von as-Sera' mit der Hauptstadt Ṣoğar, zu dem auch Moab, ar-Rabba, Ma^{c}ān, Tabūk, Adruḥ und Waila (Elat) gehörten [82]. Wie al-BAKRĪ ausdrücklich sagt, lag auch das im Koran erwähnte Madyan am Roten Meer in aš-Šām [83]. Dieser Ländername spricht also nicht dagegen, daß Yāqūt in der Nähe von Madyan den *Ṭūr Sainā'*, an dem Mūsā berufen wurde, gesucht haben mag. Dies steht zu vermuten, wenn er (bzw. sein Gewährsmann Abū Zaid Aḥmad Ibn Sahl al-Balḫī, gest. 934) den dortigen Mosesbrunnen erwähnt [84]:

قال ابو زيد مَدْيَنُ على بحر القُلْزُم محاذية لتبوك على نحو من ستّ مراحل وهى
اكبر من تبوك وبها البير التى استقى منها موسى عم لسايمة شعيب قال
ورايت هذه البير مُغطّاة قد بنى عليها بيت وماءُ اهلها من عين تجرى [85]

---

82 Šams ad-Dīn Abū ^{c}Abdallāh Muḥammad Ibn Aḥmad Ibn Abī Bakr al-Bannā' al-Baššārī al-MUQADDASĪ, *Aḥsan at-taqāsīm fī ma^{c}rifat al-aqālīm:* Descriptio Imperii Moslemici ... ed. M. J. de Goeje (Bibliotheca Geographorum Arabicorum III), Lugduni Batavorum (1877) ^{2}1906, 155 u. 186.

83 كتاب معجم ما استعجم *Kitāb mu^{c}ǧam mā 'sta^{c}ǧama:* Das geographische Wörterbuch des Abu 'Obeid 'Abdallah ben 'Abd el-'Azîz el-BEKRÎ, hrsg. von F. Wüstenfeld, 2. Bd., Göttingen, Paris 1877, 516: مَدْيَنُ بلد بالشام معروف تِلْقاءَ غَزَّةَ وهو المذكور فى كتاب الله تعالى وبعث رسول الله صلعم سريّةً الى مَدْيَن.

84 YĀQŪT, ed. Wüstenfeld IV (1869) 451.

85 Ebenso IDRĪSĪ (1100-1166) in seinem *Nuzhat al-muštāq fī iḫtirāq al-āfāq*, Clima III, sectio 5; vgl. AL-IDRĪSĪ (Abū ^{c}Abd Allāh Muḥammad ibn Muḥammad ibn ^{c}Abd Allāh ibn Idrīs al-Ḥammūdī al-Ḥasanī), Opus Geographicum, ed. A. Bombaci e.a., Fasc. 4, Neapoli-Romae 1974, 350f. Al-QAZWĪNĪ (1203-1283) fügt in seiner Kosmographie *^{c}Aǧā'ib al-maḫlūqāt wa-ġarā'ib al-mauǧūdāt* hinzu, daß dorthin die Pilger wallfahren (يزوره الناس); vgl. Zakarija Ben Muhammed Ben Mahmud el-Cazwini's Kosmographie. Zweiter Theil. كتاب آثار البلاد Die Denkmäler der Länder ... hrsg. von F. Wüstenfeld, Göttingen 1848, 173. Einer anderen Tradition folgt MUQADDASĪ, ed. de Goeje, 179: وثَمَّ الحجر الذى رفعه موسى عم حين سقى غنم شُعَيب والماءُ بها غرير.

"Abū Zaid sagt: Madyan liegt am Roten Meer (westl.) vor Tabūk, ungefähr sechs Tagesreisen entfernt, ist aber größer als Tabūk; und dort befindet sich der Brunnen, aus dem Mūsā Friede über ihm – die Herden Šuʿaib's (= Jitro/Raguel) [86] tränkte. Er sagt: Ich sah diesen Brunnen zugedeckt; man hatte ein Haus über ihn gebaut; das Wasser für die Leute aber kommt aus einer Quelle."

Daß Yāqūts Angaben hinsichtlich der Lage dieser beiden Berge nicht gerade als klar und eindeutig empfunden wurden, beweist die von ʿAbd al-Mu'min Ibn ʿAbd al-Ḥaqq (gest. 1339) unter dem Titel *MARĀṢID al-iṭṭilāʿ ʿalā asmā' al-amkina wa-'l-biqāʿ* besorgte Kurz-Ausgabe seines Geographischen Wörterbuchs, in der die zahlreichen astrologischen und historischen Anmerkungen weggelassen sind. Hier wird offensichtlich der Berg der zweiten Gottesrede oder Gesetzgebung bei Madyan "in der Nähe von Ägypten", worunter der Ǧabal Mūsā auf der Sinaihalbinsel zu verstehen ist, wie noch nachgewiesen wird, bei Madyan am Roten Meer lokalisiert:

وبالقرب من مَدْيَنَ جبل يسمّى الطُّور وهو الذى كلّم الله عليه موسى

"Und in der Nähe von Madyan liegt ein Berg, der *aṭ-Ṭūr* genannt wird, und dieser ist es, auf dem Gott zu Mose redete" [87].

Der *Ṭūr Sainā'* dagegen, bei dem nach Yāqūt Mose berufen wurde, wird in die Nähe von Elat verlegt, obwohl man es gerade umgekehrt erwartet hätte:

وطور سيناء ... جبل بقرب أَيْلَةَ وهو جبل أُضيف إلى سِينِينَ

"Undder *Ṭūr Sainā'* ... ist ein Berg in der Nähe von Elat, und es ist ein Berg, der mit (dem *Ṭūr*) *Sīnīn* in Verbindung gebracht (gleichgesetzt) wird" [88].

"Dort (in der Stadt Madyan) befindet sich der Stein, den Mūsā – Friede über ihm – weghob, wenn er die Herden Šuʿaib's tränkte; und das Wasser in ihm (Brunnen) ist reichlich."

86 Woher der Name *Šuʿaib* kommt, ist nicht klar. In der zweiten mekkanischen Periode (Sure 26,176-191) erscheint Šuʿaib als Prophet, der zu den "Leuten des Dickichts" (*Aṣḥāb al-Aika*) gesandt wurde, die auch in den Suren 15,78; 38,13 u. 5o,14 erwähnt werden. In den späteren mekkanischen Suren 7,85-93; 11,84-95 u. 29,36f tritt er als Bruder und Gottgesandter unter den Bewohnern Madyans auf. Muslimische Exegeten haben ihn dann, ohne daß es dafür eine Stütze im Koran gäbe, mit dem in Madyan wohnenden, nicht mit Namen, sondern nur "*Šaiḫ kabīr*" (Sure 28,23) genannten Schwiegervater des Mose identifiziert. Zum erstenmal begegnet diese Gleichsetzung in der historischen Enzyklopädie "Die Goldwiesen" (*Kitāb murūǧ aḏ-ḏahab wa-maʿādin al-ǧauhar*) des Abū 'l-Ḥasan ʿAlī Ibn al-Ḥusain Ibn ʿAlī al-MASʿŪDĪ (gest. 345/956); vgl. Masʿūdī, Les Prairies d'Or. Traduction française de B. de Meynard et P. de Courteille. Revue et corrigée par C. Pellat, Tom. I, Paris 1962, 38.
Vgl. auch J. HOROVITZ, Jewish Proper Names 171f; H. SPEYER a.a.O. 251-254; F. BUHL, Shuʿaib: EI IV (1934) 418f.
Das Tal, in dem das Katharinenkloster liegt (Wādi ad-Dair), heißt bei den Arabern heute Wādi Šuʿaib.

87 Lexicon Geographicum, cui titulus est, مراصد الاطّلاع على اسمآء الامكنة والبقاع. ed. T.G.J. Juynboll, Tom. I-VI, Lugduni Batavorum 1852-1864; vgl. II (1853) 214f.

Bei Yāqūt wird also zwischen dem Berg der ersten Gottesrede oder der Berufung des Mose, dem *Ṭūr Sainā'* in aš-Šām, und dem Berg der zweiten Gottesrede oder der Gesetzgebung, dem *Ṭūr* (auch *Ṭūr Sainā'* genannt) bei Madyan unterschieden. Wenn im *Marāṣid* der in aš-Šām liegende *Ṭūr Sainā'* in der Nähe von Elat erscheint, dann erkärt sich diese Divergenz aus einem anderen Werk Yāqūts. In seinem Lexikon geographischer Homonyme (*Kitāb al-muštarik waḍ^{c}an wa-ʾl-muḫtalif ṣaq^{c}an*), das er 623/1226 verfaßte und 626/1229 umarbeitete, zählt er unter *aṭ-Ṭūr* sieben verschiedene Berge auf, darunter an fünfter Stelle den *Ṭūr Sainā'* mit der Bemerkung:

وطور سينا اختلفوا فيه فقيل هو جبل بقرب أيلة وقيل هو جبل بالشام وقيل سينا حجارته وقيل شجر فيه.[89]

"Bezüglich des *Ṭūr Sainā/Sīnā* gehen die Meinungen auseinander. Man sagt, es sei ein Berg in der Nähe von Elat, und man sagt, es sei ein Berg in aš-Šām. Ferner sagt man, *Sainā/Sīnā* (bedeute) seine Steine, und man sagt, die Bäume auf ihm."

Die Meinungsverschiedenheit unter den arabischen Gelehrten beweist, daß mit Elat und aš-Šām zwei verschiedene Örtlichkeiten gemeint sind. Demnach würde der Herausgeber des *Marāṣid* mit seiner Angabe "bei Elat" einen anderen Standpunkt vertreten als Yāqūt, für den in seinem Geographischen Wörterbuch der *Ṭūr Sainā'* in aš-Šām liegt. Da jedoch (nach Muqaddasī) Elat zu aš-Šām gehörte, bestünde aber auch die Möglichkeit, daß er Yāqūts Angabe "in aš-Šām" durch den Hinweis "bei Elat" einfach nur präzisieren wollte.

§ 2: *Der Streit der arabischen Gelehrten über die Lokalisierung des Sinai*

2.1 Bei dem Geographen Zakārīyā Ibn Muḥammad Ibn Maḥmūd Abū Yaḥyā al-QAZWĪNĪ (um 6oo/12o3-682/1283) geht jedoch der Streit nicht nur um den Berg der ersten, sondern auch um den Berg der zweiten Gottesrede, der nach den einen (so auch Yāqūt) bei Madyan, nach den anderen aber bei Elat liegen soll. In seiner (1263 und 1276 von ihm selbst redigierten) Kosmo-

---

88 Ebd. II 215. An anderer Stelle hatte er das *Dair Ṭūr Sainā/Sīnā* (Katharinenkloster) erwähnt في قلة طور سينا وهو الموضع الذى تجلى فيه النور لموسى "auf dem Gipfel (sic!) des *Ṭūr Sainā/Sīnā*, und das ist der Ort, an dem das Licht dem Mose offenbart wurde"; vgl. I (1852) 434.

89 JACUT's Moschtarik, das ist: Lexicon geographischer Homonyme, hrsg. von F. Wüstenfeld, Göttingen 1846, 297.

graphie (*ᶜAǧā'ib al-maḫlūqāt wa-ġarā'ib al-mauǧūdāt*) sagt er nämlich:

جبل طور سينا جبل بقرب مدين بين الشام ووادي القرى وقال بعضهم انه بقرب ايلة كان عليه الخطاب الثاني لموسى صلوات الله عليه عند[90] خروجه من مصر ببني اسرائيل.

"Der Berg *Ṭūr Sainā/Sīnā* ist ein Berg in der Nähe von Madyan zwischen aš-Šām und dem Wādi 'l-Qurā. Einige von ihnen (d.h. der arab. Gelehrten) sagen, er sei in der Nähe von Elat. Auf ihm erfolgte die zweite Rede (Gottes) an Mose - der Segen Allahs sei über ihm -, als er mit den Söhnen Israels aus Ägypten zog."

Gegenüber der Angabe Yāqūts, Madyan liege etwa sechs Tagesreisen westlich von Tabūk am Roten Meer, muß die geographische Bestimmung des *Ṭūr Sainā/Sīnā* durch Qazwīnī als ziemlich ungenau und viel zu weit ins Landesinnere weisend angesehen werden, wenn er sagt, der Berg befinde sich zwischen dem Wādi 'l-Qurā, also der zwischen al-ᶜUlā und al-Madīna sich erstreckenden Senke, und aš-Šām, womit er wohl die Südgrenze dieses bis nach Nordwestarabien reichenden Gebietes meint.

Als Ergebnis kann man demnach festhalten: Mit *Ṭūr Sainā'/Sīnā* bezeichneten die Araber sowohl den Berg der Berufung Moses als auch den von ihm unterschiedenen Berg der Gesetzgebung. Hinsichtlich ihrer Position waren sie jedoch geteilter Meinung. Für die einen befand sich der erste in aš-Šām oder bei Elat, für die anderen lag der zweite bei Madyan oder bei Elat.

2.2 Wie man aus dem Korankommentar von ṬABARĪ (839-923) erfährt, stritten sich die muslimischen Exegeten schon seit langer Zeit in dieser Frage. Nach den einen lag "der Berg, auf dem Mūsā berufen wurde" (الجبل الذى نودى منه موسى), "zwischen Ägypten und Elat" (هو بين مصر وبين أيلة)[91] und war offensichtlich der Ǧabal Mūsā beim Katharinenkloster, den einige mit dem *Ṭūr Sīnīn* (Sure 95,2) gleichsetzten[92]. Nach den anderen war der *Ṭūr Sainā'* bzw. *Sīnīn* ein Berg in "aš-Šām" (جبل بالشام)[93], unter dem manche jedoch den ebenfalls "*Ṭūr*" genannten Ölberg in Jerusalem verstanden (هو جبل الطور الذى بالشام جبل ببيت المقدس)[94],

---

9o Zakarija Ben Muhammed Ben Mahmud el-CAZWINI's Kosmographie. Erster Theil. كتاب عجايب المخلوقات Die Wunder der Schöpfung, hrgs. von F. Wüstenfeld, Göttingen 1849, 168.

91 Abū Ǧaᶜfar Muḥammad Ibn Ǧarīr aṭ-ṬABARĪ, *Ǧāmiᶜ al-bayān fī tafsīr al-Qur'ān*, 3o Teile in 1o Bänden, Kairo 1321 (= 19o3); vgl. VIII/18,1o.

92 Ebd. X/3o, 132.

93 Ebd. X/3o, 133.

94 Ebd. VIII/18, 1o.

offenbar deswegen, weil der *Ṭūr Sainā'* im Koran einen ölspendenden Baum, nämlich den Olivenbaum, wie allgemein angenommen, hervorbringt, und Jerusalem als Ursprungsort der Ölbäume galt (ببيت المقدس منابت الزيتون)[95].

2.3 Jedenfalls herrschte unter den Arabern Jahrhunderte hindurch keine Klarheit über die Lage des *Ṭūr Sainā'*. Zu etwa der gleichen Zeit, als der *Marāṣid* entstand, zitiert ABŪ-'L-FĪDĀ (1273-1331) in seiner 1321 vollendeten Geographie *Taqwīm al-buldān* (allerdings ohne Quellenangabe) aus dem *Muštarik* des Yāqūt:

والطور سينا اختلفوا فيه فقيل هو جبل بقرب أيلة وقيل جبل بالشام.[96]

"Bezüglich des *Ṭūr Sainā/Sīnā* gehen die Meinungen auseinander. Man sagt, es sei ein Berg in der Nähe von Elat, und man sagt, es sei ein Berg in aš-Šām."

2.4 MAQRĪZĪ (1364-1442), der in seinem *Ḫiṭaṭ* diesen Satz wörtlich wiederholt, weist darauf hin, daß bei den "Leuten des Buches" keine Uneinigkeit darüber herrsche:

لا خلاف بين علماء لاخبار من أهل الكتاب أن جبل الطور هذا هو الذى كلم الله تعالى نبيه موسى عليه السلام عليه أو عنده وبه الى الآن دير بيد الملكية وهو عامر وفيه بستان كبير به نخل وعنب وغير ذلك من الفواكه.[97]

"Keine Meinungsverschiedenheit gibt es unter den christlichen (und jüdischen?) Historikern: Der Berg *Ṭūr* ist derjenige, auf oder bei dem der erhabene Gott zu seinem Propheten Mūsā - Friede über ihm - gesprochen hat, und bei ihm existiert bis heute ein im Besitz der Melkiten[98] befindliches Kloster, das reich bevölkert ist (oder: blüht und gedeiht), und in dem es einen großen Garten gibt mit Palmen, Trauben und anderen Früchten."

Nachdem er noch die Nachrichten des aus dem 1o. Jh. stammenden Klosterbuchs (*Kitāb ad-dayyārāt*) von Abū 'l-Ḥasan ᶜAlī Ibn Muḥammad aš-ŠĀBUŠTĪ (gest.

---

95 Ebd. X/3o, 132.

96 Géographie d'ABOULFÉDA. Texte arabe publié ... par M. Reinaud et M.G. de Slane, Paris 184o, 69.

97 Abū 'l-ᶜAbbās Aḥmad Ibn ᶜAlī ᶜAbd-al-Qādir al-Ḥusainī Taqī' ad-Dīn al-MAQRĪZĪ, *Kitāb al-mawāᶜiẓ wa-'l-iᶜtibār fī ḏikr al-ḫiṭaṭ wa-'l-āṯār*, 2 Bde, Būlāq 127o (= 1853); vgl. II, 5o9f. Ferner: MACRIZI's Geschichte der Copten, ed. F. Wüstenfeld (AGWG 3), Göttingen 1845, u. 115.

98 Melkiten (Melchiten), d.h. "Königliche" wurden von den Monophysiten (Jakobiten und Kopten) die Anhänger der Christologie von Chalkedon (451) genannt, um ihnen höhnisch vorzuwerfen, unter dem Druck des byzantinischen Kaisers Markion die Konzilsbeschlüsse angenommen zu haben. - Im Katharinenkloster lebten keine koptischen, sondern griechisch-orthodoxe Mönche nach der Regel des hl. Basilius.

1ooo) [99] hinzugefügt hat, gibt er an, dieses zum Schutz der Mönche wehrhaft erbaute Kloster sei unter dem oströmischen Kaiser Justinian errichtet worden. Es handelt sich also um das Katharinenkloster am Fuß des Ǧabal Mūsā, auf den nach Maqrīzī 6.666 Stufen hinaufführen und auf dessen Gipfel eine dem Mose geweihte Kirche steht.

2.5 Šābuštī's Zeitgenosse al-MUQADDASĪ (gest. um 1ooo) erwähnt ebenfalls das (Katharinen-) Kloster unter dem *Ṭūr Sainā/Sīnā*:

وطور سينا قريب من بحر القلزم يخرج اليه من قرية تسمّى الامن وهو الموضع الذى خرج فيه موسى وبنو اسرائيل وثمّ اثنتا عشرة عينًا عذيبيّة الطور منه على يومين فيه دير للنصارى ومزارع كثيرة.[100]

"Der Berg *sīnā* ist dem Meer von Kolzum nahe. Man geht zu ihm aus von einem Orte, welcher Elim (sic!) heisst, dem Orte, von wo Moses und die Israeliten aufbrachen und an welchem zwölf Quellen mit mittelmässigem Wasser sind, zwei Tagesreisen von dem Berge. In dem Gebirge ist ein christliches Kloster und viele Saatfelder" [1o1].

§ 3: *Endgültiger Sieg des christlichen Sinai (Ǧabal Mūsā) über seine muslimischen Konkurrenten*

Allmählich hatte sich auch bei den Muslimen die Verehrung des Ǧabal Mūsā als Berg der Gesetzgebung durchgesetzt und die mit ihm und untereinander rivalisierenden Berge bei Madyan und Elat der Vergessenheit anheimfallen lassen. Dies mag nicht zuletzt durch die Mönche des Katharinenklosters selbst, und zwar im Interesse ihrer Sicherheit bewerkstelligt worden sein. In dieser abgeschiedenen Gegend waren sie nämlich seitens der Beduinen immer wieder Feindseligkeiten und Angriffen ausgesetzt, welche zwar die unter Justinian erbaute Festungsmauer abwehren, aber nicht verhindern konnte. Nachdem auch die Sinaihalbinsel den Islam angenommen hatte, trieben nicht nur die zuweilen unerträgliche Armut und der Hunger, sondern mitunter auch der religiöse Fanatismus die Wüstenbewohner zu Überfällen auf die beneidenswert wohlversorgten Mönche. Das Klügste, was die so Bedrängten in dieser Situation tun konnten, war, daß sie ihr Kloster am Dornbusch und den Ǧabal Mūsā zu heiligen und unverletzlichen Stätten auch für Muslime erklärten,

---

99 Vgl. die Übersetzung von E. SACHAU, Vom Klosterbuch des ŠÂBUŠTÎ: APAW.PH 1o (1919) 21.

1oo MUQADDASĪ, ed. de Goeje, 2o9.

1o1 Dt. Übers. von J.G. GILDEMEISTER, Beiträge zur Palästinakunde aus arabischen Quellen. 4. Muḳaddasī: ZDPV 7 (1884) 229.

was sie zwar vor gelegentlichen Überfällen und Plünderungen nicht bewahren konnte, aber immerhin den ausdrücklichen Schutz und gewisse Privilegien durch die muslimischen Herrscher Ägyptens garantierte. Nicht zuletzt aber hat ihnen ein angeblicher Schutzbrief Muḥammads Toleranz und Respekt verschafft. Dieses Schreiben, in dem das Sinaikloster selbst nicht mit Namen genannt wird und das deswegen wohl außerhalb seiner Mauern entstanden ist, dürfte nach B. MORITZ wahrscheinlich unter dem christenfeindlichen und gewalttätigen Kalifen Ḥākim (996-1o2o) verfaßt worden sein und sollte den Mönchen überhaupt gewisse Freiheiten und Vorrechte sichern [1o2]. Der Achtung vor dieser Verfügung des Propheten und vor der Heiligkeit des Berges verdankt das Katharinenkloster fast ein Jahrtausend hindurch, infolge des anhaltenden Wohlwollens der muslimischen Regenten Ägyptens, Hunderte von Schutzbriefen aus der Epoche der Fāṭimiden (969-1171) [1o3], der Ayyūbiden (1171-125o), der Mamlūken (125o-1517)[1o4] sowie der türkischen Sultane von Selīm I. (1512-152o) bis hin zu ʿAbd ül-Meǧīd (1839-1861) [1o5]. Auch die im Katharinenkloster unmittelbar neben der Kirche befremdend anmutende Moschee, die, nach dem Datum der Kanzelinschrift zu urteilen, um das Jahr 11o6 errichtet wurde [1o6], sollte den Muslimen die Heiligkeit

---

1o2 Der Schutzbrief Muḥammads wurde ediert, übersetzt und kommentiert von B. MORITZ, Beiträge zur Geschichte des Sinaiklosters im Mittelalter nach arabischen Quellen: APAW.PH 4 (1918) 3-17.

1o3 Einige wurden bearbeitet von S.M. STERN, A Fāṭimid decree of the year 524/113o: BSOAS 23 (196o) 439-455 sowie Fāṭimid Decrees. Original Documents from the Fāṭimid Chancery (All Souls Studies 3), London 1964.

1o4 Vgl. E. KHEDOORI, Charters of Privileges granted by the Fāṭimids and Mamlūks to St. Catherin's Monastery of Ṭūr Sinai (ca. 5oo to 9oo A.H.), edited with an Introduction, Translation and Notes, University of Manchester 1958 (mir nicht zugänglich). H. ERNST, Die mamlukischen Sultansurkunden des Sinai-Klosters. Herausgegeben, übersetzt und erläutert, Wiesbaden 196o.

1o5 Einige ausgewählte Dokumente wurden ediert, übersetzt und kommentiert von K. SCHWARZ, Osmanische Sultansurkunden des Sinai-Klosters in türkischer Sprache (Islamkundliche Untersuchungen Bd. 7), Freiburg im Breisgau 197o.

1o6 So B. MORITZ a.a.O. 52, der sich (S. 6o) den Bau der Moschee nicht anders erklären kann, als daß sie für eine Abteilung Soldaten bestimmt war, die das Kloster vor einem Zugriff durch die Kreuzfahrer schützen sollten. Nach einer undatierten, aber wohl gleichaltrigen Inschrift auf einem Holzschemel wurde sie auf Befehl eines sonst nicht bekannten Abū Manṣūr Anūštekīn, der unter dem Kalifen Āmir bi-aḥkām Allāh (11o1-1157) lebte, errichtet. Außerdem ließ er noch "drei masāǧid auf dem *Munāǧāt Mūsā*" ("Berg des Zwiegespräches Moses", wie der Ǧabal Mūsā auch genannt wurde) erbauen; vgl. MORITZ 52-55. Eine Moschee auf dem Berggipfel wird zum erstenmal von IDRĪSĪ (a.a.O. 349) in seiner um 1154 verfaßten Geographie erwähnt.

dieses Ortes vor Augen führen und ihnen Ehrfurcht und Friedfertigkeit einflößen [1o7].

Diese Hoffnung der Sinaimönche findet man in einer Urkunde des Mamlūkensultans al-Malik al-Muẓaffar Saif ad-Dīn QUṬUZ al-Mu^{c}izzī vom 13. Muḥarram 658 (= 3o. Dez. 1259) ausgesprochen: "daß begegnet werde dem Kleinen wie dem Großen unter ihnen mit Achtung, und ihnen Behandlung zuteil werde in Billigkeit, die niemandem ein Leid zufügt und angesichts derer niemand bedrückt wird, aus Ehrfurcht vor jener Gegend, die eine Stätte der Heiligung und der Verherrlichung ist, jenem gesegneten Flecken, dem Allāh, der Erhabene, Ehrung zuteil werden ließ dadurch, daß er ihm im Gnädigen Qur'ān Erwähnung tat" (تكرمة لتلك الجهة التي هي محل التقديس والتعظيم، والبقعة المباركة التي شرفها الله تعالى بذكره لها في القرآن الكريم) [108].

1o7 Um den Muslimen die nötige Ehrfurcht vor dem Sinai beizubringen, kamen die Mönche unter anderem auf die Idee, in Gipfelnähe eine "Fußspur von Muḥammads Kamel" in den Fels zu meißeln. Die gewünschte Wirkung blieb nicht aus, denn der 1579 reisende Hans Jacob BREUNING, Orientalische Reyß ..., Straßburg 1612, 192 sagt: "Derhalben sie diß ort / sehr für Heylig halten / küssen / vnd dabey anbetten." Die Beduinen haben dazu abergläubische Legenden und Gebräuche erfunden und verehren selbst heute noch die Stelle; vgl. R. KRISS und H. KRISS-HEINRICH, Volksglaube im Bereich des Islam. Bd. I: Wallfahrtswesen und Heiligenverehrung, Wiesbaden 196o, 128. Eine Fotografie dieser sagenhaften Fußspur findet man bei L. GOLDING, In the Steps of Moses the Lawgiver, London 1937, neben S. 322. Doch wußte schon der im Jahr 1722 zum Sinai kommende Franziskaner-General sehr wohl, was von dieser ganzen Geschichte zu halten war: "However the Greek monks acknowledge that this mark was made by themselves, to gain the more veneration from the Turks for this holy mountain, if not on account of its own sanctity, and the wonderful works performed there by God, yet at least on account of this miraculous impression of the camel's foot. Accordingly it has prevailed on all Mahometans to treat this place with the highest regard." Vgl. R. CLAYTON (Ed.), A Journal from Grand Cairo to Mount Sinai ..., London ^{12}1817, 242.
Dabei haben sich die Mönche nur eines Mittels bedient, das sie seit Jahrhunderten bereits bei den eigenen Glaubensgenossen mit Erfolg anwandten. Um die Heiligkeit dieser Stätte ad oculos zu demonstrieren, hatten sie früher schon in der (bereits bei Aetheria 3,7 erwähnten) Mose-Höhle auf dem Gipfel des Sinai den Körperabdruck von Mose fabriziert. Vermutlich diente dieses Machwerk, von dem zum erstenmal Magister THIETMAR im Jahr 1217 berichtet (Peregrinatio, ed. Laurent, Hamburgi 1857, 47: "Ex timore autem, quem contraxit Moyses a gloria Domini, quam uidit, inpressit se petre, in qua adhuc uestigia lineamentorum eius inpressa uidi"), als Vorbild für die Kamelspur Muḥammads und den Körperabdruck der hl. Katharina auf dem Gipfel des nach ihr benannten Berges (welche Thietmar noch nicht kennt).

1o8 H. ERNST a.a.O. 5, Zeile 24-29, arab. S. 6f. In einem Erlaß von al-Malik al-Mu^{c}ayyad Abū an-Naṣr ŠAIḪ Ibn ^{c}Abdallāh al-Maḥmūdī aẓ-Ẓāhirī vom 2o. Ḏū 'l-Ḥiǧǧa 815 (= 23. März 1413) ist die Rede von "dem geheiligten Bezirk, bei dem Aufgang des Lichts, dem strahlenden, köstlichen, bei dem Orte, wo al-Kalīm Mūsā angesprochen wurde (von Gott), bei dem glücklichen (sic!) aṭ-Ṭūr (Ṭūr al-aiman) , bei dem Allāh schwur, und

So konnte es nicht ausbleiben, daß der Sinai der Christen allmählich auch zum Heiligtum der Muslime avancierte. Seit wann diese Entwicklung ihren Anfang nahm, ist nicht genau zu belegen. Jedenfalls findet sich in den acht von S.M. Stern edierten fāṭimidischen Urkunden aus dem Katharinenkloster, die alle aus der letzten Phase dieser Dynastie datieren (zwischen 524/113o und 564/1169), kein entsprechender Hinweis. So bleibt die um das Jahr 11o6 erbaute Moschee im Katharinenkloster das bisher älteste Dokument für die Verehrung dieser Stätte durch die Muslime, und man wird davon ausgehen dürfen, daß sie nicht allzuweit in das 11. Jh. zurückreicht [1o9]. Diese Moschee hat zweifellos manchen muslimischen Besucher herbeigeführt und mit dazu beigetragen, daß sich der Dornbusch und der Sinai der Christen auch zum Wallfahrtsziel der Muslime entwickeln konnten. So ist in einem Schreiben des Mamlūkensultans al-Malik an-Nāṣir MUḤAMMAD Ibn al-Malik al-Manṣūr Qalāūn vom 13. Rabī^c II 71o (= 9.9.131o) von "muslimischen Besuchern des Berges *aṭ-Ṭūr*" (والزوار الى جبل الطور من المسلمين) die Re-

---

das vertraulich wurde durch den Partner der Zwiesprache (sc. Gott)"; ebd. 117, Z. 98-1o2. Die zweite Texthälfte erscheint fast wörtlich bereits in einem Schreiben seines Vorgängers al-Malik an-Nāṣir Zain ad-Dīn Abū as-Sa^cādāt FARAǦ Ibn al-Malik aẓ-Ẓāhir Barqūq Ibn Anaṣ al-^cUtmānī vom 1. Ṣafar 8o4 (= 1o. Sept. 14o1): "denn das ist der Berg auf dem der Kalīm Mūsā angerufen wurde" usw.; ebd. 1o3, Z. 63-65. - Zu Ṭūr al-aiman vgl. Anm. 8o. Kalīm (Allāh) = (von Gott) "Angeredeter" ist ein Beiname Mūsā's; vgl. EI II, 749.

1o9 Bald nach der Eroberung Palästinas durch die Araber im Jahre 638 scheinen auch Muslime zum Sinai gepilgert zu sein, wie man den Nessana-Papyri entnehmen kann. So bittet im Dokument Nr. 72 vom März 684(?) der muslimische Gouverneur *Abū Rašīd* (Αβου Ρασεδ) den Administrator von Nessana, Georgios, einem gewissen *Abū 'l-Muǧīra* (Αβου Αλμουγερ), dem *maula* (μαυλε = مولى , d.h. dem freigelassenen und vermutlich zum Islam konvertierten Sklaven) des *Abū Sufyān* (Αβι Σουφιαν) einen Mann von Nessana zur Verfügung zu stellen, der ihm den Weg zum heiligen Berg zeige (παρασχεῖν αὐτῷ ἄνθρωπον ἀπὸ Νεσάνων ὀφείλοντα ὁδιγῖσαι αὐτὸν τὴν στρᾶταν τοῦ ἁγίου ὄρους). Daß mit dem heiligen Berg der Sinai gemeint ist, geht aus dem phraseologisch ganz ähnlichen Papyrus Nr. 73 vom Dez. 683(?) hervor, worin derselbe Gouverneur die Bevölkerung Nessanas ersucht, seiner Frau *Ubayya* (Οβαια) - die, was jedoch weniger wahrscheinlich ist, auch Christin gewesen sein könnte - einen Führer zum *Ṭūr Sīnā* zur Seite zu geben (παράσχετε αὐτὴν ἕνα ἄνθρωπων ὀφείλοντα δίξεστη τὴν στρᾶταν Τουρσινα). Wie wir aus der ins späte 6. oder frühe 7. Jh. zu datierenden Urkunde 89 erfahren, konnten sich die vom Hl.Land zum Sinai reisenden (christlichen) Pilger in der Negevstadt Nessana mit Reittieren, Proviant und Reisebegleitern versorgen. Vgl. C.J. KRAEMER, Jr., Excavations at Nessana. Vol. 3: Non-Literary Papyri (Colt Archaeological Institute), Princeton, New Jersey 1958, 2o5-2o8 u. 251-26o.

de [110],und Felix FABRI, der im Sept. 1483 bei der Moschee auf dem Gipfel des Ǧabal Mūsā mehrere Muslime angetroffen hatte, erklärt: "Nam Arabes, Aegyptii, Sarraceni, Turci, de longinquis mundi partibus ad hunc locum peregrinantur ob reverentiam Moysis" [111]. Nicht minder wurde von den Muslimen der Brennende Dornbusch verehrt. So weiß schon der 1217 reisende Magister THIETMAR [112] zu berichten: "locus, ubi rubus stabat, ab omnibus tam Sarracenis quam Christianis ueneratus ... Ipse eciam Magnus Soldanus, rex Babilonie, tunc temporis extiterat ibi, et reuerens locum illum humiliter et nudis pedibus introiuit" [113].

11o H. ERNST a.a.O. 48 u. 49, Z. 17. - Der 1395 zum Sinai reisende Seigneur d'ANGLURE sagt von der Moschee auf dem Ǧabal Mūsā:"Illec fistrent nos drugemens leurs oroisons, et ainsi font les autres Sarrazins qui ondit mont de Sinaij vont en pelerinage." Vgl. Le Saint Voyage de Jherusalem du Seigneur d'Anglure, publié par F. Bonnardot & A. Lognon (Société des anciens textes français 1o), Paris 1878, 51.

111 Fratris Felicis FABRI Evagatorium in Terrae Sanctae, Arabiae et Aegypti peregrinationem, ed. C.D. Hassler, 3. Vol. (BLVS II-IV), Stuttgartiae 1843-49; vgl. Bd. 2 (1843) 459.

112 Über Thietmar selbst weiß man außer seinem Namen und dem Reisejahr nichts.

113 Mag. THIETMARI Peregrinatio. Ad fidem codicis Hamburgensis cum aliis libris manuscriptis collati edidit ... J.C.M. Laurent, Hamburgi 1857, 42. - Magistri THETMARI Iter ad Terram Sanctam anno 1217. Ex codice manuscripto edidit Titus Tobler, St. Galli et Bernae 1851, 41. - Mit dem Soldanus Babilonie, dem Sultan von Kairo, ist Malik al-ᶜĀdil (der Bruder Saladins) gemeint.
Der 1394 am Sinai weilende Nicolas de MARTONI sagt von der Stelle, an der Mose durch einen Engel den Auftrag erhielt, zum Sinai zu gehen, um mit Gott zu sprechen: "In quem locum tam christiani quam Sarraceni cum magna devocione se inclinant et adorant locum predictum." Vgl. N. de MARTHONO, Liber Peregrinationis ad Loca Sancta, ed. L. LE GRAND: ROL 3 (1895) 6o6.
FABRI (a.a.O. 496) schreibt: "Sarraceni et Arabes et Turci ad hunc locum petunt magna instantia admitti et admissi nonnisi nudis pedibus ingrediuntur." Jüdischen Pilgern verwehrte man allerdings den Zutritt: "Judaei libentissime ingrederentur, sed non intromittuntur." Auch den Moseberg durften sie nicht besteigen: "Demtis enim Judaeis de omnibus mundi partibus huc confluunt homines de omni ritu et secta; Judaei soli non possunt ascendere, et si possent, gentiles eos non admitterent, imo Christiani eos secum orantes non sustinerent." (S. 459); vgl. die Geschichte von einem Juden, der verkleidet den Berg besteigen wollte, S. 454f.
Ein Ferman Selīms II. vom Monat Ṣafer des Jahres 975 d.H. (Aug. 1567) an den Beglerbeg von Ägypten und den Kadi von Kairo enthält den Befehl, den Juden zu verbieten, unter dem Vorwand, der Pest zu entfliehen, den Berg Sinai zu betreten und die Mönche zu belästigen: "Wenn die Juden jenen geheiligten Ort von alters her nicht aufzusuchen pflegten, nun aber entgegen der Tradition und wider das Religionsgesetz den geheiligten Platz aufsuchen, sollt ihr sie daran hindern und sie

KAPITEL III: DIE DENDRITEN AM SINAI

§ 1: *Der Hinweis von Yāqūt*

1.1 Nun dürfte Yāqūt mit dem unter dem Stichwort "*Ṭūr*" erwähnten Berg der zweiten Gottesrede oder der Gesetzgebung "in der Nähe von Ägypten" den Ǧabal Mūsā beim Katharinenkloster meinen, dessen Verehrung sich unter den Muslimen damals immer mehr durchsetzte. Dagegen scheint allerdings die Angabe "bei einem Ort namens Madyan" zu sprechen [114]. Es ist aber durchaus möglich, daß ihn Yāqūt mit dem (jüdisch?-) arabischen Sinai bei Madyan zusammenwirft, oder aber, was eher der Fall sein dürfte, von der christlichen Vorstellung ausgeht, derzufolge der Sinai beim Katharinenkloster in Midian liegt [115], so daß er die biblische Landschaft Midian nach dem Vorbild von Madyan am Roten Meer zu einem Ort namens Madyan beim christlichen Sinai macht. Dieser Meinung war wohl schon KUṮAIYYIR Ibn ᶜAbd ar-Raḥmān, Abū Ṣaḫr, al-Ḫuzāᶜī (auch Ibn Abī Ǧumᶜa genannt), einer der großen Dichter der Umaiyadenzeit (gest. 1o5/723), wenn er in zwei Versen von den im Gebirge wohnenden "Mönchen Madyans" (رهبان مدين) spricht, womit er höchstwahrscheinlich auf die Sinaimönche anspielt. Yāqūt, der uns diese Verse überliefert, dachte als Araber jedenfalls an Madyan am Roten Meer, da er sie bei der Beschreibung dieser Stadt zitiert [116]. Auf den christlichen Sinai deutet wiederum seine Angabe, dieser in der Nähe von Ägypten liegende Berg sei von vielen "Frommen" bevölkert, was sehr gut auf die

---

abwehren und keinem Juden die Erlaubnis geben, dorthin zu gehen. Diejenigen, welche das nicht beachten, sollt ihr bestrafen." Zitiert nach K. SCHWARZ a.a.O. (Anm. 1o5) 43f.
Über die Verehrung des Sinai und anderer mit dem Exodus verknüpften Schauplätze durch die heutigen Araber vgl. R. KRISS u. H. KRISS-HEINRICH a.a.O. (Anm. 1o7) 118-129.

114 A. Frhr. von GALL, Altisraelitische Kultstätten (BZAW 3), Giessen 1898, 13 bezieht die Passage auf den Mosesberg bei Madyan am Roten Meer und möchte daher das "in der Nähe von Ägypten" nicht "pressen".

115 So sagt der ANTONINUS Martyr genannte Pilger von Piacenza (Kap. 4o), der um das Jahr 57o zum Sinai reiste, von der Oase Fairān (Phara): "Ipsa est terra Madian et ipsi inhabitantes in ea ciuitate dicitur,

zahlreichen Mönche und Einsiedler am Ǧabal Mūsā paßt [117]. Von einem Berg bei Madyan am Roten Meer ist nichts dergleichen bekannt [118]. Eindeutig für den Ǧabal Mūsā aber spricht die anschließende, jedoch nicht ohne weiteres verständliche Bemerkung: "wie (auch immer) seine Steine zerbrochen werden, kommt aus ihnen das Bild eines Rankengewächses zum Vorschein" [119].

---

quia ex familia Iethro, soceri Moysi, descendunt." (CSEL 39,186). Der 1483 zum Sinai pilgernde BERNHARD von Breitenbach schreibt in seinem Reisebericht: "Synai ist ein Berg in dem Land Arabia / besonder in Madian gelegen"; vgl. Reyßbuch (1584) 98b.

116 YĀQŪT, Geographisches Wörterbuch, ed. Wüstenfeld, IV 451.

117 Nach dem Pilgerbericht des LUDOLF von Suchem (Sudheim), der um das Jahr 1336 den Sinai besuchte, lebten in dem Katharinenkloster über 4oo Mönche: "sunt ibi CCCC. monachi et XL. conversi Greci, Indi, Arabes, Nubiani, Egyptii et Suriani"; vgl. LUDOLPHUS de Sudheim, De Itinere Terre Sancte, ed. G. A. Neumann: AOL 2 (1884) 346. Vgl. den deutschen Text im Reyßbuch (1584) 447a. Der 1395 reisende Seigneur d'ANGLURE a.a.O. (Anm. 11o) 46 erwähnt nur noch 2oo Mönche, sagt aber, es seien früher 4oo gewesen.
Außer dem Katharinenkloster gab es noch drei weitere, kleinere Klöster am Sinai: das der Vierzig Märtyrer (Dair al-Arbaᶜīn) im Wādi al-Liǧā, ferner an der Mündung dieses Tals in die Ebene ar-Rāḥa zur Linken, am Fuß des Ǧabal ar-Rabba, das Apostelkloster (Dair Apostoli), sowie zur Rechten, am Fuß des Rās aṣ-Ṣafṣāfa, das Gartenkloster (Dair al-Bustān); vgl. SCHIWIETZ, 2. Bd. a.a.O. (Anm. 3) 23. Diese drei Klöster sind inzwischen untergegangen. In dem durch PAPAIOANNOU (1976) vom Katharinenkloster hrsg. Fremdenführer ist S. 9 eine aus dem 17. Jh. stammende kleine Ikone (die auch als Kunstpostkarte verkauft wird) abgebildet, auf der alle vier Klöster sowie verschiedene Kapellen rings um den Sinai dargestellt sind.

118 GALL a.a.O. 13 möchte daher annehmen, daß dort ebensolche Einsiedler wie am Sinai gelebt haben.

119 GALL a.a.O. 12, der nicht wußte, worum es sich hier handelt, hat diese Stelle begreiflicherweise nicht verstanden. Er versuchte ihr dadurch einen Sinn abzugewinnen, daß er übersetzt: "und aus seinem Gestein kommen, wenn es verwittert, verschiedene Brombeersträucher heraus". Nun heißt aber كسر *kasara* zunächst einmal "brechen, zerbrechen". Eine (zwar denkbare) sekundäre Bedeutung "verwittern" ist jedoch nirgends belegt; vgl. Wörterbuch der klassischen arabischen Sprache ... hrsg. durch die Dt. Morgenl. Ges. Bd. I ك. Begründet von J. Kraemer und H. Gätje. In Verb. mit A. Spitaler bearb. von M. ULLMANN, Wiesbaden 197o, 177-182. Außerdem unterschlägt von GALL das Wort صورة *ṣūra* "Bild". Es kommen nicht "verschiedene Brombeersträucher" als solche heraus (diese spezielle Bedeutung kann عليق *ᶜullaiq* "rankende und kriechende Gewächse verschiedener Art" auch besitzen), sondern das Bild, die Abbildung eines Brombeerstrauches bzw. Rankengewächses!

Yāqūt beschreibt hier sehr treffend eine für das dortige Gebirge charakteristische und interessante Erscheinung, nämlich Dendriten.

1.2 So nennt man jene "baum"- und strauchförmigen (manchmal auch eisblumen-, farnblatt- oder anderen pflanzenartigen Gebilden ähnelnden) Kristallisationen, die auf den Schichtfugen und Kluftflächen von Gesteinen aus dort eingedrungenen mineralischen Lösungen entstanden sind. (Bei uns sind Dendriten besonders von den Solnhofener Plattenkalken her bekannt; vgl. Abb.). Für die vielfältige Gestalt der Dendriten ist die Form der Schichtfugen ausschlaggebend, da sich ihrem Relief die Rückstände des eingetrockneten Lösungsmittels angleichen. Weil die Mineralien wegen der besonderen Lagerungsverhältnisse ihre Gitter verschoben oder abgeflacht haben, sind die Kristalle aus der Dreidimensionalität in die Zweidimensionalität zu sog. Skelettkristallen hineingewachsen. Besonders Manganverbindungen und Eisenerze, deren Lösungen mit dem Sickerwasser in die Tiefen der Gesteine eindringen, zeigen das Bestreben, sich auf Schichtfugen dendritisch niederzuschlagen. Dabei entstehen aus vierwertigem Manganoxyd gewöhnlich schwarze oder dunkelbraune, aus Brauneisen meist rot- bis hellbraune Musterungen. Da der Stein naturgemäß am leichtesten gerade an den Stellen zerspringt, an denen sich Dendriten bilden konnten, - die bei reichlichem Vorhandensein jedesmal, wenn der Stein auseinandergebrochen wird, aufs neue zum Vorschein kommen -, gewinnt man den Eindruck, als sei er ganz und gar von diesen pflanzenähnlichen Gebilden durchwachsen. Ein Laie hält diese verblüffenden Zeichenkünste der Natur sehr leicht für versteinerte Pflanzen [12o].

12o Über Dendriten informiert gut der kurze Aufsatz von H. HILD, Dendriten. Keine versteinerten Pflanzen - sondern mineralische Niederschläge: Kosmos 64 (1968) 1o2-1o3. Vgl. ferner die Monographie von D.D. SARATOVKIN, Dendritic Crystallization. Translated from Russian by J.E.S. Bradley, New York [2]1959.
Dendriten werden unter der Bezeichnung *dendrītis* (δενδρῖτις) "baumähnlich" zum erstenmal von Caius PLINIUS Secundus (23-79 nC) in seiner enzyklopädischen Naturkunde (Naturalis historia), und zwar im 37. und letzten Buch, das über Edelsteine handelt, erwähnt (37, 73, 192): "dendritide alba defossa sub arbore quae caedatur securium aciem non hebetari" - "Wenn man einen weißen 'Dendrit' (oder 'Baumstein') unter einen Baum, der gefällt werden soll, vergräbt, dann werde die Axt nicht stumpf." Gemeint ist wohl der in einem früheren Kapitel (37, 54, 139) vorgestellte "dendrachates, quae velut arbusculis insignis est" - "der Dendrachat, der wie mit Bäumchen gezeichnet ist", also ein von Dendriten durchwachsener Achat bzw. Chalzedon, der im Edelsteinhandel Baumstein oder auch, nach dem arabischen Hafen, über den man ihn bezog, Mokkastein genannt wird, und aus Vorderindien,

§ 2: *Nachrichten europäischer Reisender*

2.1 Dendriten kommen im gesamten sinaitischen Zentralmassiv vor, d.h. überall in der Granitregion des südlichen Hochgebirges, wie mir die einheimische Bevölkerung versicherte. In der Regel handelt es sich um dunkel- bis schwarzgraue Pflanzenmuster, die aus Manganoxyd entstanden sind. Besonders häufig und schön ausgeprägt finden sie sich am Ǧabal Kāterīn, weniger dagegen am Ǧabal Mūsā (vgl. die Fotografien der Dendriten auf den Bildtafeln im Anhang). Die Beduinenkinder suchen solche Steine und bieten sie den Besuchern des Katharinenklosters zum Kauf an, so daß sie von daher manchen bekannt sein dürften. Viele aber schenken diesen Dendriten keine Beachtung und haben sie in der Natur selbst auch kaum wahrgenommen, entweder weil sie sich nicht dafür interessieren oder aber als Kinder einer an Bildern und Eindrücken übersättigten Welt die Fähigkeit zur genaueren

---

hauptsächlich und in den schönsten Exemplaren, von der Halbinsel Kathiawar kommt.
Den *Dendrītēs* (δενδρίτης) erwähnt auch der im 5. Jh.lebende lat. Enzyklopädist MARTIANUS Capella, De nuptiis Philologiae et Mercurii (I, 75), ed. A. Dick, Stutgardiae 1925 et 1969, 34: "Hyacintho Dendrites etiam Heliotropios utrimque compacti."
In den Lithika des Orpheus, dem einzigen in Hexametern abgefaßten antiken Steinbuch, das erst von dem byzantinischen Gelehrten Johannes Tzetzes (1110/12-1180/85) oder einem Vorgänger dem Orpheus zugeschrieben wurde, in Wirklichkeit aber aus dem 4. Jh. nC stammt, wird der Dendrachat, Δενδρήεις ἀχάτης oder Δενδρόφυτης πέτρη, wie er dort heißt, mit folgenden Versen beschrieben (vgl. ORPHICA, recensuit E. Abel, Lipsiae / Pragae 1885, 116f):

> Εἰ καὶ δενδροφύτοιο φέροις τρύφος ἐν χερὶ πέτρης,
> μᾶλλόν κεν θάλποιτο θεῶν νόος αἰὲν ἐόντων.
> δένδρεα γὰρ μάλα πολλὰ κατόψεαι, ὡς ἐνὶ κήπῳ
> ἀνθεμόεντι, κλάδοισιν ἐπασσυτέροις κομόωντα.
> τοὔνεκά οἱ καὶ φῶτες ἀχάτῃ δενδρήεντι
> θῆκαν ἐπωνυμίην, ὅτι οἱ τὸ μὲν ἔπλετ' ἀχάτου,
> ἄλλο δ'ἔχει λασίης ὕλης δέμας εἰσοράασθαι.

"*Wenn du ein Bruchstück eines baumbewachsenen Steines in Händen hälst, dann dürfte sich dafür sogar das Herz der ewigen Götter erwärmen: Überaus viele Bäume nimmst du nämlich wahr, wie in einem blumenreichen Garten, mit dichtgedrängten Zweigen geschmückt. Deswegen haben ihm auch die Menschen den Namen 'Baum-Achat' beigelegt, weil er teils einen Achat, teils den Ablick eines dichten Waldes darstellt.*"
Über δενδραχάτης und δενδρίτης in den griech. Steinbüchern vgl. F. de MÉLY, Histoire des sciences. Les Lapidaires de l'antiquité et du moyen-âge. Tome II, Fasc. 1: Les Lapidaires grecs. Texte, Paris 1898, 14, 143f, 167, 188, 190, 206.

Beobachtung verloren haben. In früheren Zeiten dagegen hatten solche Besonderheiten viel eher die Aufmerksamkeit erregt und die Phantasie beschäftigt.

2.2 Unter den abendländischen Pilgern erwähnt die Dendriten wohl zum erstenmal Magister THIETMAR, der im Jahr 1217, gerade zu der Zeit, als Yāqūt sein monumentales Geographisches Wörterbuch in Angriff genommen hatte, den Sinai besuchte. Es ist nicht verwunderlich, wenn sich der Aberglaube und die Wundersucht des Mittelalters auch an dieser seltsamen Erscheinung entzündeten, denn Thietmar meint, die Steine würden wegen der dornbuschähnlichen Zeichnungen an der Stelle, an der einst der Brennende Dornbusch stand, gefunden und daher wunderbare Heilkräfte besitzen:

"In quo loco adhuc effodiuntur lapides nobiles habentes in se tamqam pictam similitudinem rubi qui optime ualent contra diuersas infirmitates"[121].

2.3 Man kann gut verstehen, daß sie an dieser heiligen Stätte geradezu als Wunderwerk angesehen wurden und zur Legendenbildung beitrugen. Die wohl schönste erzählt der im Jahr 1395 pilgernde Seigneur d'ANGLURE, in der die Dendriten ebenfalls mit dem Brennenden Dornbusch in Zusammenhang gebracht werden:

"Il sembloit a Moïse que ledit buisson ardist; mais quant Nostre Seigneur se fut partis d'illec, Moÿse trouva ledit buisson tout flory, dont il fut merveilleusement esbaÿ. Moïse print d'icelles fleurs d'icelui buisson, et les ala espandre par aval la montagne de Sinaÿ; et par tous les lieux ou il les espandit elles y sont encores aujourd'uy proprement figurées; en telle maniere que vous ne sauriés rompre la roche en tant de lieux, que tousjours vous n'y doyez veoir l'empraincte de la fleur si proprement figurêe comme nul painctre la sauroit faire. C'est chose moult merveilleuse, et peult legierement estre sceu par plusieurs pelerins qui vont illec apportans d'icelles roches, et par ce peut l'en veoir le miracle" [122].

Auch für den 1479 reisenden Sebald RIETER kommt in den Dendriten die Gestalt des Dornbuschs zum Ausdruck:

"Item an dem perg und sünst nyret mer, dann auch an der stat, da der recht püsch, als vor gemeldet, gestanden ist, dar auss gott mit Moysen gerett hatt, vind man velss und clein stein da von komend, dar inn selb gewachsen gestaltt erscheynett, gleich wie ein pusch oder hecke dar ein gemalet in der form, als der recht pusch gewest, der stein dy pilgram vil von wunders wegen mit in tragen" [123].

---

121 THIETMARI Peregrinatio, ed. Laurent (1857) 42; vgl. Ed. Tobler (1851) 42.

122 ANGLURE a.a.O. 47.

Auf diese Weise sollte, wie der 1542 zum Sinai pilgernde Iodocus a MEGGEN bemerkt, immerfort das Geheimnis des Brennenden Dornbuschs wachgehalten werden:

"Eodem in monte lapides à petris passim auelluntur, passim in via reperiuntur, arbuscularum species formasque ferentes, quos hoc mysterium continere in perpetuam rei memoriam, sunt qui asserant, è quibus & peregrini secum auferre consueuere" [124].

Ähnliches erzählten die Mönche Georg Christoph von NEITZSCHITZ, der sich 1636 am Sinai aufhielt:

"Noch eins zu gedencken: Als wir aus dem Kloster der 4o. Märtyrer ausgegangen / und schon ziemlich hoch auf den Berg hinauf gewesen / haben wir zur rechten Hand im Gehen einen sehr hohen sich weit ausbreitenden Felsen gesehen / der hatte über und über rechte natürliche Aeste / Zweige und Blätter / einen langen Stamm und viel Wurtzeln / und konte man alles so vollkommen sehen / als wenns ein wahrhafftiger Baum gewesen und zum Stein verwandelt worden wäre. War ein rechtes Wunder / daß man sich nicht satt sehen kunte / dahero ich auch bewogen worden / daß ich etzliche Zweige davon mit herausgebracht. An Farbe ist dieser Felß sonst grau / um sich her aber hat er allenthalben weit und breit nicht anders / als schwartzbraunes Gebürge.
Die Griechischen Münche daselbst geben für / es solle dieser Felß seiner Gestalt nach / den in der Wüsten zun Zeiten Mosis brennenden Busch bedeuten" [125].

---

123 Das Reisebuch der Familie RIETER, hrsg. von R. Röhricht und H. Meisner (BLVS 168), Tübingen 1884, 1o3. Eigenartigerweise fehlt dieser Passus in dem Bericht seines Reisegefährten Johann TUCHER, Verzeichnusz der Reysz zum Heyligen Land / vnd zum Berg Sinai / vnd was an diesen Orten zu sehen ..., in: Reyßbuch (1584) 349b-374b; vgl. 366a. Beide Reisebeschreibungen stimmen sonst größtenteils wörtlich überein, was wohl dadurch zu erklären ist, daß Rieter und Tucher unterwegs ein gemeinsames Tagebuch führten, dessen Eintragungen später ein jeder nahezu wörtlich übernahm.

124 Iodoci a MEGGEN Patricii Lvcerini Peregrinatio Hierosolymitana, Dilingae 158o, 2o5f.

125 George Christoph von NEITZSCHITZ ... Sieben=Jährige und gefährliche Welt=Beschauung ..., Budißin und Leipzig 1673, 217 (1. Aufl. Budissin 1663 u. 1666).
An den Brennenden Dornbusch erinnern die Dendriten auch den im Jahr 16oo reisenden Steffano MANTEGAZZA, Relatione Tripartita del Viaggio di Giervsalemme ..., Milano 1616, 143:
"Ne qui voglio passare in silentio ciò,ch'io hò veduto essendo in Damiata, & è che vn'Religioso Greco, che appunto con noi venne in Gerusalemme, mi donò vn'pezzo di pietra del detto Monte, nella quale chiaramente, & distintamente vi si vedeua dentro tutto il detto Roueto, ò cespuglio, appunto come in vn'specchio, per dimostrare Iddio in quello l'infinita sua virtù, mentre s'allargaua d'ogn'intorno alla detta Valle del Monte quell'ardente fiamma.
Fece dunque il fuoco di quel cespuglio tal'effetto in quelle grosse pietre d'intorno alla radice del Monte, come visibilmente si scuopre, ond'io gionto alla Patria la ruppi, per vedere l'effetto di quella, & fù, che in ciascun'pezzo si vedeua la forma di quel Roueto, & si vedeua-

2.4 Der 1579 reisende Jean LE CARLIER de Pinon hörte von den Mönchen die erstaunliche Erklärung, die Dendriten seien dadurch entstanden, daß das Schattenbild der Pflanzen unauslöschlich in den Fels eingeprägt wurde, als bei der Theophanie der Sinai in Flammen stand (vgl. Dtn 4,11 u. Ex 19,18):

"On voit plusieurs endroicts de ceste montaigne des pierres lesquelles ont des certaines veines noires quy representent des buissons aussy nayvement qu'aucun peintre les sçauroit former, et ressemblent ces veines sur tout a une herbe amere, dont en ce pays europeen l'on donne la semence a manger aux enfans avecq du succre, pour chasser les verds du corps [126]. Ceste herbe est fort commune sur ce mont et estiment les caloers [127] que l'ombre de ceste herbe a esté imprimée dans le rocher, lors que la montaigne estoit ardante par la presence divine. On trouve de ces pierres sur le mont de Saincte Catherine, lesquelles ont les marcques et veines plus apparentes que celles du mont Sinay, et sont appellées ces pierres alberi di Santa Vatta" [128].

---

no le spiccate spine l'vna dall'altra, co'l resto del cespuglio nel modo come appunto staua all'hora, nell'esser' suo.
In oltre, auanti questa grandissima impressione fatta da quel fuoco diuino in dette pietre, prima erano bianche, e rosse naturalmente, hora per quel fuoco si sono fatte nere. Era il detto Religioso vno di quelli del Monte Sinai, che appunto all'hora vi andaua, che mi diede la sudetta pietra in Damiata per cosa miracolosa."

126 Es handelt sich um eine Beifußart (Artemisia), aus der man Wurmmittel bereitete. So wurden früher die widerlich bitter schmeckenden und daher mit Zucker überzogenen Blütenköpfchen von Artemisia cina Berg wegen ihres Gehaltes an Santonin als "Wurmsamen" (Flores cinae, auch Zitwersamen) verabreicht. Aus diesem Grund hatte man auch den westgermanischen Namen "Wermut" (Artemisia absinthium) an "Wurm" angeglichen: althochdeutsch wormuota, mhd. wormuot, vgl. engl. wormwood. Artemisia herba-alba Asso findet sich sehr häufig auf der Ebene ar-Rāḥa und in den höheren Regionen der Sinaihalbinsel. In den niedrigeren Lagen ist die stark aromatisch riechende Artemisia judaica L. weit verbreitet, die von den Arabern Bataran genannt wird. In jedem Beduinenlager hängt diese Pflanze als Heilmittel gegen Blähungen und Wurmseuche; vgl. A. KAISER, Die Sinaiwüste: Mitteilungen der Thurgauischen Naturforschenden Gesellschaft 24 (Frauenfeld 1922) 55 u. 74.

127 Caloers von neugriech. καλόγερος "guter Greis", Mönch. Das Gamma wird vor ε und ι wie "y" gesprochen. Der gleich (2.6) zitierte Jean Palerne schreibt Caloires, andere Caloieres oder Coloyers.

128 LE CARLIER de Pinon, Voyage en Orient. Publié avec des notes historiques et géographiques par E. Blochet, Paris 192o, 224.
Santa Vatta bedeutet der Heilige Dornbusch ("Vatta" italienisiert nach der neugriech. Aussprache von βάτος). LE CARLIER sagt (S. 22o) von der Dornbuschkapelle in der Klosterkirche: "la chapelle qu'ils nomment de Saincte Vatta". Mit den Sinaimönchen verständigten sich die Reisenden damals zumeist auf italienisch.
Heinz SKROBUCHA, Sinai, Olten und Lausanne 1959, 61, der offenbar nicht weiß, daß Jean LE CARLIER de Pinon von Dendriten spricht, meint, seine Erzählung klinge, wenn auch in etwas abgewandelter Form, an die im Koran (Sure 7,143) zu findende Vorstellung von der "Zertrümmerung" des

2.5 Eine ähnliche Geschichte erzählt Giorgio GUCCI bereits im Jahr 1384.

Als Mose die Herrlichkeit des Herrn zu sehen begehrte (Ex 33,18-23), habe der für einen Menschen unerträgliche Lichtglanz Gottes das Bild einer Palme in die Steine des gegenüberliegenden (Katharinen-) Berges eingebrannt:

"And it is said that God being atop this rock and Moses at the foot, so great was the splendour and the rays that emanated from Our Lord that Moses could not bear the sight: and it is said that Moses prayed by the grace of Our Lord that he should be able to see him, and then God answered: What do you ask, Moses? Do you not know that if I cast a glance upon you for a little, or rather if I permit that you could see me, you would turn all into ashes or into naught? and that this be true, look, Moses, when I look upon that mountain which is opposite to us; and looking upon that mount in an instant it crumbled and turned into ashes. And on that mount are found the stones, which bear the impression of a palm, which is a miracle to see in very great stones with the palm sculptured inside: and we took of these little stones with the palm. It is said that all these stones to which the rays of God extended, took the print of the palm; and this is proved by the fact that in other parts, save on this mount, stones of this kind are not found: then there are on the said mount stones which have nothing of this palm, and these, they said did not see the said rays" [129].

Berges bei der Gotteserscheinung an. (Dies trifft eher auf die anschließend von Giorgio GUCCI erzählte Legende zu). In dieser (auf Ex 33,18-23 beruhenden) Geschichte von dem Wunsch Mūsās, Allāh zu schauen, ist jedoch nicht davon die Rede, daß bei der Theophanie der Berg in Flammen stand, sondern daß Allāh جَعَلَهُ دَكًّا (vgl. Sure 69,14 u. 89,21) ihn"zu Staub zerfallen" ließ, wie PARET sagt, oder daß er ihn, wie man auch übersetzen kann, "eingeebnet", den Berg also dem Erdboden gleichgemacht habe, wodurch ebenfalls eine gänzliche Vernichtung und ein völliges Verschwinden zum Ausdruck kommt. So jedenfalls wurde جعله دكا von den muslimischen Exegeten interpretiert, wie der Korankommentar von ṬABARĪ, Tafsīr, ed. Šākir, Bd. 13, Miṣr 196o, 97-1oo bezeugt: مستويًا بالأرض "dem Erdboden gleichgemacht"; ترابًا "zu Staub (zermalmt)"; ساخ الجبل في الأرض "der Berg versank in die Erde"; انقعر فدخل تحت الأرض، فلا يظهر إلى يوم القيامة "er wurde entwurzelt (ausgehölt) und trat unter die Erde; und er wird nicht mehr erscheinen bis zum Tag der Auferstehung". H. SPEYER, Die biblischen Erzählungen im Koran, Grono 1931 / Hildesheim 1961, 341f vermutet, daß Muḥammad von Aussagen wie Ps 97,5; 1o4,32; 114,4; Jer 51,25; Mi 1,4; Mt 17,2o u. 1 Kor 13,2 inspiriert wurde; eine entsprechende jüdische Legende kennt er nicht. LE CARLIER meint also ohne Zweifel den biblischen Theophaniebericht (Ex 19,18; Dtn 4,11) und nicht etwa diese Geschichte aus dem Koran.

129 FRESCOBALDI, GUCCI & SIGOLI, Visit to the Holy Places of Egypt, Sinai, Palestine and Syria in 1384 (PSBF 6), Jerusalem 1948, 117f. Guccis Reisegefährte Leonardo Frescobaldi erwähnt für den Katharinenberg ebenfalls, wenn auch nur mit wenigen Worten, jene Steine, in denen man, wie immer man sie zerbricht, die Palme abgebildet findet; a.a.O. 63 und Viaggio di Lionardo FRESCOBALDI Fiorentino in Egitto e in Terra Santa (ed. Guglielmo Manzi), Roma 1818, 128f: "e presso alla sommità tu trovi pietre che v'ê dentro figurata la palma per qualunque parte la rompi". In dem dritten, unabhängigen Bericht dieser Pilgerreise von Simone SIGOLI findet man nur sehr wenig über den Sinai und daher auch nichts von den Dendriten.

2.6 Da am Ǧābāl Kāterīn die Dendriten häufiger und schöner noch als am Ǧabal Mūsā gefunden werden, berichten die Reisenden, die meist auf dem üblichen Rundgang die Sehenswürdigkeiten am Sinai besichtigen und nach einem traditionellen Schema oft die gleichen von den Mönchen stammenden Geschichten erzählen, immer dann von ihnen, wenn sie den Katharinenberg hinauf- oder hinabsteigen. Es ist daher nicht verwunderlich, wenn diese besonders hier augenfällige Erscheinung auch mit der hl. Katharina in Verbindung gebracht wurde, sie seit dem ausgehenden Mittelalter für die Pilger allmählich eine größere Bedeutung gewann als Dornbusch und Gottesberg [130]. Nicht nur das Kloster, sondern auch die Dendriten wurden jetzt nach der hl. Katharina benannt [131] und ihre Entstehung,ähnlich wie zuvor mit der Theophanie am Sinai, durch die Translation ihres Leibes auf jenen Berggipfel erklärt. Eine solche Legende erzählt der im Jahr 1581 reisende Bruder Königs Heinrich III. von Frankreich und Polen, Jean PALERNE, Herzog von Anjou und Alençon, der allerdings für das Zustandekommen der Dendriten eine natürliche Erklärung vorschlägt, indem er den himmlischen Lichtglanz auf die Strahlkraft der Sonne zurückführt, deren sengende Glut die Pflanzen in den Stein gebrannt habe:

"En allāt nous remarquasmes, qu'en tous ces rochers, il y a certains petits arbres imprimés, & encores q̄ nous en rōpissiōs biē auāt, si est ce qu'il y en auoit dedans cōme dehors. Les Caloires disent, q̄ cela se fit lors, que les Anges porterent le corps saincte Catherine sur ledict mont, qui trembla: & que despuis, par miracle les rochers sont tousiours demeurez ainsi. Les naturalistes veulent dire, que ce soit par la repercussion, & reuerberation du Soleil, qui y donne auec telle vehemence, que les herbes s'impримēt & demeurent ainsi escrites aux pierres, & rochers" [132].

---

130 "Dem allem nach ob anders nichts were das den Berg Synai möchte zieren / vn̄ lobsam machen oder anzeygen / wer dieses vrsach genug andächtige Pilger zubewegen dahin zu reysen / das ist / dieselbige edel Jungfrauw heym zu suchen ...", schreibt BERNHARD von Breitenbach, der im Jahr 1483 dorthin pilgerte; vgl. Reyßbuch (1584) 99b.

131 Als erster spricht wohl von den "Katharinensteinen" der 1349 zum Sinai reisende Fra NICCOLÒ da Poggibonsi, A Voyage beyond the Seas, transl. Bellorini/Hoade, Jerusalem 1945, 112. Der Name"Katharinenkloster" wird zum erstenmal verwendet in einem zu Avignon ausgestellten Schreiben Papst Johannes' XXII. vom 30 Mai 1328, das allen Pilgern und Wohltätern der Katharinenkirche am Sinai einen einjährigen Ablaß gewährt ("ecclesia monasterii S. Catharinae in Monte Synay ordinis S. Basilii in eiusdem Sanctae honore fundata, in qua corpus eiusdem virginis requiescit");vgl. G. HOFMANN, Sinai und Rom: OrChr 9 (1927) 229f u. 258f. Die alte Bezeichnung "monasterium beatae Mariae Montis Synay" findet sich noch in einem Brief Pius' II. vom 9. Okt. 1459; vgl. ebd. 262.

132 Peregrinations du S. Iean PALERNE Foresien ... ės Prouinces d'Egypte, Arabie deserte, & pierreuse, Terre Saincte ..., Lyon 1606, 191f. Die gleiche Legende hörte auch der 1680 am Sinai weilende Jean COPPIN, Le bouclier de l'Europe, ou la guerre sainte ..., Paris 1686, 341:

Dem im Jahr 1534 am Sinai weilenden Greffin AFFAGART hatte man erzählt, sie symbolisierten die Siegespalme der hl. Katharina:

"... entre les autres choses l'on trouve une roche qui a figures d'arbres imprimées de quelque costé qu'on la rompe, qui est chose assez estrange, car en autre lieu du monde, ne s'en trouve de semblables. Ilz dient par delà que ses arbres signiffient la palme de victoire de la très vertueuse saincte Katharine" [133].

Diese Steine wurden, wie YVES de Lille aus dem Jahr 1625 berichtet, auch "Katharinensteine" genannt:

"vers le terme du chemin se voit une party du rocher tout marque de palmes et rameaux que lon appelle pierres de Sainte-Cathereine" [134].

2.7 Die Pilger haben natürlich gerne diese pflanzen- und legendenumrankten Steine als ebenso interessantes wie wunderträchtiges Andenken mit nach Hause genommen, wie etwa im Jahr 1598 Christoph HARANT:

"Unter Abwartsgehen von dannen / fanden wir mannigfaltig und wunderlich von Kräutern / Blumen / Bäumen / Thieren etc. gemusirte Steinlein / als wann solches mit Fleiß darauf wäre gemahlet worden / deren wir ziemlich auf der Reise aufgelöset haben / und hab auch etwas davon mit mir in mein Vatterland gebracht" [135].

"L'on trouve aussi quantité de petites pieces du rocher où il y a diverses figures, comme d'animaux, d'arbres, de fleurs, & elles sont si naturellement representées que le plus sçavant pinceau ne les pourroit pas mieux imiter, ces fortes de figures penetrent toute la pierre, & quand on en rompt quel-qu'une on y voit la méme chose au dedans comme au dehors. Les Caloyers disent que ces representations furent miraculeusement imprimées quand les Anges apporterent le corps du Sainte Catherine d'Alexandrie sur le sommet de la montagne, qui fut agitée d'un puissant tremblement en recevant ce sacré depost."

133 Relation de Terre Sainte (1533-1534) par Greffin AFFAGART, publiée avec une introduction et des notes par J. Chavanon, Paris 19o2, 2oo.

134 Itinéraire aux Lieux-Saints du P. YVES de Lille (1624-1626), ed. F.-M. Abel: EtFr 44 (1932) 682.
So auch in dem berühmten, von Joanne COLA hrsg. italienischen Pilgerführer:
"Dico che quando tu serai in mezzo del monte si li trouano delle pietre di S. Catherina con la palma in duoi luochi, appresso l'uno da l'altro."
Vgl. Viaggio da Venetia al Santo Sepolchro. Et al Monte Sinai ..., Venetia 1583 (ohne Paginierung; zuerst Bologna 15oo. Dasselbe Werk erschien auch unter dem Namen von Bianco NOÉ, Venedig 1519, 1566 u.ö.).
Als Sehenswürdigkeit eingetragen sind die Katharinensteine auf dem Prospekt vom Horeb (Ǧabal Mūsā) und Sinai (Ǧabal Kāterīn) bei Bernhard WALTER von Walterseil, Beschreibung Einer Reiß auß Teutschland biß in das gelobte Landt Palestina, vnnd gen Jerusalem / auch auff den Berg Synai ..., München 16o8, zwischen Blatt 56 und 57, an dem am Fuß des Ǧabal Kāterīn im Wādi al-Liǧā befindlichen Ort Nr.19:"S. Catharinen Stain darin Figuren als die Baumb zu sehen." B. Walter besuchte den Sinai im Jahr 1587.

Ein anonymer Reisender, der zwischen 1419 und 1425 den Sinai besuchte, teilt mit, bei den Mönchen sei es Brauch gewesen, den Pilgern solche Steine mit den natürlich abgebildeten "Palmen" (der hl. Katharina) zu schenken, die aber erst mit Hammer und Meißel aus dem äußerst harten Fels herausgeschlagen werden mußten:

"Et quant les freres veullent aux pellerins donner, comme de coustume est, des paulmes, qui sont noires comme se ce fussent poyntes nayves en icelle roche, ilz lez fault taillier au chiseaux d'achier ferus à cops de marteaulx pour les avoir, que sans rompre comme voirre ne peuent" [136].

Die Sinaimönche pflegten offenbar auch auf ihren Auslandsreisen [137] diese als religiöse Souvernirs geschätzten und beliebten Steine an ihre Wohltäter zu verschenken, wie man aus einer Nachricht von Pietro DELLA VALLE schließen kann:

---

135 Der Christliche Ulysses / Oder Weit=versuchte Cavallier / Fürgestellt In der Denckwürdigen Bereisung So wol deß Heiligen Landes / Als vieler andrer morgenländischer Provintzen / ... Welche ... Christoph HARANT ... im Jahr 1598. rühmlich vollenbracht ..., Nürnberg 1678, 600 (Erstausgabe: Prag 1608).
Der im Jahr 1565 reisende FÜRER von Haimendorff schreibt:
"An dem Berg findet man seltzame Stein / in welchen man Palmen vnd anderer Bäumen Figuren sihet / wie wir dann derselbigen mitgenommen".
Vgl. Christoph FÜRER's von Haimendorff, Ritters ... Reis=Beschreibung. ..., Nürnberg 1646, 119.

Solche Steine nahm auch Lupold von WEDEL mit, der 1578 den Katharinenberg bestieg:
"Auf und an gemeltem Berge hat es Steine, welche man aus dem Steinfels schleget, die sein schwarz durchgewacksen wie Bome, ich habe welche mit mir genumen."
Vgl. Lupold von WEDEL's Beschreibung seiner Reisen und Kriegserlebnisse 1561-1606. Hrsg. und bearb. von M. Bär: Baltische Studien 45 (1895) 134.

Auch der Franziskaner-General, Präfekt der Propaganda-Kongregation in Ägypten, der mit einigen Missionaren 1722 den Sinai besuchte, erwähnt dieses Mitbringsel seiner Reisebegleiter:
"In this road there is abundance of curious stones, and pendent rocks on either side, which are wonderfully marked by nature with the most beautiful veins, shooting forth in the resemblance of trees, whose branches are so very minute, and yet so very exact, that art could not possibly come up to it. And of these they brought back with them a good quantity."
Vgl. Robert CLAYTON (Ed.), A Journal from Grand Cairo to Mount Sinai ..., London (1753) [12]1817, 247.

136 Henri MORANVILLÉ, Un pèlerinage en Terre Sainte et au Sinai au XVe siècle: BECh 66 (1905) 93.

"Ferners ist sich zu verwundern / daß der gantze Felß deß Bergs Sinai gewisse Adern hat / die schier einem Baum gleichen / wie ihr vielleicht in Italien an den Stücken dieses Felsens / welche bißweilen von Griechischen Caloyern dahin gebracht werden / werdet bemercket haben" [138].

2.8 Die Dendriten vom Sinai waren schließlich so bekannt geworden, daß man zuweilen nach ihnen in Europa Dendriten überhaupt, ganz gleich woher sie kamen, "Lapis Sinai vel frondosus" nannte [139]. Unter dieser Überschrift sagt der neapolitanische Naturwissenschaftler Ferrante IMPERATO in seiner 1599 italienisch und 1695 in lateinischer Übersetzung erschienenen Historia naturalis:

"Parum huic dissimilis lapis frondosus, quem Sinaiticum vocant, quaquaversus confractus, arboribus consitus: nomen ipsi a Sinai Solymorum monte, unde afferri fama est: lapis ipse colore albicat, qui interdum ad russeum vergit: linearum ductus nigri sunt, lapideqve igni admoto brevi disperqguntur remanente lapide in simplici suo colore, estqve materia, quae non calcinatur, sed diu sustinet ignem, donec vitrificetur. Figurae arboreae ramosaeqve effectus sunt exhalationis, quae facto aliquo principio dein superveniente materia, paulatim in ramusculos minutasqve frondes diffunditur, haud aliter ac pyrites in fornacibus a calore victus disrumpitur a radicibus in ramos paulatim minores" [14o].

---

137 Über die dem Almosensammeln dienenden Reisen der Sinaiten in muslimische und christliche Länder vgl. K. SCHWARZ a.a.O. (Anm. 1o5) 1o-13.

138 Petri DELLA VALLE, Eines vornehmen Römischen Patritii Reiß-Beschreibung in unterschiedliche Theile der Welt ..., 4 Theile, Genff 1674, I, 118. (Italienische Erstausgabe: Viaggè di Pietro Della Valle il Pellegrino ..., Roma 165o. Der Autor war im Dez. 1615 am Sinai).
Auf dieser Nachricht beruht wohl die im Universal-Lexicon unter dem Stichwort Sinai zu findende Angabe: "Die Griechische Koloyeren oder Geistlichen bringen solche unterweilen für etwas Seltsames und heiliges nach Europa." Vgl. Grosses vollständiges UNIVERSAL-LEXICON Aller Wissenschafften und Künste, ed. J.H. Zedler, Bd. 37, Leipzig und Halle 1743, 1578.

139 Das UNIVERSAL-LEXICON a.a.O. 3 (1733) 769 sagt unter "Baum=Steine": "Andere nennen sie auch Dendritas Sinaiticos oder Steine vom Berg Sinai, welches nicht also zu verstehen, als ob sie einig und allein auf dem Berge Sinai gefunden würden, sondern weil einige Reise=Beschreibungen, als les Voyages de Monconys Tom. I. p. 238. gedencken, daß bey Absteigung des Berges Sinai dergleichen Steine ins Gesichte kämen: sonsten aber findet man sie in vielen und unterschiedenen Ländern ..."

14o Ferrandi IMPERATI Neapolitani Historiae naturalis libri XXIIX. ... Nunc primum ex Italica in lingvam conversa Latinam ..., Lipsiae 1695, 746. Im ital. Original: Dell' Historia naturale di Ferrante IMPERATO Napolitano. Libri XXVIII. ..., Napoli 1599, 662: "Pietra di Sinai, ò Imboscata". - Das Werk soll in Wirklichkeit der neapolitanische Naturwissenschaftler Nicolaus Antonius STELLIOLA verfaßt haben, der Imperato für 1oo Scudi die Erlaubnis gab, es unter seinem Namen zu veröffentlichen; vgl. UNIVERSAL-LEXICON a.a.O. 14/1 (1735) 596 u. 39 (1744) 1762.
In Deutschland hießen Dendriten "Baumsteine" und wurden als Rarität gesammelt. So befanden sich im Museum Spenerianum zu Berlin "Ein Stück Baumstein [Marmor dendrites] 8. Finger lang / und 4. breit / so gleichsam einen gantzen Wald von Bäumen artig praesentiret" und "Ein dito

PIETRA NATVRALMENTE DELINEATA
di figure de boschi.

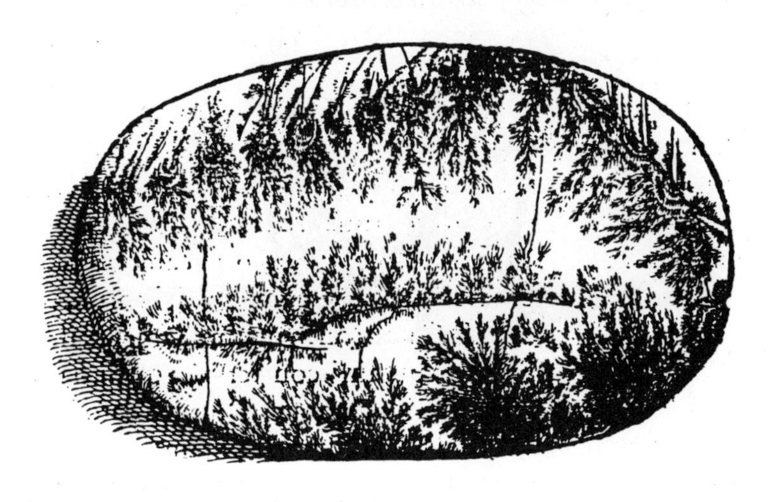

Lapis naturaliter sylvarum
figura delineatus.

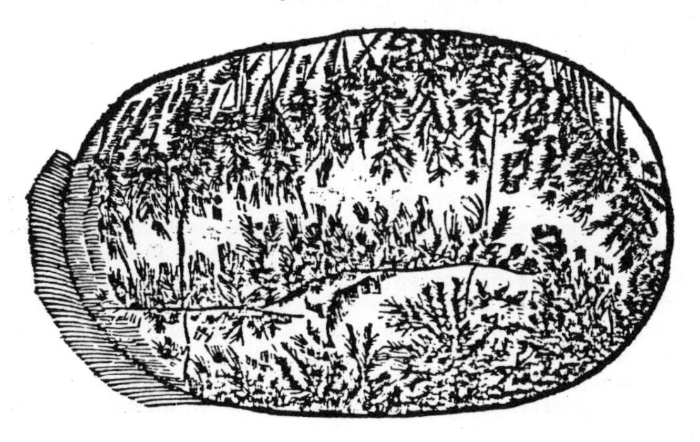

Abbildung eines Dendriten- oder "Baum-Steines" bei Ferrante IMPERATO, Historia naturale, Napoli 1599, 663 (oben) u. Lipsiae 1695, 746 (unten; vgl. Anm. 141)

2.9 Abgebildet hat einen solchen Dendritenstein wohl zum erstenmal [141] der deutsche Edelmann Hans Jacob BREUNING von und zu Buochenbach, der 1573 zusammen mit Jean LE CARLIER, Seigneur de Pinon, am Sinai war, in seinem 1612 zu Straßburg gedruckten Reisebericht S. 194:

BREUNING schreibt:

"Die Felsen vnnd steine dieser berge sein hart vnd eysenmässig / darein sein gleichsam bäumlein / Kräutter vnd Blumwerck von natur imprimirt, vnd wird solches nicht nur von aussen gesehen / sondern die venae gehen durch vnd durch / wann sie mit mühe vñ Arbeit von einander geschlagen" [142].

2.1o Diese dornbuschähnlichen Gebilde hält jedoch Antoine A. MORISON, Domherr von Bar-le-Duc, der 1697 mit kritischen Augen die Sehenswürdigkeiten am Sinai besichtigte, nicht etwa für ein gottgewirktes Wunder, sondern lediglich für ein Spiel der Natur:

3.Finger breit / und 6. lang / so einen Hügel mit Dornhecken umgeben vorstellet." Vgl. Museum Spenerianum ... Das Spenerische Cabinet, Leipzig 1693, 91.

141 Einen Dendritenstein bildete vor ihm schon IMPERATO in seiner Historia naturale, Napoli 1599, 663 ab (in der lat. Übers.von 1695, 746 etwas vergröbert kopiert; vgl. Abb. S. 57). Der Stein, der dem Illustrator als Vorlage diente, scheint jedoch, der Gestalt der Dendriten nach zu urteilen, nicht aus dem Sinai zu stammen. Die Verästelungen erinnern eher an solche, wie man sie auf den Solnhofener Platten finden kann. Vermutlich handelt es sich um ein Exemplar des ebenfalls für seine Dendriten bekannten Florentinischen Marmors, der anschliessend besprochen wird.

142 Orientalische Reyß Deß Edlen vnnd Vesten / Hanß Jacob BREÜNING ..., Straßburg 1612, 193.
Eine Photographie eines "Fossil-like floral design resulting from manganese-oxide" findet sich bei M. GLAZER, Sinai and the Red Sea, Tel-Aviv 1977 (gegen Ende des nicht paginierten Buches).

"Sur ces montagnes de Sinaï, sainte Catherine, & Oreb, on trouve assez communément certaines pierres, sur lesquelles la nature a peint des buissons, dont la couleur est noirâtre. Les Grecs veulent qu'il y ait presque autant de misteres dans ces buissons, qui sont des jeux de la nature, que dans le buisson ardent de Moïse, auquel ils le raportent. J'en trouvai plusieurs sur mon chemin dans la decente du mont de sainte Catherine" [143].

Da die Reisenden von nun an unter dem Einfluß der Aufklärung den alten Wundergeschichten abgeneigt sind, läßt im 18. Jh. das Interesse an den Dendriten vom Sinai deutlich nach [144]. Die wenigen, die sie noch erwäh-

---

143 Antoine A. MORISON, Relation historique, d'un voyage nouvellement fait au Mont de Sinaï et a Jerusalem ..., Toul 17o4, 1o3.

144 Um zu verdeutlichen, welches Interesse man den Dendriten in früheren Zeiten entgegenbrachte, sollen hier die übrigen Zeugnisse aus den Reiseberichten vom 15. bis zum 17. Jh. angeführt werden. Die vor dem Buchtitel stehende unterstrichene Zahl gibt das Reisejahr an, nach dem die Zitate aufgereiht sind.

1485: Tvoyage van Mhr Ioos van GHISTELE ... (ed. Ambrosius Zeebout), Te Ghendt 1557, 199:

"Onder weghe ten (Moses-) *berghe waert gaen̄ zo vindmen een maniere van roodē-steenen met figueren vā zwarten telgheren ende bladerē recht als Doorē-bladerkins / om ansien oft zy daer in gheverwet warē."*

1561: Eigentliche Beschreibung der Auszreysung vnd Heimfahrt deß edlen vnd vesten Jacob WORMBSERs ..., in: Reyßbuch (1584) 226a:

"Nachmals sind wir den Berg hinab gestiegen / vnd am weg funden etliche stein die sehen als wenn sie gemahlet weren / von gewechsen vnd Bäumen darinnen."

1565: Kurtzer vnnd warhafftiger Bericht / Von der Reyß auß Venedig nach Jerusalem / Von dannen in Egypten / auff den Berg Sinai ... / Vollbracht vnd beschrieben / Durch Johann HELFFRICH, in: Reyßbuch (1584) 389a:

"im hinab steigen funden wir etliche viel Stein in welchen allerley Kräuter zusehen / gleich als weren sie mit allem fleiß darauff gemahlet / oder geätzet."

1588: Die Reisen des Samuel KIECHEL. Aus drei Handschriften hrsg. von K.D. Haszler (BLVS 86), Stuttgart 1866, 355:

"Als mann ein wehnig hünuf kompt zu der rechten hand, sein düe stein, so am weeg lügen, wüe auch an dem föllsen mütt schönem laubwerck und blomen gezüehrtt, gleich als ob es kunstlich dorein gearbeitt were, und so einer ein stuck zerschlecht, ist es innwendüg wüe von aussen, dann es durch geth."

1619: Voyagie ofte Reyse naer Jerusalem ..., door den E. Pater Broeder Ian vander STRAETEN, Brugge 162o, 46:

"ende inde valleye vonden wy steenen met figueren van Dadelboomen ende ander boomen / die hier en daer stonden inde valleye / ende waeren schoon om sien ende brochtender sommighe mede / ende hebbe die ghegheuen aen sommighe Heeren."

nenswert finden, betrachten sie dem Zeitgeist entsprechend mit nüchternem Verstand und versuchen, gestützt auf die Erkenntniskraft der Vernunft, dieses Phänomen auf wissenschaftliche Weise zu erklären. So spricht der 1722 reisende Thomas SHAW mit den Naturforschern von einer Art Marmor embuscatum ("Busch-Marmor") und möchte versteinerte Tamarisken [145] darin sehen:

1644: Viaggi fatti nell'Egitto ... Nel monte Sinay ... Opera del Signor Gabrielle BREMOND Marsiliese, Roma 1679, 146:

"Visono sassi, ne'quali si trouan ritratti alberi al naturale, e quelche è più merauiglioso, rompendosi, rappresentano sempre le medeme figure, e tal vno di essi è di grossezza incredibile, con vene nere per tutto."

1647: Iovrnal des Voyages de Monsievr de MONCONYS ..., Lyon 1665, 238 (Des Herrn de MONCONYS ungemeine und sehr curieuse Beschreibung Seiner ... Reisen ..., Leipzig und Augspurg 1697, 251f):

"En descendant nous prismes quantité de pierres de la montagne où il y a des feüillages, des herbes, & des arbres peints en noir naturellement, & fort curieusement: mais bien qu'en rompant la pierre on en trouve au dedans, ils ne sont pourtant que superficiellement faits, ils s'effacent en les frottant, & la pierre ne sçauroit recevoir poliment."

1658: Jean de THÉVENOT, Relation d'un voyage fait au Levant ..., Paris 1664, 32o:

"En montant cette montagne, on trouue quantité de pierres où sont representez naturellement des arbres, & les rompant, on en trouue encor au dedans, & il y a de ces pierres qui sont d'vne prodigieuse grosseur."

1666: Frantz Ferdinand von TROILO, Orientalische Reise=Beschreibung ..., Dresden und Leipzig 1733, 5o6:

"So haben wir auch um diese Wasser-Qvelle viel schöne und rare Sachen von Stein gefunden, als unterschiedliche Kräuter, Wurtzeln, Früchte, etc. welche die Natur gantz steinern, gleich wie in einem Garten=Gewächse, vorgestellet."

1668: Jacques Florent GOUJON, Histoire et Voyage de la Terre-Sainte ..., Lyon (167o) 1672, 318:

"L'on tire des petites pieces du rocher où sont peints naturelement arbres, chiens, oyseaux, fleurs &c. mais si parfaitement qu'il ne se recontre point de mignature plus delicate."

145 J.B. KAMJASCHOTT, Wanderungen durch Syrien, Egypten, und einen Theil Arabiens ..., 2 Bde, Erfurt 18o6, II 22f hielt die Dendriten ebenfalls für Fossilien:

"Beim Herabsteigen vom Berge fanden wir kleine Steinchen, die den Mineralogen unter dem Namen Kräuterschiefer bekannt sind, und welche Abdrücke von verschiedenen Moosen und Pflanzen enthalten. Auf einigen war die Zeichnung allerliebst, und Marzella war unermüdet im Auflesen."

Auch heute noch meinen manche, es handle sich um versteinerte Pflanzen, wie C. BARTHEEL, Unter Sinai-Beduinen und Mönchen, Berlin 1943, 13o:

"That Part of Mount Sinai,which lyeth to the Westward of the Plain of Rephidim, and is called the Mountain of St. Catharine, consists of a hard reddish Marble, like Porphyry, but is distinguished from it, by the Representations, which every Part of it gives us, of little Trees and Bushes. The Naturalists call this Sort of Marble Embuscatum or Bushy Marble [146]; and, for the same Reason, Buxtorf deriveth the Word Sinai, from the Bush (or Rubus) that was figured in the Stones of it [147]. It seems to have been hitherto left undecided to what Species of Plants this Bush is to be referred; yet if these impressed Figures are to instruct us, we may very justly rank it among the Tamarisks,the most common and flourishing Trees of these Deserts. I have seen some Branches of this Fossil Tamarisk, as I shall call it, that were near half an Inch in Diameter. Yet the constituent Matter, which was of a dark mineral Appearance like the Powder of Lead Ore, was of no Solidity, crumbling away, as the Armenian or any other Bole would do, by touching it" [148].

Die heute übliche Bezeichnung "Dendriten" gebraucht unter den Reisenden erstmals Richard POCOCKE, der 1738 am Sinai war:

"Über die vielen glatten Steinflächen der großen Felsblöcke beugen wir uns betrachtend wie über Bilder; sie sind wie mit blauer Farbe völlig mit Myrrhensträußchen bemalt. Dabei sind es nur Abdrücke von lebendigen Motiven, die einstmals die Felsen zwischen ihre Presse genommen haben."

146 Ole (Olaus) WORM(IUS), Museum Wormianum, Amstelodami 1655, 44 spricht von "Marmor de Monte Sinai, seu Pictra Embuscata dicta Ferrando Imperati Hist. Nat. lib. 24. cap. 24.etiam ad variegata marmora pertinet. Nomen sortitum vult ideo quod ex monte Sinai Hierosolymitano (sic!) depromi putent." Gualter CHARLETON, Exercitationes de Differentiis & Nominibus Animalium ... De variis Fossilium generibus ..., Oxoniae [2]1677, 19 sagt im Anschluß daran:"Ego Anglice Boscage, sive Bushy=Marble of Hierusalem nominarem."

147 Davon wird noch ausführlich die Rede sein.

148 Thomas SHAW, Travels, or Observations relating to several parts of Barbary and the Levant, Oxford 1738, 382.
Im Jahr 1721 hatten Jan Aegidius van Egmond van der NIJENBURG und Johann Wilhelm HEYMANN den Sinai besucht. Sie schrieben:
"But what amused us amidst our fatigues (ascending St. Catharine's mountain), was, the exquisite representations of trees, and even groves, on great numbers of the stones, that no art could surpass; and these paintings of nature we see even on the rocks, and still more distinctly by breaking off pieces."

Vgl. J. Aegidius van EGMONT and John HEYMAN, Travels Through Part of Europe, Asia Minor, The Islands of the Archipelago; Syria, Palestina, Egypt, Mount Sinai, &c. ... Translated from the Low Dutch, 2 vols., London 1759, II 172. Der seltene und wertvolle Reisebericht ist nur schwer zugänglich.

"This hill is a sort of a speckled stone or marble, which may be reckon'd among the granite kind; many parts of which are dendrite stones mark'd with beautiful figures of trees; as are also some of the red granite stones of Mount Sinai, but are inferior to these in beauty" [149].

Seltsamerweise aber gerieten diese Steine, die einst die Aufmerksamkeit so vieler Reisender erregt hatten, fast ganz in Vergessenheit und werden im 19. und 2o. Jahrhundert kaum noch erwähnt [15o].

---

149 R. POCOCKE, A Description of the East ..., London 1743, 144. Dt. Ausg.: Beschreibung des Morgenlandes und einiger andern Länder ..., Erlangen 1771, 216.

15o So findet man z.B. nichts darüber in den berühmten Reiseberichten von J.L. BURCKHARDT, Reisen in Syrien, Palästina und der Gegend des Berges Sinai ..., 2. Bd., Weimar 1824 und E. ROBINSON (Hrsg.), Palästina und die südlich angrenzenden Länder ..., 1. Bd., Halle 1841. Wider Erwarten hatten aber auch die gleichermaßen bedeutenden der im Jahr 1483 gemeinsam reisenden BERNHARD von Breitenbach (Reyßbuch 1584, 5oa-122a) und Felix FABRI (ebd. 122b-188a) nicht davon gesprochen. Der sonst so mitteilsame C. RITTER, Die Sinai=Halbinsel, Berlin ²1848 schweigt sich ebenfalls darüber aus. Nicht der Rede wert finden die Dendriten aber auch, wie man überrascht feststellen muß, die speziell geologischen Werke von W.F. HUME, The Topography and Geology of the Peninsula of Sinai (South-Eastern Portion), (Survey Department, Egypt), Cairo 19o6; - T. BARRON, The Topography and Geology of the Peninsula of Sinai (Western Portion), (Survey Department, Egypt), Cairo 19o7; - J. BALL, The Geography and Geology of West-Central Sinai (Survey Department), Cairo 1916; - H. AWAD, La montagne du Sinaï central. Étude morphologique (Publications de la Société royale de Géographie d'Égypte), Le Caire 1951.
Erwähnt werden sie noch in der bekannten Reisebeschreibung des im Jahr 18o7 am Sinai weilenden U.J. SEETZEN, Reisen durch Syrien, Palästina ..., 3. Bd., Berlin 1855, 9o: "*An unserm Pfade bemerkte ich viele artige schwarze Dendriten, wovon ich einen kleinen Vorrath mit mir nahm.*" Vom Ǧabal Mūsā sagt er (S. 86): "*Krystalle und Dendriten fand ich hier nicht, zweifle indessen gar nicht, dass andere Reisende dergleichen hier gefunden haben.*" Gegenüber dem Ǧabal Kāterīn begegnet man am Ǧabal Mūsā Dendriten nur selten an der Oberfläche. Im Gesteinsinneren aber sind sie auch hier reichlich vorhanden. Dies konnte man deutlich sehen als 1853 Abbas Pascha, der Vizekönig von Ägypten, mit großem Aufwand einen breiten Fahrweg anlegen ließ, der sich vom Kloster der Vierzig Märtyrer im Wādi al—Liǧā in leicht ansteigenden Serpentinen um die Südseite des Ǧabal Mūsā herum bis zur sog. Zypressen- oder Eliaebene hochwindet und den bequemsten Aufstieg darstellt; "... *denn durch jenen fürstlichen Strassenbau*", so schreibt C. TISCHENDORF, Aus dem heiligen Lande, Leipzig 1862, 85, von seiner dritten Sinaireise im Jahr 1859, "*sind, besonders auf einer halbstündigen Strecke vor der Hochebene, zahllose prächtige Dendriten im röthlichen Granit blossgelegt worden, dergleichen mir früher nur sehr vereinzelt auf dem westlichen zum Ledscha-Thale hinabführenden Wege zu Gesicht gekommen.*"
Dieselbe Beobachtung machte schon vor ihm im Jahr 1854 R.W. STEWART, The Tent and the Khan ..., Edinburgh 1857, 134: "*About a quarter of an hour before reaching the chapel* [*of Elijah*] *, and near the place where the Pasha's road has been abruptly broken off, we passed through a deep cutting made in a belt of red sand-stone*(*!*)*, in which I observed in great profusion beautiful specimens of fossil plants, many of which I*

KAPITEL IV: DIE ETYMOLOGIE VON SINAI BEI DEN ARABERN

§ 1: *Die von Yāqūt überlieferte Bedeutung des Namens*

Angesichts dieser Nachrichten kann überhaupt kein Zweifel darüber bestehen, daß Yāqūt die zu seiner Zeit so bekannten und bestaunten Dendriten

---

brought away as novelties, having seen no mention of anything of the kind by modern travellers." In einer Fußnote sagt er dazu: "*It turns out, however, that these (dendrite) stones are mentioned by older writers as one of the celebrities of this mountain."* Er belegt dies mit dem nachstehenden Zitat von Stanley und kann daher nur verwundert feststellen:"*It is curious that these have never been observed in later times."* Auch Stanley scheint sie nicht gesehen zu haben: "*Had he ascended Ghebel Mousa one year later, by the Pasha's new road, he would have found these stones in great abundance*", meint Stewart.
Der 1852 reisende A.P. STANLEY, Sinai and Palestine ..., London (1856) 191o, 35 hatte, wie gesagt, nur auf die große Rolle, welche sie in früheren Zeiten spielten, verwiesen: "*The older travellers, the Prefect of the Franciscan Convent, Pococke, Shaw, and others, all notice what they call Dendrite-stones, - i.e. stones into which moisture has percolated, and which have thus assumed the appearance of plants or trees. In early ages they seem to have been regarded as amongst the great wonders of the mountain; they were often supposed to be memorials of the Burning Bush."*
Wohl aufgrund dieser Nachricht reiht L. GOLDING, In the Steps of Moses the Lawgiver, London 1937, 98, die als Fossilien mißverstandenen Dendriten unter die rationalistischen Erklärungsversuche des Dornbuschwunders: "*Others look for help a little mournfully in the prevalence of dendrite fossils in the Sinai region - that is to say, of fossils impressed with the pattern of some primordial vegetation."*

Einen kurzen Hinweis bringt auch G.A. VISCONTI, Diario di un viaggio in Arabia Petrea (1865), Roma . Torino . Firenze 1872, 232: "*Nel feldispato rosso si vedono delle belle vegetazioni dendritiche, come p.e. alla fontana delle pernici."*
Jüngst kommt wieder Georg GERSTER, Sinai. Land der Offenbarung, Zürich (1961) ²197o, 19o, auf sie zu sprechen: "*Die Elia-Mulde ist reich an Steinen mit schwarzen Adern, die Pflanzen, Gräsern und Büschen gleichen - sogenannten Dendriten, wie wir heute wissen, die nicht pflanzlichen Ursprungs sind, sondern im Falle des Sinai durch das Auskristallisieren von manganhaltigen Lösungen entstanden sind. Carlier de Pinon, ein Reisender des 16. Jahrhunderts, aber wohl nicht nur er, hörte von den Mönchen die großartige Erklärung, daß der Schatten dieser Pflanzen unauslöschlich in die Steine geprägt wurde, als das Feuer des Herrn sich auf den Berg niederließ."*

am Sinai meint, wenn er sagt, daß aus den Steinen des *aṭ-Ṭūr* bei Madyan (sic!), wie immer man sie zerbricht, das Bild eines Rankengewächses zum Vorschein kommt. Als besonders aufschlußreich aber muß in diesem Zusammenhang seine Bemerkung angesehen werden, in der Sprache der Nabatäer heiße jeder Berg "*Ṭūr*", und wenn auf ihm Pflanzen und Bäume wachsen, werde er *Ṭūr Sīnā* genannt.

Mit dem Namen "Nabatäer" (*nabaṭ*, pl. *anbāṭ* od. *nabīṭ*) pflegten die Araber damals, pars pro toto, alle aramäisch sprechenden Völker des Vorderen Orients zu bezeichnen, was darauf zurückzuführen ist, daß der arabische Nachbarstamm der Nabatäer allmählich vollkommen aramaisiert worden war und zuletzt nicht nur aramäisch schrieb, sondern auch sprach [151].

Wie das bekannte *Ṭūr* ist nach Yāqūt auch *Sīnā* ein aramäisches Wort und hat etwas mit Pflanzen oder Bäumen zu tun. Nun gibt es aber ein Wort סִינָא oder ܣܝܢܐ mit dieser Bedeutung nicht. Man fühlt sich aber sogleich an das ähnlichklingende סַנְיָא "Dornstrauch" bzw. ܣܢܝܐ "Busch, Dornenhecke, Brombeerstrauch" erinnert, das etymologisch mit סְנֶה , dem "Dornbusch" des Alten Testaments zusammenhängt. Es wäre nicht ungewöhnlich, wenn hier eine Metathesis vorläge [152] und *Sīnā* mit *Sanyā* gleichzusetzen ist. Demnach würde die im Aramäischen gebrauchte Bezeichnung *Ṭūr Sīnā* so viel wie "Baumberg", "Strauchberg", "Dornbuschberg" bedeuten.

§ 2: *Ansichten der Grammatiker bezüglich Aussprache und Nominalform*

2.1 Eine andere Frage ist, ob und inwieweit dieses angeblich aramäische Wort *Sīnā* sprachlich etwas mit dem Namen *Sainā'* zu tun hat, wie nach Sure 23,2o (2. mekkanische Periode) der Sinai heißt. Zunächst aber weiß man nicht, ob nun *Sainā'* oder *Sīnā'* als ursprüngliche Vokalisation anzusehen ist [153]. Da in Sure 95,2 der Sinai nochmals aus Reimgründen in der Form *Sīnīn* [154] erscheint, liegt hier eine Ableitung von *Sīnā'* näher als von

---

151 Vgl. T. NÖLDEKE, Die Namen der aramäischen Nation und Sprache: ZDMG 25 (1871) 122-127.

152 Beispiele von Metathesis finden sich in allen semitischen Sprachen. S. MOSCATI (Ed.), An Introduction to the Comparative Grammar of the Semitic Languages (PLO NS VI), Wiesbaden 1964, 63 verweist u.a. auf syr. *$*ta^{c}r\bar{a}$* "gate" > $tar^{c}\bar{a}$ und hebr. *śimlā* "coat" und *śalmā*.

153 Vgl. J. HOROVITZ, Jewish Proper Names and Derivatives in the Koran: HUCA 2 (1925) 159.

Sainā'. Außerdem würde *Sīnā'* mit der griech. Form Σινᾶ und der auf ihr beruhenden aeth. ሲና *Sīnā* übereinstimmen. Da die Transkription der LXX gegenüber der masoretischen Vokalisation סִינַי Sinai mit einem Diphtong am Ende auf "ā" auslautet, muß man sich fragen, ob dies eine ältere hebr. Aussprache repräsentiert [155] oder eine Angleichung an die aram. Nominalform darstellt [156]. Allerdings ist zu beachten, daß bereits Aquila, Symmachus und Theodotion die Form Σιναι einsetzen, womit die masoretische Aussprache schon für das 2. Jh. nC bezeugt ist. Ähnlich gebraucht im 1. Jh. Flavius Josephus die gräzisierte Form Σίναιον (Ap. 2,25) oder Σιναῖον (Ant. 2,264). Auch wenn Muḥammad den Berg in der Vokalisation Sinai kennengelernt hätte, wäre von dieser Aussprache her eine Umformung zu *Sīnā'* am ehesten erfolgt. Ob سيناء nun *Sainā'* oder *Sīnā'* zu sprechen ist, darüber waren die Koranrezitatoren geteilter Meinung, wie ṬABARĪ in seinem Kommentar zu Sure 23,2o bemerkt: *Sīnā'* wurde gewöhnlich in Medina und Basra gelesen, *Sainā'* dagegen in Kufa [157].

---

154 ᶜAbdallāh Ibn Masᶜūd, ein Diener und Vertrauter Muḥammad's (gest. 32 od. 33 d.H.), auf den eine der vier berühmten, vor der Rezension ᶜUṯmān's liegenden Koranausgaben zurückgeht, von der sich freilich nur eine Anzahl Varianten erhalten hat, liest in Sure 95,2 anstelle von سينين , wie in 23,2o: سيناء ; vgl. T. NÖLDEKE, Geschichte des Qorāns. 3. Teil: Die Geschichte des Korantexts, von G. Bergsträsser und O. Pretzl, Leipzig ²1938 / Hildesheim 1961, 76.

155 Das lange "ā" im Auslaut wäre dann durch Dissimilation des Yōd zustandegekommen, das nur noch geschrieben, aber nicht mehr gesprochen wurde. Im Arabischen nennt man es Alif maqṣūra; vgl. رمى *ramā* ("er hat geworfen"). Im Hebräischen wurde das verstummte Yōd nicht mehr geschrieben, sondern der vokalische Auslaut durch nicht-etymologisches Hē graphisch angezeigt: רָמָה. Im part. pass. des Grundstamms wurde es am Wortende in der Schrift beibehalten (רָמוּי), wenn auch vermutlich nicht gesprochen. Es ist durchaus möglich, daß man, ähnlich wie bei dieser Form, zur Zeit der LXX den Namen סיני mit langem vokalischen Auslaut (*Sīnā*) sprach, und nicht mehr mit Yōd (*Sīnī*) oder einem Diphtong (*Sīnai*). Anders war es z.B. bei dem Namen des Vaters Davids יִשַׁי, den die LXX Ἰεσσαί transkribiert.

156 Die TARGUME schreiben, wie das Hebräische סִינַי mit Yōd am Ende. Mit dem Diphtong "ai" vokalisieren Onkelos: סִינָי bzw. סִינַי sowie die PESCHIṬṬĀ: ܣܝܢܝ.

157 ṬABARĪ, *Tafsīr* a.a.O. (vgl. Anm. 91) VIII/18,9: وأما قوله سيناء فان القراء اختلفت في قراءته فقرأته عامة قراء المدينة والبصرة سيناء بكسر السين وقرأ ذلك عامة قراء الكوفة سيناء بفتح السين.

2.2 Aufgrund der unterschiedlichen Aussprache war auch umstritten, welcher Nominalform سيناء angehört, was hinwieder für die Etymologie von Bedeutung ist. Nach dem Korankommentar von BAIḌĀWĪ stellte man das Wort entweder zur Form فيعال *fīᶜāl*, wie z.B. ديماس *dīmās* ("Gewölbe, Kerker"), indem man es von السناء ableitete, das mit Hamza im Auslaut (سناء *sanā'*) "Erhabenheit" bedeutet, mit *Yā* am Ende (سنى *sanan*) "Lichtglanz", oder man sah darin eine Bildung nach dem Muster فعلال *fiᶜlāl*, wie z.B. علباء *ᶜilbā'* ("Muskel an der Seite des Halses"), und ordnete es unter السين ein, da man keine Femininform فعلاء *fiᶜlā'* an - nahm, im Gegensatz zu den kufischen Grammatikern mit ihrer Vokalisation سَيْنَآءَ . In diesem Fall handelte es sich um eine Bildung nach der Form فيعال *faiᶜāl*, wie etwa كيسان *kaisān* ("Verräterei, Treulosigkeit"), oder nach فعلاء *faᶜlā'*, wie صحراء *ṣaḥrā'* ("Wüste"), nicht aber nach فعلال *faᶜlāl*, da eine solche Form in der arabischen Sprache nicht existiert, es sei denn, man vokalisiert sie mit kurzem "i" als *fiᶜlāl* [158].

§ 3: *Etymologische Anspielungen auf den Namen Sinai im Koran*

Die von Yāqūt überlieferte Etymologie, *Ṭūr Sīnā* bezeichne einen mit Bäumen bewachsenen Berg, findet sich schon lange zuvor im Korankommentar von ṬABARĪ. Bei der Erklärung der Stelle (Sure 23,2o): وشجرة تخرج من طور سيناء *wa-šaǧaratan taḫruǧu min Ṭūri Sainā'a* "Und einen Baum (haben wir entstehen lassen), der auf dem Berg Sinai wächst", leitet er nämlich den Namen des Berges offensichtlich von diesem Baum her, da er *Ṭūr Sainā'* mit جبل ينبت الاشجار "ein Berg, der Bäume wachsen läßt" umschreibt.

Man darf vermuten, daß bereits Muḥammad diese Etymologie vorschwebte, was ihn dazu veranlaßte, beim Aufzählen der Wohltaten Allāhs, den für den Orient so lebenswichtigen und nützlichen Ölbaum, der hier nach Meinung der

158 Vgl. BEIDHAWII Commentarius in Coranum ..., ed. H.O. Fleischer, Vol. I-II, Lipsiae 1848, II,3: انّه فِيعال كديماس من السَنَاء بالمدّ وهو الرفعة او بالقصر وهو النور او مُلْحَق بفِعْلال كعِلْباء من السين اذ لا فِعْلاء بألف التأنيث بخلاف سَيْنَاءَ على قراءة الكوفيّين والشاميّ ويعقوب فانّه فَيْعَال كَكَيْسان او فَعْلاء كصَحْراء لا فَعْلال اذ ليس في كلامهم وقرئ بالكسر والقصر

Exegeten gemeint ist, mit dem Sinai in Verbindung zu bringen [159], was um so bemerkenswerter erscheint, als er diesen Namen nur hier, und nicht bei der Berufung des Mose am Dornbusch und der Gesetzgebung gebraucht, wo er lediglich vom "*Ṭūr*" spricht, wie bereits dargelegt wurde. Nur in dem Schwur von Sure 95,1-3 wird noch einmal der *Ṭūr Sīnīn*, wie er dort des Reimes wegen heißt, sicherlich nicht von ungefähr, zusammen mit den Feigen- und Ölbäumen genannt: وَٱلتِّينِ وَٱلزَّيْتُونِ وَطُورِ سِينِينَ وَهَٰذَا ٱلْبَلَدِ ٱلْأَمِينِ "Bei den Feigen- und Ölbäumen, beim Berg Sinai und bei dieser sicheren Ortschaft (d.h. Mekka)!" Auch hier dürfte die gleiche etymologische Anspielung im Hintergrund stehen. Dies mag auch erklären, warum Muḥammad in Sure 28,3o den Brennenden "Dornbusch" der Bibel, aus dem Mose angerufen wurde, eigenartigerweise ganz allgemein und unbestimmt "Baum" (*šaǧara*) nennt und nicht etwa عليقة *ᶜullaiqa*, wie man eigentlich erwarten würde, und womit manche muslimische Exegeten, zweifellos unter jüdischem und christlichem Einfluß, diesen "Baum" spezifizierten [160]. Vermutlich wollte er auch hier darauf anspielen, daß sich dieses Wunder am "Baumberg" ereignete, wie er den Namen Sinai verstanden haben dürfte.

---

159 Muslimische Exegeten hatten den "Baum, der auf dem Berg Sinai wächst", mit dem "Ölbaum, der weder östlich noch westlich ist", in Sure 24,35 identifiziert. So sagt MUQADDASĪ, ed. de Goeje 2o9, von dem *Ṭūr Sainā* (= Ǧabal Mūsā beim Katharinenkloster, vgl. oben S. 40): وثَمّ زيتونة يزعمون انها التي قال الله لا شَرْقِيَّةٍ وَلَا غَرْبِيَّةٍ يحمل زيتها الى الملوك "Dort ist der Ölbaum, von dem man annimmt, daß es jener sei, von dem Allāh sagte, er sei 'weder östlich noch westlich', dessen Öl zu den Königen gebracht wird." Nach den einen stand er auf dem Sinai, nach den anderen aber auf dem Ölberg in Jerusalem, wie MUQADDASĪ an anderer Stelle (ed. de Goeje 46) bezeugt: على قلة جبل سينا زيتونة قالوا هي التي لا شَرْقِيَّةٍ وَلَا غَرْبِيَّةٍ على جبل زيتا اخرى يقال فيها ذلك *"Auf dem Gipfel des Berges Sinai steht ein Ölbaum, von dem man sagt, es sei jener, der 'weder östlich noch westlich' ist; dasselbe wird von einem anderen auf dem Ölberg gesagt."*

16o Die Frage, um welchen Baum es sich gehandelt hat, war jedoch umstritten. Neben dem شجرة العليق *šaǧarat al-ᶜullaiq* "Brombeerstrauch" (Rubus fruticosus) dachten andere an den شجرة عوسج *šaǧarat ᶜausaǧ* "Bocksdorn" (Lycium arabicum Schwf.) oder an eine شجرة سمر خضراء ترف *šaǧarat samur ḫaḍrā' tariff* "grünlich schimmernde Gummiakazie" (Acacia tortilis, A. gummifera), jedenfalls an eine dornige Pflanze; vgl. ṬABARĪ, *Tafsīr* a.a.O. VIII/2o,42.
Das syrisch-arabische Lexikon des Nestorianers ĪŠŌᶜ bar ᶜAlī (gest. 1oo1) gibt unter dem mit hebr. סְנֶה gleichlautenden ܣܢܝܐ العوسجة an, und unter ܣܢܝܐ ܕܛܘܪܐ. العوسج ويقال أنّه القتاد والعلّيق. Vgl. The Syriac-Arabic Glosses of Īshōᶜ bar ᶜAlī, ed. by R.J.H. Gottheil, Roma 19o8, 177. Der nestorianische Lexikograph ĪŠŌᶜ bar Bahlūl (1o.Jh.) schreibt zu ܣ̇ܢܝܐ عوسج ويقال له عوسج الكلب. Vgl. Lexicon Syriacum, auctore Hassano bar Bahlule ... ed. R. Duval, 4 Tom., Parisiis 19o1, II 1363.

Daneben gab es auch andere Deutungen des Namens *Sainā'/Sīnā*, da nach dem Korankommentar von ṬABARĪ die Ausleger in dieser Hinsicht geteilter Meinung waren (اختلف أهل التأويل في تاويله)[161]. Einige erblickten darin ein Attribut zu *Ṭūr* mit der Bedeutung "gesegnet" (المبارك) und verstanden an dieser Stelle "einen Baum, der auf einem 'gesegneten Berg' wächst" (شجرة تخرج من جبل مبارك)[162]. Wenn diese Interpretation, so Gott will, richtig ist, meint Ṭabarī, daß nämlich nach den Worten von Ibn ᶜAbbās der Berg dadurch näher bestimmt wird und es sich um jenen Berg handelt, an dem Mūsā berufen wurde, dann ist er ohnehin gesegnet, auch wenn *Sainā'/Sīnā* nicht "gesegnet" bedeutet (ولكن القول في ذلك ان شاء الله كما قال ابن عباس من انه جبل عرف بذلك وانه الجبل الذى نودى منه صلى الله عليه وسلم وهو مع ذلك مبارك لا أن معنى سيناء معنى مبارك)[163]

Andere übersetzten das angebliche Attribut *Sainā'/Sīnā* mit "schön". "Allerdings", so gibt Ṭabarī zu bedenken, "ist *Sainā'/Sīnā* in der Bedeutung 'gesegnet' oder 'schön' in der arabischen Sprache unbekannt" (على أن سيناء بمعنى مبارك وحسن غير معروف في كلام العرب)[164]. Daher versuchten manche die Bedeutung "schön" aus einer anderen Sprache zu belegen. Da *aṭ-Ṭūr* auf aramäisch "der Berg" heißt, nahmen einige an, *Sainā'/Sīnā* bedeute in dieser Sprache "schön" (الطور الجبل بالنبطية وسيناء حسنه بالنبطية)[165]; vgl. zu Sure 95,2 (وقوله سينين حسن)[166]. Allerdings ist ein solches oder ein ähnlichklingendes Wort mit dieser Bedeutung im Aramäischen nicht anzutreffen. Aus diesem Grunde wohl versuchten ᶜAkrama und andere eine Ableitung aus dem Äthiopischen, wie Ṭabarī zu *Ṭūr Sīnīn* (Sure 95,2) angibt: وطور سينين قال هو الحسن وهو لغة الحبشة يقولون للشيء الحسن سينا سينا[167] "Und *Ṭūr Sīnīn*, sagte er, bedeutet die Schönheit. Das ist Äthiopisch. Sie sagen nämlich zu einer schönen Sache *sīnā sīnā*." Offenbar meint ᶜAkrama ሠናይ *šanāy* "schön, angenehm, gut,her-

---

161 ṬABARĪ a.a.O. VIII/18,9.

162 Ebd. VIII/18,9f.

163 Ebd. VIII/18,1o.

164 A.a.O.

165 A.a.O.

166 Ebd. X/3o,132.

167 A.a.O.

vorragend, geeignet, glücklich, heilsam,ehrenwert, richtig", das damals vielleicht *sanāy* gesprochen wurde [168], und mit arab. سني *sanīy* "hoch, herrlich, erhaben" zusammenhängt. Die Schönheit des Berges aber bestand für ihn in der Vegetation: الطور الجبل والسينين الحسن كما ينبت في السهل كذلك ينبت في الجبل [169] "*Aṭ-Ṭūr* bedeutet der Berg und *as-Sīnīn* die Schönheit; wie etwas in der Ebene wächst, ebenso wächst etwas auf dem Berg." "*Ṭūr Sīnīn*, sagte er, betrifft gleichermaßen die Pflanzen der Ebene und des Berges" (طور سينين قال سواء على نبات السهل والجبل)[17o]. Offensichtlich steht auch hinter dieser Erklärung die alte Vorstellung eines mit Pflanzen und Bäumen bewachsenen Berges.

Manche brachten beide Etymologien durcheinander und meinten: "*aṭ-Ṭūr* bedeutet jeder bewachsene Berg und *Sīnīn* heißt Schönheit" (الطور هو كل جبل ينبت وقوله سينين حسن) [171]. Andere kombinierten es mit "gesegnet" und verstanden unter *Sīnīn* einen mit Schönheit gesegneten Berg (وقال آخرون هو الجبل وقالوا سينين مبارك حسن) [172]. Doch findet man auch hier wieder die Definition, *Ṭūr Sīnīn* sei ein mit Bäumen bewachsener Berg, ein "Baumberg" (طور سينين فهو الجبل ذو الشجر) [173], wie andere schon als Bedeutung für *Ṭūr Sainā'/Sīnā* angegeben hatten (وقال آخرون معناه انه جبل ذو شجر) [174]. Diese Ansicht hält auch ṬABARĪ, nicht zuletzt wegen der arabischen Grammatik, für richtig: "*Ṭūr Sīnīn* ist ein wohlbekannter Berg, denn *aṭ-Ṭūr* ist der Pflanzenberg. Die Genitivverbindung mit *Sīnīn* ist ein Kennzeichen dafür. Wäre *Sīnīn* ein Attribut zu *aṭ-Ṭūr*, wie jene behaupten, die als seine Bedeutung 'schön' oder 'gesegnet' angeben, dann müßte *aṭ-Ṭūr* mit der Nunation versehen sein" (طور سينين جبل معروف لان الطور هو الجبل ذو النبات فاضافته الى سينين تعريف له ولو كان نعتا للطور كما قال من قال معناه حسن او مبارك لكان الطور منونا) [175].

---

168 ሠ = ش wurde später oft wie ሰ = س gesprochen und geschrieben; vgl. F. PRAETORIUS, Aethiopische Grammatik, New York 1955, 7 und A. DILLMANN, Grammatik der äthiopischen Sprache, Leipzig ²1899 / Graz 1959, 57.

169 ṬABARĪ a.a.O. X/3o,133.

17o Ebd. X/3o,132.

171 A.a.O.

172 Ebd. X/3o,133.

173 A.a.O.

174 Ebd. VIII/18,1o.

175 Ebd. X/3o,133.

Aufgrund der Autorität Ṭabarīs haben dann viele den *Ṭūr Sainā'/Sīnā* bzw. *Sīnīn* gewöhnlich als einen mit Bäumen oder Pflanzen bewachsenen Berg erklärt. Wie der große Korankommentator überliefert, hatten manche darin ein aramäisches Wort erblickt, und auch Yāqūt führt diese Namensgebung auf aramäischen Sprachgebrauch zurück. Immerhin sprechen für diese Ansicht mehrere Gründe. Wegen der festen Wortverbindung *Ṭūr Sainā'/Sīnā* bzw. *Ṭūr Sīnīn* wird sicherlich nicht nur der erste, sondern auch der zweite Bestandteil aramäisch sein. Daß er jedenfalls von den Arabern als Fremdwort empfunden wurde, beweisen zur Genüge die unterschiedlichen Meinungen der Gelehrten bezüglich Aussprache, Wortart, Nominalform und Bedeutung. Muḥammad hat demnach den biblischen Sinai in der aramäischen Form *Ṭūr Sīnā* kennengelernt [176].

§ 5: *Die Auskunft der arabischen Lexikographen*

Nun gab es bei den Arabern über die im Korankommentar Ṭabarīs angeführten Worterklärungen hinaus noch eine weitere, die uns wiederum YĀQŪT überliefert. In seinem bereits zitierten *Muštarik* berichtet er nämlich: وقيل سينا حجارته وقيل شجر فيه "man sagt, *Sīnā* bedeute seine Steine, und man sagt, die Bäume auf ihm" [177]. Diese Angabe haben ABŪ 'L-FĪDĀ im *Taqwīm al-buldān* [178] und MAQRĪZĪ im *Ḫiṭaṭ* [179] wörtlich übernommen.

Sie findet sich auch in dem berühmten Wörterbuch *Lisān al-ᶜArab* ("Die Sprache der Araber") von IBN MANẒŪR Abū 'l-Faḍl Muḥammad Ibn Mukarram (1232-1311).

---

176 Die Form Τουρσινα erscheint auch in einem griech. Papyrus (Nr. 73) aus Nessana, der von dem Gouverneur (amīr) Abū Rašīd im Dez. 683 (?) geschrieben wurde. Da er in einem anderen Dokument (Nr. 72) vom März 684 (?) statt dessen τὸ ἅγιος ὄρος sagt und diese Bezeichnung auch in der aus dem späten 6. oder frühen 7. Jh. stammenden Urkunde Nr. 89, Zeile 23f begegnet, nimmt der Herausgeber C. KRAEMER (S. 2o7) an, daß Τουρσινα eine Transkription des arabischen طور سيناء darstellt. Es kann sich aber auch, was m.E. wahrscheinlicher ist, um die Namensform der aramäisch sprechenden Christen handeln, wogegen die griechischsprachigen den schon bei Ammonios belegten Ausdruck τὸ ἅγιος ὄρος gebrauchten.

177 JACUT's Moschtarik ... hrsg. von F. Wüstenfeld, Göttingen 1846, 297.

178 Géographie d'ABOULFÉDA ... ed. M. Reinaud et M.G. de Slane, Paris 184o, 69.

179 MACRIZI's Geschichte der Copten ... hrsg. von F. Wüstenfeld, Göttingen 1845, ٤٧ u. 113.

Hier steht:[180] وطُورُ سِينِينَ وسِينَا وسَيْنَاءَ جبل بالشام قال الزجاج ان سَيناء
حجارة وهو والله أعلم اسم المكان فمن قرأ سَيْناء على وزن صحراء فانها لا
تنصرف ومن قرأ سِيناء فهو على وزن عِلْباء الا انه اسم للبقعة فلا ينصرف
وليس في كلام العرب فِعْلاء بالكسر ممدود والسِّينِينِيَّة شجرة حكاه أبو حنيفة عن
الاخفش وجمعها سِينِين قال وزعم الاخفش أنَّ طُورَ سينين مضاف اليه قال
ولم يبلغني هذا عن أحد غيره الجوهري هو طُور أضيف الى سِينَا وهي شجر قال
الاخفش السينينُ واحدتها سِينِينِيَّة قال وقرئ طور سَيناء وسِيناءَ بالفتح
والكسر والفتح أجود في النحو لانه بنى على فَعْلاء والكسر ردئ في النحو لانه ليس في
أبنية العرب فِعْلاء ممدود بكسر الاول غير مصروف الا أن تجعله أعجميا قال أبو على
انما لم يصرف لانه جعل اسما للبقعة التهذيب وسينينُ اسم جبل بالشام

"*Ṭūr Sīnīn* oder *Sīnā/Sainā'* ist ein Berg in aš-Šām; az-Ziǧāǧ sagt: *Sīnā'/ Sainā'* bedeutet 'Steine', und es ist - Gott weiß es am besten - ein Ortsname. Liest man *Sainā'* nach dem Paradigma *ṣaḥrā'*, dann wird es nicht triptotisch flektiert; liest man aber *Sīnā'*, dann geht es nach dem Paradigma *ᶜilbā'*, nur daß es ein Ortsname ist, und wird ebenfalls nicht triptotisch flektiert. Es gibt jedoch in der arabischen Sprache keine Nominalform *fīᶜlā'* mit langem 'ī'. *Sīnīniyya* bedeutet 'Baum'; das berichtet Abū Ḥanīfa von al-Aḫfaš; der Plural dazu lautet *Sīnīn*; er sagt, al-Aḫfaš sei der Ansicht, daß *Ṭūr Sīnīn* damit verbunden ist. Er sagt: Dies wurde mir nur noch von al-Ǧauharī mitgeteilt: Es ist ein Berg, der in Verbindung gebracht wird mit *Sīnā*, und das bedeutet 'Bäume'. Al-Aḫfaš lehrt, *as-sīnīn* hat den Singular *sīnīniyya*. Er sagt: Man liest *Ṭūr Sainā'* und *Sīnā* mit 'a' und mit 'i'. Was das 'a' betrifft, so finde ich in der Grammatik, daß es nach *faᶜlā'* gebildet ist; das 'i' aber ist in der Grammatik ausgeschlossen, denn in der arabischen Wortbildung gibt es keine Form *fīᶜlā'* mit langem 'ī'. Das erste (*Sainā'*) ist nicht triptotisch; es sei denn, man betrachtet es als nicht-arabisch. Abū ᶜAlī sagt: er hat es jedoch deswegen nicht flektiert, weil er es zu einem Ortsnamen machte. Richtigstellung: *Sīnīn* ist der Name eines Berges in aš-Šām."

Nach dem *Lisān al-ᶜArab* bezeugt also der arabische Philologe und Naturforscher Abū Ḥanīfa Aḥmad Ibn Dā'ūd ad-DĪNAWARĪ (gest. 895), der ein nur noch in Auszügen erhaltenes "Buch der Pflanzen" (*Kitāb an-Nabāt*) verfaßte, daß al-Aḫfaš, mit dem wohl der berühmteste Träger dieses Namens, nämlich der Grammatiker und Schüler des Sībawaihī, al-Aḫfaš al-Ausaṭ Saᶜīd Ibn Masᶜada Abū 'l-Ḥasan (gest. 835) gemeint ist, den Namen des *Ṭūr Sīnīn* von dem Singular *sīnīniyya* "Baum" ableitete, und auch der bedeutende Lexikograph al-Ǧauharī *Ṭūr Sīnā'* mit "Baumberg" erklärte. Es war jedoch die Vermutung geäußert worden, daß bereits Muḥammad mit diesen beiden Namen etymologisch auf "Baum" anspielte, indem er wohl bei der aramäischen Bezeichnung *Ṭūr Sīnā* an jenes arabische Wort *sīnīniyya* dachte, möglicherweise deshalb, weil auch

---

180 IBN MANẒŪR Ǧamāl ad-Dīn Abū 'l-Faḍl Muḥammad Ibn Mukarram al-Ḫazraǧī al-Ifrīqī, *Lisān al-ᶜArab*, 2o Tle in 1o Bdn, Būlāq 1299-13o8 (= 1881/2 -189o/1); vgl. Bd. IX/17 (1885/6) 94f.

jüdische Gelehrte, wie noch dargelegt werden wird, סיני mit dem ähnlichklingenden סנה "Dornbusch" zusammengebracht hatten. Wenn sich auch die arabischen Gelehrten hinsichtlich der Ableitung des Namens *Ṭūr Sīnā/Sainā'* od. *Sīnīn* keineswegs einig waren, so hatten doch die bedeutendsten unter ihnen so viel wie "Baumberg" darunter verstanden.

Die daneben existierende von Yāqūt mitgeteilte Erklärung, *Sīnā* habe etwas mit Steinen zu tun, wird im *Lisān al-ᶜArab* az-Ziǧāǧ, einem nur dem Namen nach bekannten Gelehrten, zugeschrieben, der für *Sīnā'/Sainā'* die Bedeutung "Steine" angibt. Beide Worterklärungen findet man, allerdings ohne Quellenangabe, auch bei dem großen Lexikographen Maǧd ad-Dīn al-FĪRŪZĀBĀDĪ (gest. 1414). In seinem *Qāmūs al-muḥīṭ* ("Der umfassende Ocean") gibt er zu dem unter der Form السينُ *as-sīnu* eingeordneten سينا *Sīnā* die Bedeutung حجارة *ḥiǧāra* "Steine" an. Den *Ṭūr Sīnīn* oder *Sainā'/Sīnā* nennt er einen Berg in aš-Šām und betrachtet *Sīnīn* als Plural zu *sīnīniyya* "Baum" (وطُورُ سِينِينَ وسِيناَء ويفتحُ وسينا مَقْصُورَةً جبلٌ بالشام والسِينِينِيَّة شجرةٌ ج سينين)[181]. Ebenso findet man es in den auf dem *Qāmūs* beruhenden Wörterbüchern, nämlich im *Tāǧ al-ᶜarūs min ǧawāhir al-Qāmūs* ("Die Brautkrone aus den Juwelen des *Qāmūs*") von Muḥammad Murtaḍā az-ZABĪDĪ (gest. 179o/1) [182] sowie im *Muḥīṭ al-muḥīṭ* ("Der Ocean des 'Oceans'") von Buṭrus al-BUSTĀNĪ (1819-1883),der kurz zusammenfaßt:

السِيْنَآءُ حجرٌ. وطور سَيْناءَ وسَيناءُ وسِيْنا هو الجبل الذى كلّم الله عليه موسى. وفى سورة التين وطور سِينِين. وفسّر بالجبل المبارك او الحَسَن بالاشجار المثمرة... السِيْنِيْنِيَّة شجرة ج سينينٌ. قيلَ ومنه طور سينين.

"*Sīnā'* bedeutet 'Stein', und *Ṭūr Sainā'*ᵃ/*Sīnā'*ᵃ oder *Sainā'*ᵘ/*Sīnā'*ᵘ oder *Sīnā* ist der Berg, auf dem Gott zu Mose sprach; in der Sure (95,2) 'Die Feigenbäume' auch *Ṭūr Sīnīn* genannt. Er wird erklärt mit 'der gesegnete Berg' oder 'der an Obstbäumen schöne' .... *Sīnīniyya* bedeutet 'Baum', pl. *Sīnīn*; davon soll *Ṭūr Sīnīn* kommen".

Wie die Feststellung, daß bedeutende arabische Gelehrte unter dem *Ṭūr Sīnā/Sainā'* oder *Sīnīn* "Baumberg" verstanden, die Frage nach der Identifizierung des Ǧabal Mūsā mit dem Sinai einer Lösung näher führen kann, so ist auch die Tatsache, daß in den großen nationalarabischen Wörterbüchern der Name *Sīnā/Sainā'* mit *ḥaǧar* od. *ḥiǧāra* "Stein(e)" erklärt wird, außerordentlich aufschlußreich zur Beurteilung der umstrittenen Stelle Gal 4,25.

---

181 Abū 't-Ṭāhir Muḥammad Ibn Yaᶜqūb Ibn Muḥammad Ibn Ibrāhīm Maǧd ad-Dīn aš-Šīrāzī aš-Šāfiᶜī al-FĪRŪZĀBĀDĪ, *Al-Qāmūs al-muḥīṭ*, 4 Tle in 2 Bdn, Būlāq 13o1-o2 (=1883/4-1884/5); vgl. II/4,234.

KAPITEL V: DIE GLEICHUNG HAGAR = SINAI IN GAL 4,25

§ 1: *Der textkritische Befund*

Die handschriftliche Überlieferung geht bei diesem Sätzchen des Paulusbriefes bedeutend auseinander. Im Wesentlichen handelt es sich um zwei Lesarten: I. eine m i t Hagar (τὸ δὲ (γὰρ) ʽΑγὰρ Σινᾶ ὄρος ἐστὶν ἐν τῇ ʼΑραβίᾳ) und II. eine o h n e Hagar (τὸ δὲ (γὰρ) Σινᾶ κτλ.), wobei sich eine jede wiederum im Gebrauch der Partikeln δέ und γάρ unterscheidet. Die Varianten verteilen sich auf folgende Textzeugen [184].

I. mit Hagar

a) τὸ δὲ ʽΑγὰρ Σινᾶ : A B D^{gr} 88 33o 436 451 1962 2127 2492, Lect., $syr^{h\ mg.}$, pal, cop^{bo}

b) τὸ γὰρ ʽΑγὰρ Σινᾶ : K P Ψ o62(vid.) 33 81 1o4 181 326 614 629 63o 1877 1881 1984^{c} 1985 2495, Byz $l^{1364,1365}$, $syr^{p.h.}$, $cop^{bo\ mss}$, arm, Chrysostomus, $Theodor^{lat}$, Cyrill, Theodoret, Ps-Oecumenius, Theophylakt

c) τὸ γὰρ ʽΑγάρ (ohne Σινᾶ): $it^{d,e}$ ($Ambrosiaster^{comm}$)

II. ohne Hagar

a) τὸ δὲ Σινᾶ : $𝔓^{46}$, $it^{t,x,z}$, cop^{sa}, Ambrosiaster

b) τὸ γὰρ Σινᾶ : ℵ C G 1241 1739 1984*, $it^{ar,f,g,r^{3}}$, Vg., aeth, $Origenes^{lat}$, $Ambrosiaster^{txt}$, Viktorin, Epiphanius, Hieronymus, Augustinus, Cyrill, Johannes Damascenus

c) τὸ Σινᾶ : goth, Augustinus

---

182 Muḥammad Murtaḍā al-Ḥussainī az-ZABĪDĪ, *Tāǧ al-ᶜarūs min ǧawāhir al-Qāmūs*. Taḥqīq ᶜAbdassattārAḥmad Farrāǧ, al-Kuwait 1365 (=1945/6), 248.

183 Buṭrus al-BUSTĀNĪ, *Kitāb muḥīṭ al-muḥīṭ, ay Qāmūs muṭawwal li-ʼl-luġa al-ᶜarabīyya*, 2 Bde, Bairūt 1867-7o; vgl. I 1o4o.

Angesichts dieses Befundes erhebt sich die Frage, welches die ursprüngliche Lesart darstellt und wie man sie zu interpretieren hat. Da die schriftliche Überlieferung erst mit dem 4. Jh. einsetzt, wird man dies nicht allein dadurch entscheiden können, daß man die Textzeugen gegeneinander ausspielt. Die meisten neueren Bibelübersetzungen und Kommentare nehmen daher ihre Zuflucht zur lectio difficilior und sehen in der Lesart mit Hagar den Originalwortlaut (Einheitsübersetzung 198o: "denn Hagar ist Bezeichnung für den Berg Sinai in Arabien"; Die Gute Nachricht 1982: "Das Wort Hagar bezeichnet nämlich in Arabien den Berg Sinai"). Dieser Satz, meint LOHSE, habe indessen dem Verständnis so große Schwierigkeiten bereitet, daß man schon in den frühen Handschriften Hagar gestrichen habe, um eine einfachere Aussage zu gewinnen [185]. Andere hinwieder hielten diese für ursprünglich. ZAHN glaubte nachweisen zu können, daß die Lesung τὸ δὲ Ἁγὰρ Σινᾶ κτλ. frühestens um 25o in Alexandrien entstanden sein müsse, da sie erst nach Origenes aufkomme und in den Onomastika Hagar und Sinai in keine philologische Beziehung zueinander gesetzt werden [186]. Um eine solche herzustellen, habe man Ἁγάρ eingefügt. Andere meinten, daß man dazu vielleicht durch Dittographie von γάρ angeregt wurde [187]. Manche führten Ἁγάρ auf ἄ.γάρ, d.h. ἄλλοι γάρ zurück, eine Randglosse, die darüber Auskunft gab, daß andere Handschriften γάρ anstelle von δέ lasen, und die dann als Ἁγάρ in den Text geriet [188]. Diejenigen, die sich darin einig sind, daß Ἁγάρ interpoliert wurde, sind jedoch infolge ihrer Erklärungsversuche, wie es dazu gekommen sein könnte, bezüglich γάρ und δέ geteilter Meinung. ZAHN war der Auffassung, man habe ursprüngliches γάρ, weil es mit Ἁγάρ nicht gut zusammenklinge, in δέ abgeändert [189], wogegen MUSSNER gerade das Gegenteil annahm, daß nämlich δέ in γάρ korrigiert worden sei, um der Be-

---

184 Zusammengestellt nach F. MUSSNER, Der Galaterbrief (HThK IX), Freiburg 1974, 322.

185 E. LOHSE, Σινᾶ : ThWNT VII (1966) 284.

186 T. ZAHN, Der Brief des Paulus an die Galater (KNT IX), Leipzig ²19o7, 231 u. 297.

187 Eine andere, aber ähnliche Erklärung bietet M.-J. LAGRANGE, Saint Paul: Épitre aux Galates (EtB), Paris 195o, 126. Er betrachtet Ἁγάρ "comme l'oeuvre d'un scribe inattentif (το γαρ devenue το αγαρ et ensuite το γαρ αγαρ), ou trop savant qui aura voulu corser l'allégorie".

188 Vgl. F. WINDISCHMANN, Erklärung des Briefes an die Galater, Mainz 1843, 117.

189 ZAHN a.a.O. 297.

gründung für die Bedeutungsgleichheit der Namen Hagar und Sinai Ausdruck zu verleihen [19o]. Die Meinungen und Erklärungsversuche gehen also ebenso auseinander wie die Lesarten.

§ 2: *Interpretation der Lesart ohne Hagar*

Wenn man Hagar beiseite läßt, dann lautet die Stelle: "Der Sinai ist ein Berg in Arabien", was auf den ersten Blick nichts weiter als eine mehr oder weniger überflüssige Information zu sein scheint. Da dies sicherlich auch den Galatern bekannt war, kamen die Verfechter dieser Lesart zur Einsicht, daß in dieser Zwischenbemerkung, allein schon vom allegorischen Zusammenhang her, zweifellos mehr als eine rein geographische Belehrung stecken müsse [191]. Nach ZAHN soll der Hinweis auf Arabien nochmals in Erinnerung rufen und betonen, daß das sinaitische Gesetz nicht im Land der Verheißung gegeben wurde [192]. Daß Hagar ein Typus des Sinaibundes sei, bedürfe nicht jener albernen und dubiosen Etymologie von Hagar und Sinai, sondern sei schon dadurch hinreichend bewiesen, daß beide in die Knechtschaft hineingebären [193]. Auch MUSSNER sieht in der Sklaverei das tertium comparationis, das Hagar sowohl mit dem Sinai als auch mit Jerusalem verbindet. Allerdings

---

19o MUSSNER a.a.O. 322 und DERS., Hagar, Sinai, Jerusalem: ThQ 135 (1955) 57.

191 Vgl. die Einwände ihrer Gegner: H. OLSHAUSEN, Die Briefe Pauli an die Galater, Ephesier, Kolosser und Thessalonicher, Königsberg 1844, 92: "die bloße Bemerkung aber, daß Sinai ein Berg Arabiens sey, kann nichts beweisen". - H.A.W. MEYER, Kritisch exegetisches Handbuch über den Brief an die Galater (KEK 7), Göttingen 41862, 222: "wie müssig wäre diese topographische Bemerkung bei der Allbekanntheit des Berges!" - H. LIETZMANN, An die Galater (HNT 1o), Tübingen 21923, 29: "steht eine geographische Bemerkung da, welche zwar richtig ist, aber mit dem Thema des Pls um so weniger zu tun hat, als schon die Erwähnung des Sinai unverständlich war". - H. SCHLIER, Der Brief an die Galater (KEK 7), Göttingen 121962, 22o: "Eine bloß geographische Zwischenbemerkung ist an dieser Stelle wenig wahrscheinlich." - LOHSE, a.a.O. 284f: "Einer solchen Angabe aber kann im Zusammenhang des ganzen Abschnittes schwerlich ein befriedigender Sinn abgewonnen werden." - R. BRING, Der Brief des Paulus an die Galater, Berlin und Hamburg 1968, 2oo: "Ein Hinweis auf die geographische Lage des Sinai dürfte kaum in den Gedankengang des Paulus hineinpassen." - A. OEPKE, Der Brief des Paulus an die Galater (ThHK IX), Berlin 31973, 149: "Als rein geographische Notiz ist das Sätzchen vollends unerträglich."

192 ZAHN a.a.O. 234.

193 Ebd. 232.

interpretiert er den Text so, daß Paulus damit dem für die Allegorie belanglosen geographischen Einwand entgegentreten wolle: Der Berg Sinai liegt doch in Arabien! Was hat er also mit Jerusalem zu tun? Daher entscheidet sich MUSSNER nicht für kausales γάρ , sondern für angeblich konzessives δέ [194] und paraphrasiert: "Gewiß liegt das Sinaigebirge, geographisch gesehen, in der Arabia; in Wirklichkeit aber, für mein allegorisches Verständnis, entspricht es dem heutigen Jerusalem. Die Sklavin Hagar lebt so gewissermaßen im gegenwärtigen Jerusalem weiter" [195].

Andere Exegeten sehen das Problem nicht im tertium comparationis dieser Allegorie, sondern darin, wie Paulus die Verbindung zwischen Hagar und Sinai, die doch von Haus aus nichts miteinander zu tun haben, herstellen konnte [196]. Die Zusammengehörigkeit der beiden wird nämlich, wie OEPKE argumentiert, nicht an dem Knechtstand aufgezeigt, sondern soll gerade umgekehrt diesen erst erweisen [197]. Für LAGRANGE besteht die Beziehung Hagars zum Berg Sinai in Arabien darin, daß sie zur Stammutter der Araber wurde, wie denn auch der arabische Stamm der Hagariter (Ps 83,7; 1 Chr 5,1o.19f; vgl. "die Söhne Hagars" Bar 3,23) nach ihr benannt sei, und sie in die zum Sinai führende Wüste geflohen war [198]. LIGHTFOOT sah die Verbindung wieder-

---

194 Eigentlich, meint MUSSER a.a.O. (1955) 59[8] u. (1974) 324[37], würde man μέν statt δέ erwarten. Da aber μέν gerade erst im Vers zuvor verwendet wurde, habe Paulus sich hier aus stilistischen Gründen des δέ bedient. Mussner konstruiert zwar einen an sich gefälligen Gedankenkomplex, der aber von der Grammatik her nicht zu rechtfertigen ist, da δέ keinen konzessiven, sondern immer nur einen mehr oder weniger starkken adversativen Sinn besitzt.

195 MUSSER a.a.O. (1955) 59f u. (1974) 324. Diesem Verständnis folgt auch die Übersetzung von H.D. BETZ, Galatians (Hermeneia - A Critical and Historical Commentary on the Bible), Philadelphia 1979,238: "Now Hagar is Mount Sinai in Arabia, but it also corresponds to the present Jerusalem, for she lives in slavery together with her children."

196 BETZ a.a.O. 244f: "The problem is how we understand Paul could have justified the equation." - J. BECKER, H. CONZELMANN, G. FRIEDRICH, Die Briefe an die Galater, Epheser, Philipper, Kolosser, Thessalonicher und Philemon (NTD, Teilbd. 8), Göttingen [14]1976, 57: "Nun wußten Juden und Christen, daß der Sinaibund den Nachkommen Isaaks galt. Wer hier durch Allegorie konträr zur Geschichte auslegen wollte, mußte gute Gründe vorlegen." - SCHLIER a.a.O. 22o fand keine Lösung: "So muß m.E. der genaue Sinn des Sätzchens V. 25a und damit der Grund und Anlaß, der es Paulus ermöglichte, Hagar mit der Diatheke vom Sinai zu verbinden, dunkel bleiben."

197 OEPKE a.a.O. 15o.

198 LAGRANGE a.a.O. 125. Diese Auffassung vertrat schon Severian von Gabala (gest. zwischen 4o8-43o): Οὐχ ἁπλῶς ἐμνημόνευσε τοῦ Σινᾶ ὄρους, ἄλλ' ἐπειδὴ οἱ 'Αγαρηνοὶ οἱ ἀπὸ τοῦ 'Ισμαὴλ τὴν ἔρημον ἔχουσι τὴν παρα-

um in der Knechtschaft, die hier in der geographischen Angabe "in Arabien" zum Ausdruck komme, da Arabien - wegen der Sklavin Hagar, die nach antiker Rechtsauffassung Sklaven gebar - so viel wie "Land der Leibeigenen" bedeute [199].

§ 3: *Interpretation der Lesart mit Hagar*

Die einfachste Lösung bietet die Lesart τὸ γὰρ 'Αγὰρ Σινᾶ κτλ. , die diese Zusammengehörigkeit aus der Identität des Namens oder Wortes (τό!) Hagar mit dem des Berges Sinai begründet: "weil nämlich Hagar Sina(i) bedeutet". Diese Kongurenz wird noch durch die Wortstellung verdeutlicht, insofern nicht das übliche Kompositum ὄρος Σινᾶ, wie im vorhergehenden Vers, sondern die Metathesis Σινᾶ ὄρος verwendet wird, damit die beiden identischen Glieder Hagar und Sinai, wie bei einer Gleichung, direkt nebeneinanderstehen. Folgt man dieser Ansicht, dann kann man "in Arabien" sowohl, wie bei der ersten Lesart, mit "Sinaiberg" verknüpfen und als geographische Notiz auffassen, doch ist es, wenn das Wort Hagar eine arabische Bezeichnung für Sina(i) sein soll, sinnvoller, "in Arabien" auf Hagar zu beziehen und darunter so viel wie "bei den Arabern" oder "in der arabischen Sprache" zu verstehen [2oo]. Allerdings muß man mit ZAHN fragen, warum Paulus, sofern dies der Originalwortlaut ist, dann nicht gleich ganz klar und einfach παρὰ τοῖς "Αραψιν oder ὑπὸ τῶν 'Αράβων oder ἀραβιστί geschrieben hat, "obwohl auch dies noch höchst wunderlich geredet wäre" [2o1]. Als stärkstes Argument gegen die Lesart mit Hagar aber führt er an, daß "jedes zu-

---

τείνουσαν ἕως τοῦ Σινᾶ ὄρους . Vgl. K. STAAB, Pauluskommentare aus der griechischen Kirche (NTA 15), Münster i.W. 1933, 3o3.

199 J.B. LIGHTFOOT, The Epistle of St. Paul to the Galatians (Classic Commentary Library), Grand Rapids, Michigan [6]1968, 18o.

2oo MEYER a.a.O. 222: "in Arabien, d.h. bei den Arabern ist Hagar der Name des Sinai". - ZAHN a.a.O. 231: "wird die Meinung die gewesen sein, daß in Arabien, d.h. bei den Arabern das Wort Hagar ein Name des Sinai sei". - LAGRANGE a.a.O. 125: "en Arabie, c'est-à-dire chez les Arabes ou dans la langue arabe". - SCHLIER a.a.O. 22o: "Sachlich könnte natürlich die Bedeutung ἀραβιστί eingeschlossen sein." - OEPKE a.a.O. 149: "Lagebezeichnung u. zwanglos zugleich für: in der arabischen Sprache". - BETZ a.a.O. 245: "'in Arabia' would have to be taken to almost mean 'in Arabic'".

2o1 ZAHN a.a.O. 232: "Natürlich wäre nur ein Ausdruck, wie τὸ γὰρ Σινὰ ὄρος τῇ τῶν περιοικούντων (oder 'Αράβων) γλώσσῃ 'Αγὰρ καλεῖται, oder umgekehrt τὸ γὰρ 'Αγὰρ κατὰ τὴν τῶν ἐπιχωρίων διάλεκτον τὸ Σινὰ ὄρος σημαίνει ."

verlässige Zeugnis dafür (fehlt), daß die Araber den Sinai Hagar oder mit einem ähnlichen Namen nennen oder jemals genannt haben" [2o2].

Die Exegeten verweisen bei Hagar meistens auf arab. *ḥağar* "Stein, Fels". Wenn auch *Hē* und *Ḥēṭ* nicht austauschbar sind, so können doch volksetymologisch beide durchaus zusammengestellt werden, wie denn im *Ta'rīḫ* von aṭ-ṬABARĪ Hagar = arab. *Hāğar* mit der Stadt *al-Ḥāğar* in Verbindung gebracht wird [2o3]. Da aber der Sinai bei den Arabern niemals *Ḥağar* genannt wurde - etwa als Zweitname, wie Horeb im AT - nahm BRING an, daß möglicherweise nur ein Teil des Berges diese Bezeichnung trug [2o4]. OEPKE weist daraufhin,

---

2o2 ZAHN a.a.O. 231. - R. CORNELY, Epistolae ad Corinthios altera et ad Galatas (CSS), Parisiis ²19o9, 552: "At montem Sina umquam nomen Agar habuisse incertissimum est".

2o3 Vgl. oben S. 3o . Insofern ist der Einwand von SCHLIER a.a.O. 22o hinfällig. MEYER a.a.O. 221f sagt ganz richtig: "die allegorisirende Namendeutung ist zu wenig an buchstäbliche Strenge gebunden, um nicht schon die Aehnlichkeit des Wortes und den wesentlichen Gleichklang zu ihrem Zwecke hinreichend zu finden, wofür wir Matth. 2,23. Joh. 9,6. noch stärkere und kühnere Beispiele haben".

2o4 BRING a.a.O. 2oo.
Den Berg Sinai beim Katharinenkloster nannten die Araber mit seinem koranischen Namen *Ṭūr Sīnā* oder *aṭ-Ṭūr*, das dortige Gebirge hieß *Ğabal aṭ-Ṭūr Sīnā* (z.B. in einer Urkunde Ḫušqadam's vom 3o.9. 1462; vgl. H. ERNST a.a.O. (vgl. Anm. 1o4) 142f) oder *Ğabal aṭ-Ṭūr* (in einer Urkunde Qānṣūh's vom 7.2. 15o6, ebd. 224f). Daneben erhielt der Sinai auch den Beinamen *Ğabal al-munāğāt* "Berg der Zwiesprache" (Gottes mit Mose; vgl. Sure 19,52: *wa-qarrabnāhu nağiyyan* "und wir ließen ihn zu vertraulichem Gespräch nahekommen"; immer in Verbindung mit *Ṭūr Sīnā*: in drei Urkunden von Qānṣūh aus den Jahren 15o5 und 15o6; vgl. ERNST 218f, 22of, 226f, und in einem Schreiben Ṭūmān Bāi's vom 14.12.1516, ebd. 252f). In einer undatierten Inschrift eines Holzschemels der Klostermoschee, die nach B. MORITZ, Beiträge zur Geschichte des Sinaiklosters ..., Berlin 1918, 52 um 11o6 anzusetzen ist, begegnet der Ausdruck *munāğāt Mūsā* "(Berg) des Zwiegesprächs Moses".
Die Bezeichnung *Ğabal Mūsā* scheint erst im 16. Jh. aufzukommen. So wird wiederum in zwei Urkunden des Sultans Qānṣūh vom 7.1. 15o5 und 25.1o. 15o7 von "Besuchern des Berges des Herrn Mūsā" (*ğabal as-sayyid Mūsā*) gesprochen (ERNST 216f u. 232f). Der Ehrentitel as-sayyid "Herr" wurde dann im Lauf der Zeit der Einfachheit halber weggelassen. Die Kurzform Ğabal Mūsā findet man erst bei christlichen Reisenden um die Mitte des 17. Jh. So bemerkt der 1658 den Sinai besuchende Jean de THÉVENOT, Relation d'vn Voyage fait av Levant ..., Paris 1664, 31o: "mont Sinai, appellé en Arabe Dgebel Mousa". Auch in dem einige Jahre später veröffentlichten Werk von Gabrielle BREMOND, Viaggi fatti nell' Egitto ..., Roma 1679, 143, der aber vor ihm 1644 am Sinai war, erscheint die Bezeichnung "Gebelmousa". Der 1697 reisende Antoine MORISON, Relation historique d'un voyage ..., Toul 17o4, 92, der ebenfalls vom "Gebal Mousa" spricht, verweist (S. 1o1) zum erstenmal auch auf den arabischen Namen des Nachbarberges "Gebal Cateriné".

daß heute noch einzelne Felsen und Kuppen im Sinaigebirge *Ḥağar* genannt werden, und erinnert an *Ḥağar Mūsā*, den im Wādi al-Liğā befindlichen Felsen, aus dem nach der - erst im 15. Jh. auftauchenden - Legende [2o5] Mose den Israeliten Wasser schlug [2o6]. Den besten Beweis aber scheint der böhmische Reisende Christoph Wilhelm Freiherr HARANT von Polschiz und Weseriz (156o-1621), Kaiserlicher Rat und Kämmerer, General-Leutnant und Kommandant von Prag, zu liefern, der im Oktober 1598 den Sinai besuchte und in seinem Reisebericht sagt: "Den Berg Synai nennen die Arabische und Mauritanische Heyden Agar oder Tur" [2o7]. Doch scheint für OEPKE diese Nachricht wohl zu schön, um wahr zu sein, da er zu bedenken gibt, daß Harant aus völlig unkontrollierbaren Quellen schöpfe und als Protestant sein Wissen am Ende gar von LUTHER haben könnte [2o8], da in seiner Bibelübersetzung (1545) steht: "Denn Agar heisset in Arabia der berg Sina".

Die sich erst seit dem 16. Jh. herausbildende arabische Bezeichnung Ǧabal Mūsā geht sicherlich auf christlichen Sprachgebrauch zurück. Den Namen "*Mosesberg*" entdeckt man in den Reiseberichten zum erstenmal bei dem 1346 zum Sinai pilgernden Rudolphus de FRAMEYNSPERG, Itinerarium, in: H. Canisius, Thesaurus Monumentorum Ecclesiasticorum et Historicorum, Tom. IV, Amstelaedami 1725, 358f. Er tituliert den Gesetzesberg mit "*mons Moysis*" (vom 14. bis ins 17. Jh. statt dessen gewöhnlich "Horeb" genannt), um ihn von dem als "Sinai"angesehenen Katharinenberg zu unterscheiden (vgl. Anm. 222). Dieser im 14. Jh. aufkommenden Distinktion verdankt wohl der Mosesberg seinen Namen, der heute noch in der über zwei Jahrhunderte später erscheinenden arabischen Form "Ǧabal Mūsā" allgemein üblich ist.

2o5 Wohl zum ersten Mal erwähnt diesen Stein der im Jahr 1433 reisende Graf PHILIPP von Katzenellenbogen. Vgl. R. RÖHRICHT und H. MEISNER (Hrsg.), Die Pilgerreise des letzten Grafen von Katzenellenbogen (1433-1434): ZDA 26, NF 14 (1882) 356: " ... sahen wir den steyn, der Moyses nachginge, vnd ußer dem selben steyn gingen tzwolff borne ..."

2o6 OEPKE a.a.O. 15o.

2o7 Christoph HARANT, Der Christliche Ulysses / Oder Weit=versuchte Cavallier ..., Nürnberg 1678, 593. Diese Stelle hatte übrigens schon A.F. BÜSCHING, Erdbeschreibung. Des eilften Theils erste Abtheilung, welche unterschiedene Länder von Asia begreift, Hamburg ^{3}1792, 6o3 zur Erklärung von Gal 4,25 herangezogen.

2o8 OEPKE a.a.O. 15o. Möglich wäre allerdings, daß Harant von einem gebildeten Araber gehört hatte, daß der Name *Sīnā* (Sinai), wie Yāqūt bezeugt, so viel wie *Ḥağar* (Hagar) bedeutet.

§ 4: *Sīnā* = *Ḥağar* im Arabischen

Nun ist es in der Tat höchst verwunderlich, daß keiner der des Arabischen kundigen Theologen sich die Mühe gemacht hat, ganz einfach in den arabischen Wörterbüchern einmal nachzuprüfen, ob dort ein Wort *Sīnā* mit der Bedeutung "Stein" (= *ḥağar*) belegt ist. Da in dem autoritativen Lexikon von Edward William LANE, zu dem man in einem solchen Fall am besten greift, unter سِينَآءُ *Sīnā'u* "Certain stones" steht, wofür *Lisān* und *Qāmūs* als Quelle angegeben werden [2o9], hätte man in diesen beiden bedeutenden nationalarabischen Wörterbüchern, auch wenn sie für unsere Begriffe umständlich aufgebaut und schwer zu benutzen sind, doch ohne weiteres das Gesuchte finden können.

Die Araber kannten also tatsächlich ein Wort *Sīnā*, das so viel wie *Ḥağar* bedeutet. Deshalb wollten muslimische Gelehrte den Namen des Berges Sinai mit Hilfe dieses Wortes erklären, wie YĀQŪT und mit ihm ABŪ 'L-FĪDĀ und MAQRĪZĪ bezeugen: وقيل سينا حجارته "man sagt: *Sīnā* bedeute (oder beziehe sich auf) seine Steine". Ob die Erklärer dabei an eine besondere Art, Farbe oder Form von Steinen dachten, wird nicht mitgeteilt [21o]. Jedenfalls meinten sie etwas Charakteristisches und nicht einfach nur "une montagne pierreuse", wie Reinaud die Stelle bei ABŪ 'L-FĪDĀ übersetzt [211], da in Arabien, wie auch auf der Sinaihalbinsel, so gut wie alle Berge felsig und steinig sind. Da ferner die Araber den Sinai nicht für einen Vulkan hielten, ist auch die Erklärung von Paul HAUPT abzulehnen, diese Steine seien die vom Sinaivulkan (bei Elat an der Ostküste des Roten Meeres) ausgeworfenen Lapilli, nämlich hasel- bis walnußgroße Bimssteine, und Bomben, wie man die in der Luft zu kugelförmigen Gebilden erstarrten Lavafetzen bezeichnet [212].

2o9 E.W. LANE, An Arabic-English Lexicon ..., Book I. - Part 4. س - ص, London 1872, 1487.

21o Wenn der Name *Sīnā* nach den einen "Bäume" und nach den anderen "Steine" bedeutet, dann handelt es sich um zwei verschiedene Erklärungen, die man sogar als gegensätzlich empfindet, weil man bei Steinen an einen felsigen und kahlen, bei Bäumen dagegen an einen bewachsenen Berg zu denken geneigt ist. Wären jedoch,was aber sicherlich nicht der Fall ist, Dendriten gemeint, dann liefen beide Aussagen auf das gleiche hinaus, da man darunter die in den Steinen dieses Berges abgebildeten "Bäume" verstehen könnte.

211 Vgl. Géographie d'Aboulféda 2/1, Paris 1848, 9o. F. Wüstenfeld dagegen in seiner Übersetzung von MACRIZI's Geschichte der Copten ..., Göttingen 1845, 113: "Sina sollen Steine oder Bäume daselbst sein".

Adolf WAHRMUND gibt in seinem Handwörterbuch der neuarabischen und deutschen Sprache (Gießen [3]1898) für سيناء *sînā'* "kl. Steine, Kies" an, und auch Mohammed BRUGSCH sagt in seinem die arabische Schriftsprache der Gegenwart umfassenden Wörterbuch (Hannover 1924) für سِينَاءُ *sīnā'u/saināʾu* "kleine Steine" [213]. Offenbar ist das Wort in dieser speziellen Bedeutung heute noch in Gebrauch, wenn es auch in der klassischen Literatur außerhalb der großen Lexika kaum vorzukommen scheint.

Paulus konnte also durchaus auf ein arabisches Wort *sīnā* = *ḥağar*, das er vielleicht während seines längeren Arabienaufenthaltes (vgl. Gal 1,17) kennengelernt hatte, anspielen. Wenn CHRYSOSTOMUS in seinem Galaterkommentar (PG 61,662) sagt: τὸ δὲ Σινᾶ ὄρος οὕτω μεθερμηνεύεται τῇ ἐπιχωρίῳ αὐτῶν γλώττῃ , so ist es demnach sehr wohl möglich, daß er von der Existenz dieses arabischen Wortes irgendwie gehört hat.

Es ist also nicht so, als sei der Berg Sinai von den Arabern *Ḥağar* genannt worden. In der Zeit nach Muḥammad, der durch den Koran seine Landsleute mit diesem biblischen Berg erst vertraut machte, war dies jedenfalls, wie die arabische Literatur lehrt, nicht der Fall. In vorislamischer Zeit war es sicherlich nicht anders. Sonst müßte man nämlich voraussetzen, daß die Juden zur Zeit des Paulus einen ganz bestimmten Berg "in Arabien" als Sinai ansprachen, der von der dortigen Bevölkerung *Ḥağar* genannt wurde. Dies ist aber deswegen unwahrscheinlich, weil jeder Beweis dafür fehlt, daß man damals einen konkreten Berg mit dem Sinai identifizierte, und man nicht einmal annähernd weiß, in welcher Gegend er überhaupt gelegen haben soll.

Paulus bringt Hagar deswegen mit dem Sinai in Verbindung, weil (daher verdient γάρ den Vorzug) im Arabischen das ähnlichklingende *Ḥağar* mit *Sīnā* (man beachte: Σινᾶ , nicht Sinai mit Diphtong im Auslaut!) gleichbedeutend war. Viel klarer wäre es freilich gewesen, wenn er statt "in Arabien" einfach "in der arabischen Sprache" geschrieben hätte. Doch scheint er dafür

---

212 P. HAUPT, Midian und Sinai: ZDMG 63 (19o9) 5o9. Man muß sich nur wundern, daß der erstaunlich vielwissende und hypothesenfreudige Gelehrte, der sonst alle möglichen, mehr oder weniger passenden Parallelen heranzieht, diesen Hinweis Abū 'l-Fidās nicht mit Gal 4,25 in Verbindung brachte.

213 Andere Wörterbücher lassen nichts darüber verlauten, z.B. G.W. FREYTAG, Lexicon Arabico Latinum, Halis Saxonum 1837; J.G. HAVA, Arabic-English Dictionary, Beirut 1951 = J.B. BELOT, Vocabulaire arabe-français, Beyrouth [16]1951; H. WEHR, Arabisches Wörterbuch für die Schriftsprache der Gegenwart, Wiesbaden [3]1958; A.de Biberstein KAZIMIRSKI, Dictionnaire arabe-français, Paris 196o.

seine Gründe gehabt zu haben. Vermutlich wollte er mit der Ausdrucksweise "in Arabien" neben dem philologischen auch den (bei der Lesart ohne Hagar allein vorliegenden) geographischen Hinweis ins Spiel bringen [214]. Wer die sprachliche Erklärung verstanden hat, denkt ohnehin bei "in Arabien" unwillkürlich an die Landessprache (ähnlich, als würde man sagen: "in England" bedeutet 'Mount' Berg). Zugleich aber schwingt der Hinweis mit, daß dieser Berg in Arabien und nicht im Verheißenen Land liegt, und die Beziehung zwischen Hagar und dem Sinai (näherhin mit dem am Sinai errichteten Bund) auch darin zum Ausdruck kommt, daß sich der Berg im Gebiet ihrer Nachkommenschaft befindet.

KAPITEL VI: DIE IDENTIFIZIERUNG DES ǦABAL MŪSĀ MIT DEM SINAI

§ 1: *Heilige Berge der Nabatäer auf der Sinaihalbinsel?*

Die Nachricht von YĀQŪT, aus den Steinen des *Ṭūr Sīnā* kämen, wenn man sie zerbreche, das Bild eines Rankengewächses zum Vorschein, dient zweifellos zur Illustration der nachfolgenden Mitteilung, bei den Nabatäern, d.h. im Aramäischen, werde jeder mit Pflanzen und Bäumen bewachsene Berg *Ṭūr Sīnā* genannt. Dieser in den Wüsten- und Steppengebieten des Vorderen Orients seltenen und auffälligen Erscheinung verdankten demnach mehrere Berge ihren Namen, ähnlich wie in den Alpen viele Gipfel mit dem Attribut "Horn", "Spitze" oder "Kofel" versehen werden. Wenn es also verschiedene *Ṭūr Sīnā* gab und sich die muslimischen Gelehrten darüber stritten, welcher von ihnen der *Ṭūr Sīnā'/Sainā'* oder *Sīnīn* des Koran sei, dann knüpft der Name *Ṭūr Sīnā* nicht etwa an eine islamische oder vorislamische jüdische Tradition an, die in diesem Berg die heilige Stätte der Gesetzgebung verehrte, sondern es haben sich vielmehr gerade umgekehrt solche Überlieferungen aufgrund des Namens erst herausgebildet.

Dies wirft die interessante Frage auf, ob es bei dem von den Eremiten des frühen 4. Jh. als Sinai angesehenen Ǧabal Mūsā nicht ebenso war, daß nämlich die Identifizierung mit dem Gottesberg auf dem aramäischen Namen *Ṭūr*

---

214 Auf diese zweifache Interpretationsmöglichkeit verweist auch BETZ, a.a.O. 245.

Sīnā beruht. Wie der heutige Ǧabal Mūsā-Sinai genannt wurde, bevor sich die Einsiedler rings um ihn niederließen, wissen wir allerdings nicht. Man kann daher nur die Möglichkeit erörtern, ob dieser Berg tatsächlich einmal die aramäische Bezeichnung *Ṭūr Sīnā* getragen haben könnte.

Nun spielte der Gebirgsstock des Ǧabal Mūsā, und mehr noch des Ǧabal Kāterīn, schon vor den christlichen Einsiedlern bei den Nabatäern eine besondere Rolle, wie aus den zahlreichen Inschriften, die sie dort hinterlassen haben, hervorgeht. Noch häufiger findet man sie am Sirbāl und um den Ǧabal al-Banāt bei der Oase Fairān sowie in dem nach ihnen benannten Wādi Mukattib ("Schreiber"- od. "Inschriftental"). Von den rund viertausend nabatäischen Inschriften, die man bisher auf der Sinaihalbinsel gefunden hat [215], sind aber nur sieben datiert. Sie stammen aus den Jahren zwischen 15o bis 268 nC [216].

---

215 Etwa Dreiviertel sind ediert im CORPUS INSCRIPTIONUM SEMITICARUM (= CIS), Pars II, Tom. 1 (19o2) Nr. 49o-1471 u. Tom. 2 (19o7) Nr. 1472-3233. J. EUTING, Sinaïtische Inschriften, Berlin 1891,hatte bereits 677 Inschriften mit deutscher Übersetzung herausgegeben. Zum erstenmal erwähnt, und zwar für die Umgebung des Sirbāl,wurden sie von dem um das Jahr 535 reisenden KOSMAS Indikopleustes, ed. WINSTEDT (19o9) 154, der sie für hebräische Inschriften der aus Ägypten ausziehenden Israeliten ansah. Erst um die Mitte des 17. Jh. hörte man wieder von ihnen durch den Franziskaner Frà Tomaso da Novara (R. P. Thomas Obecinus Novariensis), der einige Inschriften kopierte, die durch Athanasius KIRCHER, Prodromus Coptus sive Aegyptiacus ..., Romae 1636, 2o1-219 und Oedipus Aegyptiacus ..., Vol. II,1,Romae 1653, 1o9-122 veröffentlicht wurden. Auch ihrer Meinung nach waren sie zum Gedenken der Wundertaten Jahwes in der Wüste aufgezeichnet worden, eine Ansicht, die noch C. FORSTER, The Israelitish Authorship of the Sinaïtic Inscriptions ..., London 1856 und Sinai Photographed, or, Contemporary Records of Israel in the Wilderness, London 1862,zu verteidigen suchte. Entziffert und als nabatäisch erkannt wurden sie von E.F.F. BEER, Inscriptiones veteres litteris et lingua hucusque incognitis ad montem Sinai magno numero servatae ..., Lipsiae 184o.

216 Im einzelnen handelt es sich um drei Inschriften aus dem Wādi Mukattib, die nach dem Jahr 45 (des am 22. März 1o6 nC beginnenden arabischen Provinzialkalenders oder der Ära von Bostra) = 15o/1 nC (CIS II, 1325), dem Jahr 85 = 19o/1 nC (CIS II, 964) und dem Dreikaiserjahr 1o6 = 211/2 nC; nach B. MORITZ, Der Sinaikult in heidnischer Zeit: AGWG.PH NF 16,2 (1916) 32 = 2o4 nC (CIS II, 963) datiert sind. Eine Inschrift aus dem Wādi Fairān trägt das Jahr 126 = 231/2 nC (CIS II, 1491), eine am Ǧabal al-Munāǧāt das Jahr 148 = 253/4 nC bzw. nach A. NEGEV, A Nabatean Sanctuary at Jebel Moneijah, Southern Sinai: IEJ 27 (1977) 223 das Jahr 113 = 219 nC (CIS II, 2666). In jüngster Zeit wurden im Wādi Muġāra zwei weitere datierte Inschriften aus den Jahren 16o u. 161 = 266/7 u. 267/8 nC entdeckt; vgl. A. NEGEV, New Dated Nabatean Graffiti from the Sinai: IEJ 17 (1967) 25o-255 (Plate 48).

Es ist daher anzunehmen, daß alle in diesen verhältnismäßig kurzen Zeitraum von etwas mehr als einhundert Jahren gehören und ihr Erscheinen mit der Eroberung des nabatäischen Königreichs 1o6 nC durch Rom und ihr Verschwinden mit der Machtentfaltung Palmyras zusammenhängt [217]. Aus dem gehäuften Auftreten dieser Inschriften am Sirbāl und am Sinai zog Bernhard MORITZ den Schluß, daß beide Massive heilige Berge und Wallfahrtsorte der Nabatäer waren [218]. Das Wādi al-Liǧā mit seinen hunderten Inschriften erwecke "durchaus den Eindruck einer alten Prozessionsstraße, deren Ende und Ziel nur der Gebel Ḳāterîn gewesen sein kann, als höchster und imposantester Berg der ganzen Gruppe" [219].

Wie immer man diese kurzen Inschriften, die in der Regel nur einen Friedensgruß, einen Gedenk- oder Segenswunsch, den Namen des Schreibers und, in seltenen Fällen, seinen Titel, manchmal auch einen Gottesnamen oder sonst eine dürftige Angabe enthalten, beurteilen mag [22o], so viel steht jedenfalls fest, daß den Gebirgsgruppen des Sirbāl und Ǧabal Kāterīn als Ziel zahlreicher Besucher eine besondere Rolle zukam. Welchen Namen diese Berge bei den Nabatäern trugen, wissen wir nicht. Nun ist es aber durchaus möglich, daß die aramäisch schreibenden Nabatäer dem Ǧabal Kāterīn bzw. dem gesamten Gebirgsmassiv dort aufgrund der gerade hier besonders schön ausgeprägten Dendriten, von denen diese Berge wie durchwachsen erscheinen - ein seltsames Phänomen, das Jahrhunderte hindurch, wie wir gesehen haben, die Aufmerksamkeit und Phantasie der Reisenden erregte, und dem man auch heute noch, wie der Verkauf solcher Steine an die Touristen beweist, Beachtung schenkt - , den aramäischen Namen *Ṭūr Sīnā*, d.h. "Baumberg", "Strauchberg" oder"Dornbuschberg" gegeben haben. Die bald darauf den Spuren der Nabatäer folgenden Eremiten haben ihn deshalb für den Sinai der Bibel, τὸ ὄρος τὸ Σινα (Ex 19,11), wie er in der Septuaginta gleichlautend genannt wird [221], gehalten. Die Frage also, wieso man im christlichen Altertum unter den vielen Bergen der Halbinsel gerade diesen zum Sinai erkor, wäre demnach denkbar einfach zu beantworten: Weil er so hieß!

---

217 MORITZ a.a.O. 48.

218 MORITZ a.a.O. 31; zu einem nabatäischen Heiligtum auf dem Ǧabal al-Munāǧāt südlich vom Wādi Fairān vgl. NEGEV, IEJ 27 (1977) 219-231.

219 MORITZ a.a.O. 6. Ebenso gut konnte man vom Wādi al-Liǧā (vom Kloster der Vierzig Märtyrer) aus den Ǧabal Mūsā erreichen. Der (von Ali Pascha später ausgebaute) auf der Südseite des Berges hochführende Serpentinenweg ist nicht nur heute der bequemste Aufstieg, sondern war es auch damals, als es noch nicht die (vom Katharinenkloster aus wohl im 7. Jh. angelegten) berühmten Steinstufen gab.

22o KOENIG, RHPhR 43 (1963) 6 lehnt es z.B. ab, hinter den Inschriften irgendeine religiöse Tradition, wie etwa eine Wallfahrt, zu vermuten.

§ 2: *Der Ǧabal Mūsā als Sinai der christlichen Anachoreten*

Allerdings ist damit das Problem noch nicht ganz gelöst. Es erhebt sich nämlich die Frage, warum die Einsiedler nicht den Ǧabal Kāterīn als höchsten und aufgrund der Inschriften für die Nabatäer wohl wichtigsten Gipfel, oder den die Ebene ar-Rāḥa imposant überragenden Rās aṣ-Ṣafṣāfa, sondern den von dieser Hochfläche und vom Katharinenkloster aus nicht sichtbaren (Gipfel des) Ǧabal Mūsā für den Sinai gehalten haben [222]. Diese seltsame

---

221 Die Vetus Latina schreibt mit der Septuaginta Sina, die Vulgata nach dem Hebräischen dagegen Sinai. AETHERIA sagt mit der Vet. Lat. Syna ("mons sanctus Dei Syna" 1,1). Auch der um die gleiche Zeit pilgernde POSTUMIANUS spricht bei Sulpicius Severus (+ um 42o), Dialogus I, 17 (CSEL 1,169) von Sina. Diese Form (Sina/Syna) gebraucht aber auch noch der ANTONINUS Martyr (Kap. 37; CSEL 39,183 u. 213) genannte Pilger von Piacenza, der um 57o reiste, sowie Papst Gregor I. d.Gr. in einem Brief vom 1. Sept. 6oo an "Joanni abbati montis Sina" (PL 77, 1117) sowie in einem Schreiben an "Palladio presbytero de monte Sina" (PL 77, 1119). Man folgte damit nicht der Vulg.,sondern der bei den Sinaimönchen üblichen griech. Form.

222 In dem Sinai des Jahwisten und dem Horeb des Deuteronomisten sah EUSEBIUS, Onomastikon, ed. Klostermann, Leipzig 19o4, 172, zwei verschiedene, aber nebeneinanderliegende Berge: Χωρήβ (Deut. 1,2) ὄρος τοῦ θεοῦ ἐν χώρᾳ Μαδιάμ. παράκειται τῷ ὄρει Σινᾶ ὑπὲρ τὴν Ἀραβίαν ἐπὶ τῆς ἐρήμου. HIERONYMUS dagegen erblickt darin zwei verschiedene Namen für ein und denselben Berg, wie er (ebd. S.173) zu seiner Übersetzung anmerkt: mihi autem videtur quod duplici nomine idem mons nunc Sinai, nunc Choreb vocetur. Der Pilgerbericht der AETHERIA (4,1+2) zeigt, daß man zu ihrer Zeit die Ansicht des Eusebius teilte, denn sie nennt den oberen Teil des Ǧabal Mūsā Sinai, den unteren jedoch bis zur Höhe der Eliaebene sowie den Rās aṣ-Ṣafṣāfa Horeb.
Als nach der Jahrtausendwende durch die Verehrung der hl. Katharina (von der erstmals Magister THIETMAR aus dem Jahr 1217 berichtet) der später nach ihr benannte Berg als heiliger Gipfel hinzukam, fand eine Neuverteilung der biblischen Namen statt. So bezeichnete man jetzt vom 14. bis zum 17. Jh. meistens den Katharinenberg als Sinai - wahrscheinlich weil der Legende nach auf den Gipfel des Sinai die Engel den Leichnam der hl. Katharina trugen - und den Moses- oder Gesetzesberg als Horeb. Dementsprechend sagt der 1346 reisende Rudolphus de FRAMEYNSPERG, Itinerarium, Amstelaedami 1725, 359: "altitudo montis Sinai est in duplo altior monte Moysi". 1479: TUCHER, Reyßbuch (1584) 365f nennt den Ǧabal Mūsā Horeb und den Katharinenberg Sinai. Ebenso sein Reisegefährte RIETER, ed. Röhricht/Meisner (1884) 1o5. Ferner 1483: BERNHARD von Breitenbach, Reyßbuch 1o3a, und sein Mitpilger Felix FABRI, Evagatorium, ed. Hassler, vol. II (1843) 477. 1485: Ioos van GHISTELE, Tvoyage, Te Ghendt 1557, 2o1f. 1497: Arnold von HARFF, Pilgerfahrt, ed. Groote, Cöln 186o, 126. 15o7: Martin von BAUMGARTEN, Peregrinatio, Noribergae 1594, 58f, und sein Gefährte GEORG, Prior von Gaming, Ephemeris, Augustae Vindelicorum & Graecii 1721, 498f. 1547: BELON du Mans, Observations, Paris 1553, 127bf. 1579: BREUNING, Orientalische Reyß, Straßburg 1612, 197 (Bild). 1615: DELLA VALLE, Reiß-Beschreibung, Genff 1674, 117. 1631: STOCHOVE, Voyage du Levant, Bruxelles ^{2}165o, 469 u. 471.

Wahl hing vermutlich mit der Auffindung des Brennenden Dornbuschs zusammen: Der Sinai mußte jener Berg sein, zu dessen Füßen er wuchs! Der Busch

---

1666: TROILO, Orientalische Reise=Beschreibung, Dresden und Leipzig 1733, 5o1 u. 5o5. 1668: GOUJON, Histoire et Voyage, Lyon 1672, 317. 168o: COPPIN, Le bouclier de l'Europe, Paris 1686, 336.

LUDOLF von Suchem (Sudheim), Reyßbuch 447b = De Itinere Terre Sancte: AOL 2 (1884) 347, der zwischen 1336-41 reiste, bezeichnet gerade umgekehrt den Ǧabal Mūsā als Sinai und den Katharinenberg als Horeb. So ist es seltsamerweise noch bei E. RÜPPELL, Reise in Abyssinien, Frankfurt am Main 1838, I 12o, der Fall.
Für andere war der Sinai im Grunde ein einziger Berg, der sich in die beiden "Gipfel" Moses- und Katharinenberg aufteilte. So sagt im Jahr 1335 JACOBUS de Verona, Liber peregrinationis, ed. Röhricht: ROL 3 (1895) 234: "isti duo montes habent unum pedem, sed dividitur in duo magna cornua montium; super unum cornu data fuit lex Moysi, ut dictum est; super aliud cornu fuit portatum corpus beate Katherine de Alexandria." Dementsprechend unterscheidet noch der 1636 reisende NEITZSCHITZ, Sieben=Jährige und gefährliche Welt=Beschauung, Budißin und Leipzig 1673, 213, den "Sinai=Horeb" vom "Sinai=Catharinae".
ALBRECHT, Graf zu Löwenstein, Reyßbuch 199b, spricht schon im Jahr 1561 vom "S. Catharina Berg" und sagt, der Berg Horeb werde auch Sinai genannt, und zwar deswegen,weil "alle Berg daselbst herumb / die Berge Sinai heissen". Dieselbe Ansicht vertritt auch der 1512 reisende Jean THENAUD, Le Voyage d'Outremer, ed. Schefer, Paris 1884, 76: "Et comme dict Sainct Hierosme, toutes lesdictes montaignes qui sont six ou sept, se nomment Sinay."
Da von der Ebene ar-Rāḥa aus, dem sog. Lagerplatz der Israeliten, nur der Rās aṣ-Ṣafṣāfa sichtbar ist, an dessen Fuß man unmittelbar herantreten und den man daher leicht abriegeln kann (vgl. Ex 19,12),wollte E. ROBINSON a.a.O. (vgl. Anm. 1) I 176 u. 195 in ihm den eigentlichen Gesetzesberg sehen. Diese Meinung vertraten auch E. Rödiger bei: J.R. WELLSTED, Reisen in Arabien, Halle 1842, II 91; S. OLIN, Travels in Egypt, Arabia Petraea, and the Holy Land, New York 1843, I 392-399 u. 4o4 sowie ZDMG 2 (1848) 32o-324; J.P. DURBIN, Observations in the East, New York (1845) [1o]1854, I 143-148; F. DIETERICI, Reisebilder aus dem Morgenlande, 2 Tle, Berlin 1853, II 46f; E.H. PALMER, Der Schauplatz der vierzigjährigen Wüstenwanderung Israels, Gotha 1876, 43.88-92.1o7; H.S. PALMER, Sinai. From the Fourth Egyptian Dynasty to the present day, London 1878, 176-179; S. MANNING, The Land of the Pharaohs, including a Sketch of Sinai, London [2]1887, 218-223; E.D. SCHOENFELD, Die Halbinsel des Sinai, Berlin 19o7, 53, und A.P. STANLEY, Sinai and Palestine, London 191o, 61.
Nach G. SANDIE, Horeb and Jerusalem, Edinburgh 1864, 192-224 wurde zwar das Gesetz vom Rās aṣ-Ṣafṣāfa = Horeb oder Gottesberg dem Volk verkündet, aber auf dem Ǧabal Mūsā = Sinai Mose gegeben. Weil sich der Ǧabal Mūsā von der Ebene ar-Rāḥa aus den Blicken entzieht, dachten L. de LABORDE, Commentaire géographique sur l'Exode et les Nombres, Paris et Leipzig 1841, 1o8f, und F.A. STRAUSS, Sinai und Golgatha, Berlin 1847, 142, das Volk habe nicht in ihr, sondern in dem südöstlich vom Ǧabal Mūsā liegenden Wādi as-Sabāᶜīyya gelagert, von dem aus der steil emporragende Berg gut sichtbar ist. Da aber dieses schmale und steinige Gelände keinen geeigneten Lagerplatz abgibt, hatte nach C. TISCHENDORF, Reise in den Orient, 1. Bd., Leipzig 1846, 247, und Aus dem heiligen Lande, Leipzig 1862, 1o1f, Mose das Volk aus der Lagerebene ar-Rāḥa in

spielte ja als heilige Stätte der Gottesoffenbarung nicht zuletzt seiner leichten Zugänglichkeit wegen eine wohl noch größere Rolle als der nicht so schnell zu erreichende Gipfel des Gottesberges und bildete das Zentrum der ringsumwohnenden Eremiten, die sich zum Sonntagsgottesdienst in dem bei ihm errichteten Kirchlein zu versammeln pflegten [223].

Eine weitere Frage ist, warum man gerade an dieser Stelle den Dornbusch verehrte. Es könnte natürlich sein, daß die Anachoreten die dortige Gegend nach einem auffälligen, vielleicht (wegen des βάτος der LXX) einem Brombeerstrauch ähnlichen Dornbusch abgesucht oder ein solches vereinzeltes Exemplar mehr oder weniger zufällig gerade hier gefunden hatten [224]. Wahrscheinlicher aber ist, daß an diesem in der Nähe einer Quelle gelegenen Ort ein

---

dieses Wādi geführt, damit es von hier aus zum Empfang des Gesetzes an den Ǧabal Mūsā herantreten konnte.
Da weder der Ǧabal Mūsā noch der Ǧabal Kāterīn von der Ebene ar-Rāḥa aus zu sehen sind, hielt A.W.C. Lord LINDSAY, Letters on Egypt, Edom and the Holy Land, Vol. 1, London ²1839, 299-3o1, den von hier aus sichtbaren, nicht allzu hohen "Gebel Minnegia, or Limnegia" (= Ǧabal Munāǧa) am Ausgang des Klostertals für den wahren Sinai. J.G. KINNEAR, Cairo, Petra, and Damascus, in 1839, London 1841, 9o-92, stimmt ihm bei und plädiert ebenfalls für einen die Ebene ar-Rāḥa überschauenden Berg.

223 Vgl. AMMONIUS, ed. Combefis (166o) 9o.

224 Der "Brennende Dornbusch", der heute den Besuchern des Katharinenklosters hinter der Kirche gezeigt wird, ist ein syrischer Blasenstrauch (Colutea istria). Seine hellgelben Blüten leuchten im Sonnenlicht wie kleine Flämmchen, und die langen, dornigen Ranken des üppigen grünen Busches ähneln in der Tat einem Brombeerstrauch. Nach dem vom Kloster durch PAPAIOANNOU (1976) 24 hrsg. Fremdenführer soll dieser Busch der einzige seiner Art auf der gesamten Sinaihalbinsel sein und sich jedem Versuch widersetzt haben, einen seiner Zweige an anderer Stelle zu verpflanzen. Es ist durchaus möglich, daß der Busch, den die Anachoreten im 4. Jh. vorfanden, von derselben Art oder ihm doch zumindest ähnlich war, da AETHERIA (4,7) sagt: qui rubus usque in hodie uiuet et mittet "uirgultas". Diesem Ausdruck nach könnte es aber auch ebensogut ein Brombeerstrauch gewesen sein, wie man nicht nur βάτος und *rubus*, sondern nach I. LÖW, Die Flora der Juden, 3. Bd., Wien und Leipzig 1924, 183f, auch *senē* übersetzen muß, jedoch nicht unser gewöhnlicher Rubus fruticosus, der im Orient nicht vorkommt, sondern der verschiedenfarbige Rubus discolor W. et Nees. (= Rubus sanctus Schreb.). Dagegen hatte A. KAISER, Die Sinaiwüste, Frauenfeld 1922, 66, den weder in Ägypten noch in Palästina heimischen Rubus fruticosus Feuerb. im Sinaihochgebirge angetroffen.
Johann TUCHER, Reyßbuch (1584) 366b, zeigten die Mönche im Okt. 1479 etwas abseits des Weges vom Ǧabal Mūsā hinab zum Kloster der Vierzig Märtyrer, ungefähr zwei Meilen von ihm entfernt, neben einem Brünnlein "ein Stauden oder Pusch / deßgleichen Holtz vñ Art als der rechte Pusch gewesen ist / darauß Gott mit Mosi geredt hat / der Ruthen davon schneiden die Pilgram / das sihet gleich als die grossen Hieffen-

alter (mit den Dendriten zusammenhängender?) Baumkult bestand, den man dann, ebenso wie die Verehrung dieses Gebirges durch die Nabatäer, als eine noch bei den Heiden fortlebende Heilighaltung biblischer Schauplätze verstanden haben dürfte.

Jedenfalls hatte man recht bald mit viel Phantasie noch eine Reihe weiterer Schauplätze der am Sinai spielenden Ereignisse "lokalisiert", wie die Pilgerin Aetheria bereits um das Jahr 4oo bezeugt. Nun ist es auch nicht zu leugnen, daß die dortigen topographischen Verhältnisse eine eindrucksvolle und durchaus geeignete Kulisse für die in der Hl. Schrift geschilderten Begebenheiten darstellen, worauf die Anhänger der Ǧabal Mūsā-Theorie immer wieder hinwiesen, und was auch die Eremiten damals in ihrem Glauben bestärkt haben mag, sich am richtigen Ort zu befinden: In der nördlich vom Rās aṣ-Ṣafṣāfa sich erstreckenden, etwa 5oo ha großen Ebene ar-Rāḥa ("Ruheplatz") konnte eine gewaltige Menschenmenge lagern, die ringsumliegenden Täler, besonders das Klostertal (Wādi ad-Dair od. W. Šuᶜaib) sowie das auf der anderen Seite des Ǧabal Mūsā parallel verlaufende Wādi al-Liǧā, sind reich an Grund- oder Quellwasser und die verhältnismäßig hohen Winterniederschläge bringen genügend nahrhafte Pflanzen für Schafe, Ziegen und Kamele hervor, so daß alle Voraussetzungen für einen längeren Aufenthalt in dieser Gegend gegeben sind, was nicht zuletzt den Einsiedlern selbst zugute kam.

Außerdem bildete die hier verehrte Gebirgsgruppe für einen von Ägypten kommenden Wanderer, sofern er den Spuren der Nabatäer folgte, Endpunkt und Ziel der Reise. Schaut man sich auf der Karte (CIS II/1, 352) die Verteilung der nabatäischen Inschriften an, dann stellt man fest, daß sie zum weitaus größten Teil im Südwesten der Halbinsel liegen, hauptsächlich an den uralten, von der Küste des Suesgolfes in das Innere des Zentralmassivs führenden Zugängen, besonders in den Wādis Šallāl, Mukattib, Fairān und Sulaf. Dies mag für die von den Anachoreten angenommene Auszugsroute der Israeliten durchaus eine Rolle gespielt haben, doch führte damals wie heute wohl ohnehin kein Weg an Fairān, der fruchtbarsten und wasserreichsten Oase der ganzen Halbinsel, vorbei, wenn man von Ägypten aus den Ǧabal Mūsā besuchen

---

dorn (=Hagebuttendorn) / Hecken oder groß alt Rosenstöck ... Vnd man findet deßgleichen Pusch oder Hecken an keinem ende mehr denn da stehen. Die Brüder halten auch das in groß geheim vor den Arabern / Auch sagen sie nit allen Pilgramen darvon." Vgl. auch den nahezu gleichlautenden Bericht seines Reisegefährten Sebald RIETER, in: Das Reisebuch der Familie Rieter, hrsg. von R. Röhricht u. H. Meisner, Tübingen 1884, 1o6.

wollte. Es ist daher leicht verständlich, daß dieser bedeutende Ort nach Ansicht der Eremiten eine wichtige Rolle im Auszugsgeschehen gespielt haben mußte, und so identifizierten sie ihn mit Refidim, dem Schauplatz der Amalekiterschlacht (Ex 17).

KAPITEL VII: ETYMOLOGISCHE ERKLÄRUNGSVERSUCHE DES NAMENS SINAI

§ 1: *Das Verhältnis von Sinai und Senä (Dornbusch)*

Die Vermutung, der Ǧabal Kāterīn, bzw. das dortige Gebirgsmassiv sei wegen der Dendriten von den Nabatäern auf aramäisch *Ṭūr Sīnā* od. *Sanyā* "Baumberg" oder "(Dorn-) Buschberg" genannt worden, besagt jedoch nicht, daß der biblische Name "Sinai" dieselbe Bedeutung besitzt und zwischen סיני und סנה ein sprachlicher Zusammenhang besteht. Die Etymologie der beiden Namen und ihr Verhältnis zueinander sind bekanntlich umstritten und haben zu verschiedenen Erklärungsversuchen geführt.

1.1 GESENIUS vermutete hinter סיני die seltsam anmutende Bedeutung "kothig?" von einer im Hebräischen nicht belegten Wurzel סין, die er unter Verweis auf aram. סְיָן, syr. ܣܝܢܐ "Schmutz" sowie aram. טין syr. ܛܝܢܐ und arab. طين mit "kothig sein" übersetzte [225]. Dagegen dachte FÜRST an die damit verwandte, ebenfalls ungebräuchliche Wurzel סון II "zackig, spitzig sein" und schlug die schon sinnvollere Erklärung "Felsenklüftiger, Klippenvoller, Zackiger" vor [226]. Auch von GALL trat für die Bedeutung "der Zackige" ein, indem er auf die Zusammenstellung von Σινὰ ὄρος mit Ἀγάρ in Gal 4,25 verwies, das mit arab. *ḥaǧar* "Stein" in Verbindung zu bringen sei [227]. Des öfteren wurde סיני mit der in 1 Sam 14,4

225 W. GESENIUS, Hebräisches und chaldäisches Handwörterbuch über das Alte Testament, 2 Tle, Leipzig ⁴1834, II 14o.

226 J. FÜRST, Hebräisches und chaldäisches Handwörterbuch über das Alte Testament ..., 2 Bde, Leipzig ²1863, II 74 u. 79; vgl. auch DERS., Librorum Sacrorum Veteris Testamenti Concordantiae Hebraicae atque Chaldaicae ..., Lipsiae 184o, 1285: "Felsenklüftiger".

227 A. Frhr. von GALL, Altisraelitische Kultstätten (BZAW 3), Giessen 1898, 16.

סְנֶּה genannten Felsklippe (שֵׁן הַסֶּלַע verglichen [228], woher AUERBACH seine Deutung "der spitzige Berg" bezieht [229]. Viele Anhänger gewann die Meinung von BAETHGEN, der Berg Sinai verdanke seinen Namen dem auf der Halbinsel verehrten Mondgott Sin [23o]. Von der Wüste Sin (die andere ebenfalls auf den Mondgott bezogen) wollte ihn LEPSIUS ableiten und als Nisbeform *Sīnī*, d.h. "der Berg von Sīn", erklären [231]. HAUPT hinwieder meinte, die Bezeichnung Sinai bedeute "Sennastrauchberg" und komme daher, weil viele Sennasträucher (arab. *sanāʾu, sanā,* Cassia angustifolia) auf ihm wuchsen [232].

1.2 Ebenso umstritten wie die Etymologie von סיני ist die genaue botanische Bestimmung von סנה . Wegen der damit verwandten (vgl. arab.) Wurzel *SNN* "spitz, scharf sein" konnten sich die meisten nur auf einen dornigen Wüstenstrauch einigen. Genaueres läßt sich philologisch bei einer derart generellen Wurzelbedeutung - sollte sie tatsächlich zugrundeliegen - wohl kaum ausmachen. Botanisch gesehen kommen dafür natürlich verschiedene Sträucher in Betracht. Daher versuchten manche mit Hilfe einer anderen ety-

---

228 Vgl. FÜRST, Handwörterbuch II, 88. G. DALMAN, Der Paß von Michmas: ZDPV 27 (19o4) 169 deutet den Felsennamen *Senne* als "der Stachliche" oder "den brombeerstrauchartig 'Überhängenden'"; vgl. auch DERS., Arbeit und Sitte in Palästina, Bd. I, Gütersloh 1928 / Hildesheim 1964, 54o, wo er meint, er könnte nach dort wachsenden Brombeersträuchern benannt sein.

229 E. AUERBACH, Moses, Amsterdam 1953, 168.

23o F. BAETHGEN, Beiträge zur semitischen Religionsgeschichte, Berlin 1888, 1o6; ebenso u.a. A.H. SAYCE, The "Higher Criticism" and the Verdict of the Monuments, London [4]1894, 268f; F. HOMMEL, Die altisraelitische Überlieferung, München 1897, 275; E. SCHRADER, Die Keilinschriften und das Alte Testament. 3. Aufl. ... von H. Zimmern und H. Winckler, Berlin 19o2, 365; vgl.auch die 17. Aufl. des Hebr. Wörterbuchs von GESENIUS/BUHL; A. van den BORN/H. HAAG, Sinai: Bibel-Lexikon, hrsg. von H. Haag, Einsiedeln.Zürich.Köln [2]1968, 1594; J.P. HYATT, Commentary on Exodus (NCeB), London 1971, 71 u. 2o3.

231 R. LEPSIUS, Reise von Theben nach der Halbinsel des Sinaï, Berlin 1846, 46; DERS., Briefe aus Aegypten, Aethiopien und der Halbinsel des Sinai, Berlin 1852, 345. Ebenso H. EWALD, Geschichte des Volkes Israel, 2.Bd., Göttingen [3]1865, 143; G. EBERS, Durch Gosen zum Sinai, Leipzig 1872, 392; F. de HUMMELAUER, Commentarius in Exodum et Leviticum (CSS), Parisiis 1897, 166.
Die Erklärung,der Berg Sinai habe von der Wüste Sin seinen Namen, wurde allerdings schon Jahrhunderte vorher vertreten. So sagt der 1483 zum Sinai pilgernde Felix FABRI, Reyßbuch (1584) 162a: "... denn die Wüste in der art Syn heisset / davon die Berge Synai genent sind".

232 P. HAUPT, Midian und Sinai: ZDMG 63 (19o9) 5o9; DERS., The Burning Bush: PAPS 48 (19o9) 364.

mologischen Ableitung ein ganz konkretes Wüstengewächs zu ermitteln, wobei man jedoch in der Regel nach einer dornigen Pflanze Ausschau hielt. So identifizierte HAUPT *senä* mit der arab. *sanā* (Senna) genannten dornigen Wüstenpflanze Cassia obovata [233]. TRISTRAM sah *senä* als Äquivalent des ägyptischen Namens *sûnt* an und erblickte darin die mit fingerlangen Dornen bewehrte Seyal- oder Gummiakazie (Acacia nilotica) [234], die schon vor mehr als tausend Jahren von muslimischen Exegeten vorgeschlagen wurde. Für andere waren nicht sprachliche, sondern sachliche Argumente entscheidend. So wollte J. SMITH mit der auf der Acacia nilotica feuerrotblühenden Mistel Loranthus acaciae das Phänomen des Brennenden Buschs erklären [235]. Wenn diese auch auf anderen Bäumen (Zizyphus) und Büschen des Sinai und des Hl. Landes wachsende Mistel voll in Blüte steht, hat es den Anschein, als stünde die Akazie in Flammen, ein Eindruck, der durch den Kontrast der grünen Blätter und gelben Blüten ihrer Wirtspflanze noch verstärkt wird [236]. Andere gingen von einem richtigen Feuer aus und dachten an das etwa meterhohe Kraut Dictamnus albus L. od. Dictamnus fraxinella Pers., das über und über mit feinen Öldrüsen besetzt ist, aus denen ständig ein flüchtiges Öl entweicht, das sich leicht entzünden und die ganze Pflanze in eine Stichflamme hüllen kann [237]. Für den *nbś*-Strauch (Zizyphus spina Christi, arab. *nabq, nibq, nabaq, nabiq*) war GRIMME eingetreten, weil er als Sitz und Attribut des Wüstengottes Sopdu an das Epitheton "Der im Dornbusch Wohnende" (Dtn 33,16) erinnert [238]. JULLIEN dagegen favorisierte den 3-4 m hohen Dornstrauch Crataegus sinaica Boiss. (arab. *zaʾrūr*) [239]. Andere aber möchten mit der Septuaginta (βάτος) und Vulgata (*rubus*) lieber noch beim guten alten "Brombeerstrauch" Rubus sanguineus (sanctus) od. R. discolor bleiben, indem sie auf die Erklärungen jüdischer Exegeten des 2. und 3. Jh. sowie

233 P. HAUPT, ZDMG 63 (19o9) 5o9; vgl. auch die 17. Aufl. des Hebr. Wörterbuchs von GESENIUS/BUHL sowie M. NOTH, Exodus (ATD), Göttingen [4]1968, 27.

234 H.B. TRISTRAM, The Natural History of the Bible ..., London [3]1873, 392 u. 438. Ebenso G. HENSLOW, The Plants of the Bible, London 1895, 113.

235 John SMITH, Bible Plants, London 1878. Vgl. die Abb. bei H.C. HART, Some Account of the Fauna and Flora of Sinai, Petra, and Wâdy 'Arabah, London 1891, Pl. 7 u. 1o9.

236 Vgl. H.N. MOLDENKE and A.L. MOLDENKE, Plants of the Bible, New York 1952, 23.

237 Ebd. 23.

238 H. GRIMME, Althebräische Inschriften vom Sinai, Darmstadt 1923, 85-87.

239 M. JULLIEN, Sinaï et Syrie, Lille 1893, 118. Ebenso L. FONCK, Streifzüge durch die biblische Flora(BSt 5), Freiburg i.Br. 19oo, 97f.

auf das gleichbedeutende aram. *asnā, asannā, asinn^{e}tā* und syr. *sanyā* verweisen [24o].

1.3 Da die Etymologie sowohl von סיני als auch von סנה unklar und keine der theoretisch möglichen Wurzeln סנה , סנן , סין und סון im Hebräischen belegt und eindeutig zu definieren ist, läßt sich nicht beweisen, ob und inwieweit zwischen beiden Namen ein sprachlicher Zusammenhang besteht.

WELLHAUSEN faßte סנה in Dtn 33,16 mit סיני identisch auf [241], woraufhin STEUERNAGEL in seinem Kommentar den Ausdruck שכני סנה mit der als sinnvoller empfundenen Übersetzung "der auf dem Sinai wohnt" wiedergab [242]. Die philologische Rechtfertigung für diese Konjektur lieferte BÄCK, der als analoge Beispiele שָׂדֶה / שָׂדָי und אִשֶּׁה / אִשַּׁי als monophtongische und diphtongische Formen ein- und desselben Namens anführte [243].

1.4 Wegen des Anklangs von סנה an סיני glaubte GRESSMANN in der jahwistischen Dornbuscherzählung die geschickte Verbindung einer Kultätiologie mit einer Volksetymologie zu entdecken, derzufolge der Dornbusch am Sinai stand und dem Berg den Namen gab [244]. Da zu diesem Zweck aber keine der

---

24o So vor allem I. LÖW, Die Flora der Juden, Bd. 3, Wien und Leipzig 1924 / Hildesheim 1967, 175-188. G. DALMAN, Arbeit und Sitte I, 539f; vgl. auch A. HERMANN, Dornstrauch: RAC IV (1959) 189-197. R. TOURNAY, Le nom du "Buisson ardent": VT 7 (1957) 41o-413 weist darauf hin, daß angeblich assyr.-babyl. *sinû* "Dornbusch" nichts mit hebr. *senä* zu tun hat, sondern auf einem Lesefehler für *qurnû* "Minze" beruht und daher aus dem Wörterbuch zu streichen ist. Der älteste außerbiblische Beleg für סניא findet sich in der aram. Aḥiqarerzählung von Elephantine (5. Jh. vC), womit ein überaus dorniger Busch, möglicherweise der Brombeerstrauch bezeichnet wird; vgl. Übersetzung H.L. Ginsberg: ANET (195o, [2]1955) 249f "bramble".

241 J. WELLHAUSEN, Prolegomena, Berlin [4]1895, 344, Anm. 1.

242 C. STEUERNAGEL, Das Deuteronomium (HK), Göttingen [2]1923, 178. Wenn nicht in סיני zu korrigieren, sei סנה an dieser Stelle "als wortspielende Bezeichnung des Sinai zu deuten". Daß aufgrund einer einmaligen Erscheinung ein "Wohnen" im Dornbusch ausgesagt wird, hatte man als Spannung gewertet, die offenbar schon von der LXX empfunden wurde, da sie statt dessen vom "Erscheinen" (τῷ ὀφθέντι ἐν τῇ βάτῳ) spricht.

243 L. BÄCK, סנה und סיני : MGWJ 46, NF 1o (19o2) 299-3o1. Diese Gleichsetzung erklärt allerdings nicht, woher gegenüber סנה die durchgängige Pleneschreibung bei סיני kommt.

244 H. GRESSMANN, Mose und seine Zeit (FRLANT 18, NF 1), Göttingen 1913, 24.31.38; vgl. DERS., Die Anfänge Israels (SAT I,2), Göttingen 1914, 31. Nach J. KOENIG, PHPhR 44 (1964) 232 erklärt nicht der Dornbusch den Sinai, sondern der vulkanische Sinai den Brennenden Dornbusch.

bei den Ortsnamen-Ätiologien üblichen Formeln verwendet [245] und der Sinai überhaupt nicht genannt wird, kann hier von einer Volksetymologie nicht die Rede sein, sondern höchstens von einem hintergründigen Wortspiel [246] oder einer versteckten Andeutung. Aber auch dies liegt nach der neueren Pentateuchkritik nicht vor. Nach allgemein herrschender Auffassung sind in Ex 3,1-6, wie der Wechsel der Gottesnamen am deutlichsten anzeigt, in die jahwistische Dornbuscherzählung, die in der Wüste von Midian spielt, Bruchstücke einer elohistischen Gotteserscheinung verwoben, die vermutlich nachträglich an den "Berg Elohims" verlegt wurde. Demnach handelt es sich um zwei völlig verschiedene Schauplätze, so daß also der Dornbusch nicht ursprünglich, sondern erst in der Endredaktion am Gottesberg steht. Diesen hat dann am Schluß von V.1 ein späterer Glossator, wie viele annehmen, mit dem Horeb identifiziert [247]. Wenn er trotz סנה nicht סיני , sondern das sei-

---

245 Vgl. Gen 11,9; 16,14; 19,22; 21,31; 31,48f; 33,17; 5o,11; Ex 15,23. Die Formeln untersuchten J. FICHTNER, Die etymologische Ätiologie in den Namengebungen der geschichtlichen Bücher des Alten Testaments: VT 6 (1956) 372-396 und B.O. LONG, The Problem of Etiological Narrative in the Old Testament (BZAW 1o8), Berlin 1968.

246 So G. BEER, Exodus (HAT), Tübingen 1939, 27 und G. FOHRER, Überlieferung und Geschichte des Exodus (BZAW 91), Berlin 1964, 34.

247 Als Glosse beurteilen "zum Horeb" u.a. M. NOTH, Überlieferungsgeschichtliche Studien, Tübingen ^{2}1957, 29, Anm. 4, H. SEEBASS, Mose und Aaron, Sinai und Gottesberg (AeTh 2), Bonn 1962, 5 und L. PERLITT, Sinai und Horeb: FS W. Zimmerli, Göttingen 1977, 3o9. Gegen die Auffassung, "Horeb" sei ein redaktioneller Zusatz, der den unbenannten "Gottesberg" sekundär näher bestimmen soll, wenden sich G. FOHRER a.a.O. 39 und W. RICHTER, Die sogenannten vorprophetischen Berufungsberichte (FRLANT 1o1), Göttingen 197o, 1o3, Anm. 1. Ebenso P. WEIMAR, Die Berufung des Mose (OBO 32), Freiburg Schweiz u. Göttingen 198o, 32f, der Ex 3,1bß (von FOHRER, 28, 38f, 124 und RICHTER, 182 E zugeschrieben) als redaktionellen Verbindungssatz von R^{P} ansieht (vgl. auch 368 u. 374).

Die hier auffällige Doppelung der Richtungsangabe (Präp. אל und Hē locale oder directionis), mit der man das dadurch als nachhinkend empfundene "zum Horeb" als Glosse begründet, unterstützt jedenfalls - ob man nun "zum Gottesberg, nach (dem) Horeb" auf eine Hand oder auf zwei Hände zurückführt - die Annahme einer Zusammenstellung zweier ursprünglich getrennter Größen, die in 1 Kön 19,8 zum "Gottesberg Horeb" verschmolzen sind, da nämlich die Richtungsangabe (Präp. עד) nur einmal steht, womit Horeb zur Apposition wird.
Die Bezeichnung "Horeb" taucht nicht vor der dtn/dtr Literatur auf. Sie findet sich in Ex 3,1; 17,6; 33,6 (singulär u. viell. verderbt: "Berg" Horeb); Dtn 1,2.6.19; 4,1o.15; 5,2; 9,8; 18,16; 28,69; 1 Kön 8,9 (= 2 Chr 5,1o); 19,8; Mal 3,22 u. Ps 1o6,19. Nach NOTH a.a.O. 29 stammt der Name nicht, wie allgemein angenommen, aus E, sondern ist einer älteren, nicht mehr erhaltenen Überlieferung entlehnt, von der ein Fragment in Dtn 1,1.2a vorliegen könnte. Der Name Horeb findet sich nicht im sog. Kern des Dtn, sondern in später hinzugefügten Textbereichen.

nerzeit für den Sinai gebräuchliche Horeb einsetzte,so kann dennoch nach der sekundären Zusammenlegung von Dornbusch und Gottesberg [248] diese tertiäre Gleichsetzung sehr wohl durch den Anklang von סנה an סיני verursacht worden sein, doch primär haben beide nichts miteinander zu tun.

1.5 Jedenfalls war damit einer etymologischen und allegorischen Verknüpfung von סנה und סיני der Weg bereitet. Schon in der Haggada werden beide wortspielerisch kombiniert. So sagt R. El^{c}azar aus Modi^{c}im (gest. um 135): "Seit dem Tage, da Himmel u. Erde geschaffen wurden, hieß der Name des Berges 'Horeb', als sich aber Gott dem Mose im Dornstrauch סְנֶה offenbarte, wurde er wegen des סְנֶה (wegen des Dornstrauchs) Sinai סִינַי genannt, das ist der Horeb" [249]. Diese Namenserklärung vertreten auch Abraham ben Meïr IBN ESRA (1o89-1167) in seiner Auslegung des Buches Exodus: נקרא סיני

---

1 Kön 8,9 = 2 Chr 5,1o ist von Dtn 9,8-1o,11 abhängig, Ps 1o6 setzt die dtr Geschichtstheologie voraus, Mal 3,22 bietet ein spät-nachexilisches Mahnwort in deuteronomischem Wortlaut. In 1 Kön 19,8 macht (nach NOTH a.a.O. 29, Anm. 5) "Horeb" den Eindruck einer von Dtr zu dem Begriff "Gottesberg"hinzugefügten Glosse, in Ex 3,1; 17,6 u. 33,6 wurde (wie WEIMAR a.a.O. 339 vermutet) der Name Horeb von R^{P} aus Dtn nachgetragen. Auf diesen frühestens exilisch, viell. sogar nachexilisch (vgl. ebd. 32f) anzusetzenden Redaktor (und nicht, wie üblich, auf E) führt er auch in Ex 3,1; 4,27; 18,5 u. 24,13 den Namen "Gottesberg" zurück, der keine geographische, sondern eine theologische Bezeichnung darstelle, welche die religiöse Bedeutsamkeit der mit ihm verknüpften Ereignisse, wie im Rahmen der Mose-Berufung ersichtlich, hervorheben will (ebd. 338f). Auch "Horeb" ist nach PERLITT a.a.O. 31o-322 kein quellenmäßiger geographischer Primärname, sondern ein von dtr. Kreisen für den traditionellen Sinai geschaffener Ersatzname, eine mit "Wüstengebiet" zu übersetzende Chiffre, welche wegen der Lage des Sinai in Seïr (vgl. Ri 5,4f) die Assoziation mit dem damals verhaßten Edom (und viel. auch mit dem Mondgott Sin) verdrängen und einfach nur an die südl. oder südöstl. von Palästina gelegene Wüste denken lassen sollte. Erst die Priesterschrift hatte wieder den vom Jahwisten gebrauchten Namen Sinai aufgegriffen.

248 Vgl. NOTH, Exodus 27 und W.H. SCHMIDT, Exodus (BK),Neukirchen-Vluyn 1977, 116.

249 Die jüdischen Gelehrten kannten auch andere Erklärungsversuche: "Einer von den Rabbinen sagte zu Rab Kahana (II., um 375): Hast du gehört (ist dir bekannt geworden), was Berg Sinai bedeutet? Er antwortete ihm: Berg, auf dem den Israeliten Wunder נִסִּים geschahen. Dann sollte er 'Berg Nisse' הַר נִיסַאי = 'Berg der Wunder' heißen! Vielmehr (bedeutet der Name:) Berg, der den Israeliten zu einem guten Zeichen (Vorzeichen) סִימָן טוֹב geworden ist. Dann sollte er 'Berg Sēmana' הַר סִימָנָא = 'Berg des Zeichens' heißen! Er sprach zu ihm: Warum hast du dich nicht bei Rab Papa (+ 376) u. Rab Huna b. J^{e}hoschu^{c} (um 35o) eingefunden, die über die Aggada des Rab Chisda (+ 3o9) u. des Rabba (Rabbah) b. Huna (+ 322) nachgedacht haben? Denn beide haben gesagt: Was bedeutet 'Berg Sinai'? Berg, auf dem Haß שִׂנְאָה auf die Völker der

בעבור הסנה [250] und David KIMCHI (116o-1235) in seinem Wurzelwörterbuch: ונקרא הר סיני על שמו [251]. R. BACHJA ben Ascher ibn Chalāwa schrieb in seinem um 13oo verfaßten Pentateuchkommentar, Gott sei im סנה erschienen, um auf den סיני hinzuweisen [252].

Nach jüdischem Vorbild erklärten denn auch christliche Theologen סיני mit סנה . So sagt bereits HIERONYMUS: "interpretatur autem Sinai 'rubi', non unus, ut supra in solititudine Sin, sed plures" [253]. Auch die Humanisten fanden keine bessere Erklärung. So schreibt Christiaan van ADRICHEM (Adrichomius, 1533-1585): "nomen accepit ab eo quod rubis abundet" [254]. Diese Etymologie blieb auch noch im 18. Jh. vorherrschend. Nach Johann Jacob SCHMIDT bedeutete Sinai so viel wie "Brombeer=Busch" [255]. Trotz der seit

---

Welt herabgekommen ist (wegen Nichtannahme der Tora)." Zitiert nach H. L. STRACK und P. BILLERBECK, Kommentar zum Neuen Testament aus Talmud und Midrasch, 3. Bd., München [5]1969, 572, wo sich weitere Belege finden.

25o ABRAHAM IBN-EZRA's Commentary to Exodus (Edited by I. S. Reggio, Prag 184o). With a preface and critically treated and explained on the ground of several manuscripts by Leopold Fleischer, Vienna 1926, 12.

251 Rabbi Davidis KIMCHI Radicum Liber sive Hebraeum Bibliorum Lexicon ... ed. Jo. H.R. Biesenthal et F. Lebrecht, Berolini 1847, 242.

252 ביאור על התורה, בחיי בר אשר אבן חלאוה ..., Venedig (Daniel Bomberg) 1546, 64b: אני נגלה מתוך הסנה וממקום צר הוא סנה הוא סיני כתיב הבא והנה הסנה בוער באש וכתיב בסיני וההר בוער באש.

253 HIERONYMUS, Epistula LXXVIII: Ad Fabiolam de mansionibus filiorum Israhel per heremum, 14: CSEL 55,64 (= PL 22,7o8). Im 1o. Kap. dieses Briefes hatte er auch den Namen der Wüste Sin von *senä* abgeleitet: "Sin autem interpretatur 'rubus' (uel 'odium'"; vgl. dazu Anm. 249). - Vgl. ferner HIERONYMUS, Liber interpretationis hebraicorum nominum: CChr.SL 72,77: "Sinai rubus" und S. 88: "Sina tentatio siue rubus".

254 Christianus ADRICHOMIUS, Theatrum Terrae Sanctae et Biblicarum Historiarum, Coloniae Agrippinae 159o, 124. Ebenso Sebastian MÜNSTER (Munsterus, 1488-1552) in: Critici Sacri ..., Tom. I, Londini 166o, 446: " Rubus] est סנה ... à quo nomine & arbore mons Sinai סיני est appellatus". - Johann FORSTER (Forsthemius, 1496/95?-1556), Dictionarium hebraicum nouum ..., Basileae 1557, 551: "Montis nomen à rubis".- Johannes BUXTORF (d.Ä. 1564-1629), Lexicon Chaldaicum, Talmudicum, et Rabbinicum, Basileae 1639, 1512: "Mons autem ille sic dictus fuit à סְנֶה Rubo". - CORNELIUS Cornelii a Lapide (Cornelis Cornelissen van den Steen, 1567-1637), In Pentateuchum Mosis Genesis et Oxodus, ed. A. Crampon, Parisiis 1868, 451: "dicitur Sina a ruborum copia". - Cornelius JANSENIUS (1585-1638), Pentateuchus, Lovanii [2]166o, 211: "à ruborum copia Sinai".

255 Johann Jacob SCHMIDT, Biblischer Geographus ..., Züllichau 174o, 494: "Sinai, d.i. Brombeer=Busch, davon auch das gantze Gebirge und die daran liegende Wüste den Namen hat, Act. 7,3o ."

dem 19. Jh. zahlreich auftretenden Erklärungsversuche konnte sich diese Ansicht bis in unsere Tage hinein behaupten. Nach wie vor meint AUERBACH: "Der Name (סיני) ist nicht von dem seltenen Wort סנה für 'Dornbusch' zu trennen. Er bedeutet daher entweder geradezu 'Berg des Dornbuschs' oder 'der Dornberg, der spitzige Berg'" [256].

§ 2: *Die Deutung von Sinai als "Dornbuschberg" aufgrund der Dendriten*

2.1 Da der Name Sinai bereits von jüdischen Gelehrten des späten Altertums mit dem Dornbusch in Verbindung gebracht wurde, fand man im Hochmittelalter durch die damals in Europa bekannt gewordenen Dendriten diesen Zusammenhang auf erstaunliche Weise bestätigt, war doch an ihnen die Bezeichnung "Dornbuschberg" geradezu abzulesen. Zum erstenmal verwies hinsichtlich der Etymologie des Namens Sinai auf die Dendriten der jüdisch-spanische Philosoph MOSES ben Josua (ben Mar David) NARBONI (geb. um 13oo, gest. 1362) in seinem (1355 in Toledo begonnenen und 1362 zu Soria vollendeten) Kommentar zum "Führer der Unschlüssigen" (More ha-Nebuchim) von Mose ben Maimon. Im 66. Kapitel des I. Buches legt MAIMONIDES am biblischen Sprachgebrauch dar, daß der auf die Gesetzestafeln (die nach der Mischna am 6. Tag erschaffen und bis zur Übergabe an Mose im Himmel aufbewahrt wurden) schreibende Finger Gottes nicht im physischen Sinn als ein eigens erschaffenes Schreibinstrument, sondern metaphysisch als der ewige Wille Gottes zu verstehen ist. Diese Ansicht versucht MOSES NARBONI mit Hilfe der am Sinai, dem Schauplatz der Gesetzgebung, vorkommenden Dendriten zu illustrieren. Wie nämlich zugleich mit der Erschaffung der Gesetzestafeln die Schrift, so wurde bei der Erschaffung des "Dornbuschberges" das Bild eines Dornbuschs in den Stein eingeprägt:

Als Kompositum aus סנה und dem theophoren Element יה erklärte Johann SIMONIS, Onomasticum Veteris Testamenti ...., Halae Magdeburgicae 1741, 559, den Namen Sinai mit "rubus Domini, (pro סְנֵיַי , ex סְנֶה, mutata tertia radicali ה in Iod, sicut in Chald. סַנְיָא pro Hebr. סְנֶה)".

256 E. AUERBACH, Moses 168. Im Jahrhundert zuvor hatte z.B. noch Heinrich Schwerdt, der den Reisebericht von Döbel herausgab, unter Sinai "Buschberg" verstanden; vgl. E. C. DÖBEL, Wanderungen durch einen Theil von Europa, Asien und Afrika, bearb. von H. Schwerdt, 3 Bde, Eisenach 1837-39, II (1838) 171.

דע כי הר סיני העידו עליו שהאבנים הנמצאים בו יצוייר עליהם הסנה ולכן נקרא ההר ההוא סיני על שם הסנה כמו שנגלה השם למשה מתוך הסנה ואחד מנכבדי ברצילונה מבני חסדאי הביא עמו מהאבנים ההם והראם לי אחד מתלמידי בני משפחתו וראיתי בו הסנה מצוייר בתכלית הציור ציור אלהי בגוון מתחלף לגוון האבן ושברתי האבן לחצאין ונמצא הסנה מצוייר בשטח כל חלק וכן חלקתי כל חלק לחצאין ונמצא הסנה מצוייר בשטח כל חלק בפנימיותו וכן פעמים רבות עד תום החלקים כדמות הבטנים ועדיין הסנה בהם ונפלאתי מזה ושמחתי עליו כי הוא דרך להבין כונת הרב ז״ל .[257]

"Wisse, vom Berg Sinai wird bezeugt, daß auf den Steinen, die sich dort finden, der Dornbusch abgebildet ist und daher dieser Berg wegen des Dornbuschs (senä) 'Sinai' genannt wird, wie denn auch Gott dem Mose mitten aus dem Dornbusch erschien [258]. Ein vornehmer Bürger Barcelonas, ein Chasidäer, brachte von diesen Steinen mit sich; und es zeigte sie mir einer meiner Schüler, ein Verwandter von ihm. Und ich sah auf ihnen den Dornbusch seiner Gestalt nach ganz genau abgebildet, ein wunderbar anzuschauendes Bild, verwandelt in Stein. Ich brach den Stein auseinander und fand den Dornbusch auf der (Bruch-) Fläche eines jeden Teils abgebildet. Und so teilte ich jeden Teil in Stücke, doch der Dornbusch fand sich auf der Innenseite eines jeden Stückes abgebildet. So (machte ich es) mehrmals, bis die Stücke so klein waren wie Pistaziennüsse, selbst dann noch fand sich der Dornbusch in ihnen. Ich staunte und freute mich darüber, denn dies war ein Weg, um das Anliegen des Meisters (Maimonides) - sein Andenken sei gesegnet - einsichtig zu machen."

Dieser Abschnitt wurde auch von anderen Kommentatoren des More ha-Nebuchim übernommen: um die Hälfte gekürzt und leicht verändert von Profiat DURAN (eig.Isaak ben Moses ha-Levi), gen. EPHODI [259] (gest. 1414), wörtlich dagegen von SCHEM TOB ben Joseph ibn Schem Tob (15. Jh.), ohne daß sie allerdings Narboni mit Namen nennen [26o], und schließlich Jahrhunderte später

---

257 Der Commentar des Rabbi MOSES NARBONENSIS, Philosophen aus dem XIV. Jahrhundert, zu dem Werke More Nebuchim des Maimonides. Zum ersten Male nach einer seltenen Handschrift der K.K. Hofbibliothek zu Wien, hrsg. von Jacob Goldenthal, Wien 1852, 12.

258 Es ist interessant, daß hier nicht, wie in den Reiseberichten des 14.-17. Jh., die Dendriten zur Erinnerung an den Brennenden Dornbusch (oder infolge der Theophanie anläßlich der Gesetzgebung) entstanden sind, sondern umgekehrt wegen der Dendriten Jahwe in einem Dornbusch erschien.

259 Man nennt ihn Ephodi, weil er seine Bücher und Briefe mit dem Pseudonym אפד signierte, dem Akronym aus אני פרופיאט דורן "Ich (bin) Profiat Duran"; vgl. EJ 6 (1971) 299ff.

26o Die Kommentare von EPHODI und SCHEM TOB finden sich in: R. Mosis Maimonidis liber More Nebuchim (Doctor Perplexorum) ex versione Samuelis Tibbonidae cum commentariis Ephodaei, Schemtob, Ibn Crescas, nec non Don Isaci Abravanel adjectis summariis et indicibus, 2 Vol., Berlin

noch einmal fast wörtlich und mit Quellenangabe von dem in Polen geborenen und in Deutschland wirkenden Philosophen Solomon MAIMON (1753-18oo) in seinem Giv^{c}at ha-More [261].

2.2 Die von Moses Narboni stammende Erklärung, den Namen des Berges Sinai von den Dendriten abzuleiten, wurde auch von christlichen Gelehrten übernommen. So schreibt der berühmte Basler Hebraist Johannes BUXTORF d.Ä. (1564-1629) in seinem 1615 erschienenen und wegen seiner Bedeutung und Beliebtheit wiederholt aufgelegten Wörterbuch der hebräischen Sprache unter סנה : "Hinc סִיבַי Sinai, montis nomen, à Rubi copia כי האבנים הנמצאים בו יצוייר עליהם הסנה , quòd lapides inventi in eo figuratum in se habuerint rubum, ut scribunt Commentatores in librum More nebhuchim, Par. I. cap. 66. adeò ut etiam in fragmentis lapidum istorum, figurae rubi apparuerint, quod se Ephodeus, alter istorum Commentatorum, vidisse scribit" [262].

1875; vgl. I 98b. - Eine alte Ausgabe erschien unter dem Titel: מורה נבוכים עם פירוש שם טוב ועם פירוש האפודי ..., Venedig 1551; dort fol. 48a.

261 Der Kommentar von Solomon MAIMON (und von Moses Narboni) ist ediert in: More Nebuchim. Sive liber Doctor Perplexorum auctore R. Mose Majemonide arabico idiomate conscriptus, a R. Samuele Abben Thibbone in linguam hebraeam translatus, novis commentariis uno R. Mosis Narbonnensis, ex antiquissimis manuscriptis depromto; altero anonymi cujusdam, sub nomine Gibeath Hamore adauctus, nunc in lucem editus cura et impensis Isaaci Eucheli, 3 pt. in 1 Tom., Solisbaci 18oo; vgl. I 64b.
Nochmals kurz skizziert wurde Moses Narboni von Samson BLOCH ha-Levi (1784-1845) in *Šebīlē ^{c}Ōlām* ("Wege der Welt"), der ersten in hebräischer Sprache verfaßten Geographie, deren beiden ersten Teile über Asien und Afrika 1822-27 erschienen; vgl. שבילי עולם, חלק ראשון אזיא, Warschau 1855, 27b Anm.: וספרו תרי הארץ כי האבנים אשר שם, נמצאים בהם קוים דקים מתפשטים ומתפצלים כוורידים בצורת הסנה, ואם ישברו האבנים לכמה חלקים תמצא צורת הסנה בקוים שבכל אחד מהם עכ״ל.
Vgl. auch I. LÖW, Die Flora der Juden, III 184, der die hier beschriebenen "versteinerten Pflanzen" nicht mit dem Dornbusch (*senē*) in Verbindung bringen will. Wahrscheinlich hat er aus dem ספרו (ספרו תרי הארץ "es berichten die Forschungsreisenden der Erde") einen Reisenden "Saphir" gemacht.

262 Johannis BUXTORFI Lexicon Hebraicum et Chaldaicum .... Editio novissima .... Basileae 1735, 514 (zuerst 1615. In dem Vorläufer dieses Wörterbuchs: Epitome Radicum Hebraicarum et Chaldaicarum ..., Basileae 16o7, hatte Buxtorf noch nichts davon geschrieben). Ephodi hat, wie man an Satzbau und Wortwahl klar erkennen kann, die Angaben Narbonis lediglich in gekürzter und deswegen geringfügig geänderter Form übernommen, so daß Buxtorf der Meinung war, auch Ephodaeus habe einen solchen Dendritenstein vom Sinai gesehen.

Einen kurzen Hinweis bringt auch Edmund CASTELL in seinem monumentalen, zum Studium der Polyglotten mühsam erarbeiteten siebensprachigen Lexikon unter dem Stichwort סנה : "Sinai mons, Ruborum plenus, in quo lapides inveniuntur, quorum si frangantur partes habent imaginem Rubi, More, I. c 66" [263].

Auf diese Etymologie kommen, offensichtlich voneinander abhängig, noch drei englische Reisende zu sprechen, die alle in der ersten Hälfte des 18. Jh. den Sinai besuchten, nämlich im Jahr 1722 Thomas SHAW, 1734 Charles THOMPSON und 1738 der bekannte Richard POCOCKE. Der bereits zitierte SHAW, der in den Dendriten versteinerte Tamarisken sehen möchte und von "Marble Embuscatum or Bushy Marble" spricht, bringt in einer Anmerkung nach dem Lexikon von Buxtorf die Erklärung des Namens Sinai [264]. Diese Etymologie scheint damals, besonders in England, verschiedene Anhänger gefunden zu haben, denn der unter den Sinaireisenden sich erstmals der Bezeichnung "Dendriten" bedienende POCOCKE schreibt: "It is conjectured by some that the derivation of the name of mount Sinai, is from (סנה) in the Hebrew, which signifies a bush, on account of the dendrite stones of this mountain, which are full of the figures of trees or shrubs; or, it might have its name from some part of it abounding in such shrubs" [265]. In dem zuletzt erschienenen Reisebericht von THOMPSON steht über den Katharinenberg: "This Hill is full of a Sort of dendrite or bushy Marble, if I may call it so, which, when broken, exhibits the Representation of Trees or Bushes: And from such Stones as these Mount Sinai had its Name, according to Buxtorf and others, who derive it from a Hebrew Word which signifies a Bush or Bramble; some of the red Granite Stones of that Mountain being also mark'd with the Figures of Shrubs and Trees, but not so beautiful a Manner as these of Mount Catharine" [266].

2.3 Zur gleichen Zeit gab es aber auch bereits Stimmen, welche die auf den Dendriten beruhende Etymologie von Sinai als "Dornbuschberg" in Zweifel zogen oder gar ablehnten, weil man nunmehr die Dendriten ganz nüch-

---

263 Edmundus CASTELLUS, Lexicon Heptaglotton, Hebraicum, Chaldaicum, Syriacum, Samaritanum, Aethiopicum, Arabicum, Conjunctim; Et Persicum, Separatim ..., Londini 1669, 2571.

264 T. SHAW, Travels ..., Oxford 1738, 382; vgl. oben S. 61.

265 R. POCOCKE, A Description of the East ..., London 1743, 145. Dt. Ausg.: Beschreibung des Morgenlandes ..., Erlangen 1771, 217.

266 C. THOMPSON, Travels through Turkey in Asia, the Holy Land, Arabia, Egypt, and others Parts of the World ..., 2 vols., London 1754, I 213f.

tern rein naturwissenschaftlich erklärte und die seltsamen alten Wundergeschichten, die Dendriten und Dornbusch miteinander verknüpften, von der damals herrschenden Aufklärung als unvernünftig abgetan wurden. So schreibt Johann Jacob SCHEUCHZER in seiner 1731 herausgegebenen "Kupfer-Bibel" zu Ex 3,2.3, er wolle nicht weiter untersuchen, welcher Art der Dornbusch gewesen sei, und "ob der Berge Sinai von der Menge vieler allda befindlichen dörnichten Pflantzen, Seneh, seinen Namen bekommen? dieses aber kan man gleichwol nicht zugeben, daß der so genandte Baum=Stein, Dendrites, den man hin und wieder, und auch auf dem Berge Sinai (findet) und daher Sinaiticus Lapis, pietra di Sinai, genennet wird, eine Verwandschafft mit Rubo, dem Busch habe, oder mit all ein Gedächtnis=Zeichen dieses herrlichen Gesichtes seye? Es findet solches eben so wenig statt, als jene Malthesische Steinzungen können vor Uber=Bleibseln jener vom Heil. Paulo durch Wunder in Stein verwandelten Schlangen gehalten werden" [267].

---

267 Kupfer=Bibel / In welcher Die Physica Sacra, Oder Geheiligte Natur= Wissenschafft Derer In Heil.Schrifft vorkommenden Natürlichen Sachen / Deutlich erklärt und bewährt Von Joh. Jacob SCHEVCHZER ..., Bd. 1, Augspurg und Ulm 1731, 155.
SCHEUCHZER hatte von den Dendriten bereits eine im Wesentlichen richtige Vorstellung. Er wußte, daß es keine versteinerten Pflanzen waren. Zur Begründung sagt er in seinem Herbarium Diluvianum,Editio Novissima, duplo Auctior, Lugduni Batavorum 1723, 27:

"Solent Dendritae semper solas Arborum & Fruticum ramificationes, prout ex longinquo spectantur, à Pictoribus miniato vel punctulato opere (en miniature) exprimuntur, repraesentare, nunquam flores, vel semina, vel fructus, nec etiam folia, prout visui propriùs admota sese offerunt. Ex hujus Phaenomeni consideratione statim patet, non esse has arbuscularum imagines ipsas arbusculas, quae extiterint aliquando, petrefactas, nec etiam Fruticum impressiones in molliori adhuc Lapidis superficie factas, nam sic exprimerentur non nudi ramuli, sed ipsa florum, foliorum, fructuumque adessent vestigia ..."

Er kann nachweisen, daß Dendriten durch eine Lösung entstanden sind (S. 3o):

"... ad veritatem pandit Experimentum facile, vel pueris notum, quo bina marmora polita, vel Lapides fissiles laeves, super invicem, oleo vel Aqua interfluente, triti, easdem prorsus, quas in Dendritis videmus, arbuscularum figuras exprimunt, & cum hac quidem notabili circumstantia, quòd & hîc nulli ramuli alios intersecent ..." (S. 31): *"Dubium nemini ampliùs superesse potest, Dendritas eodem prorsus modo ab interfluente in stratis fluido figuratos fuisse ..."*

Allerdings hatte SCHEUCHZER die falsche Vorstellung (S. 32):

"... fieri Dendritas per expressionem fluidi cujusdam ex ipsius Lapidis substantia, quod posteà super externam ejus superficiem sese diffundat ..."

Wie M.B. VALENTINI, Musei Museorum, Zweyter Theyl ..., Franckfurt am Mayn 1714, 36 berichtet, hatte Lucas Schröcken angenommen,

"daß die Bäumcher / Sträuche und andere Bilder auff diesen Steinen von nichts anderst herrühren / als von einem unterirdischen hartzigten Safft / welcher sich zwischen die noch weiche Steine setzet / auch

Nach den vielerlei Meinungen und Ansichten, die bisher über die Namensdeutung und die Lage des Sinai vorgebracht wurden, neigt man angesichts des komplizierten philologischen und literarkritischen Befundes ein wenig resigniert zu der Schlußfolgerung, daß die auf den Dendriten beruhende Erklärung von Sinai als "Baumberg" oder "Dornbuschberg", so ansprechend und interessant sie auch ist, trotz allem nicht die richtige Etymologie sein wird. Dennoch scheint es sehr wohl möglich, daß die Nabatäer den Ǧabal Kāterīn und Ǧabal Mūsā wegen der die Aufmerksamkeit erregenden Dendriten *Ṭūr Sīnā* nannten und deshalb die Eremiten des frühen 4. Jh. diesen Gebirgsstock für den Sinai der Bibel hielten.

Abschließend kann man die Frage stellen, ob diese Berge vielleicht schon vor den Nabatäern als heilig galten und inwieweit die Kunde von solchen sinaitischen Bergheiligtümern auch in Israel verbreitet war.

§ 3: *Suchte man bereits in biblischer Zeit den Sinai im Hochgebirge der südlichen Halbinsel?*

Nach Hugo GRESSMANN [268] haben die Nabatäer schon vor dem Jahr 15o nC, aus dem sie uns die bisher älteste datierte Inschrift auf der Sinaihalbinsel hinterließen, den Glauben an die Heiligkeit des Sinai von der vornabatäischen Bevölkerung Nordwestarabiens (Horitern, Midianitern, Edomitern?), deren Wohnsitze sie okkupierten, übernommen, wie das auf Agatharchides von Knidos (um 13o vC) beruhende Zeugnis Diodors (III,42-43) beweise. Hier wird von einem quellenreichen "Palmenhain" gesprochen, in dem sich seit alter Zeit ein Altar mit einer unbekannten (d.h. jedenfalls nicht ägyptischen) Inschrift und ein Heiligtum befinde, das von einem Priester und einer Priesterin betreut werde und zu dem die Bevölkerung der ganzen Umgebung alle fünf Jahre wallfahre, um den Göttern des Ortes fette Kamele zu opfern. Wenn mit diesem Palmenhain auch sicherlich die Oase Fairān gemeint ist, worauf das als heilkräftig verehrte besonders kalte Quellwasser hindeutet, so

---

dieselbige mehr oder weniger durchdringet / daß man die Figuren entweder nur auff einer / oder zugleich auff der andern Seiten sehen könne. Auff was Art und Weiß aber eben dergleichen Bäumcher von diesen Säfften durch das Spielen der Natur delineiret wurden / solches ist eben so leicht nicht zu sagen."
Zitiert auch im UNIVERSAL LEXICON, ed. Zedler, 3 (1733) 77o.

268 H. GRESSMANN: ThLZ 42 (1917) 153-156.

steht doch noch lange nicht fest, daß dieser Kult in Wirklichkeit dem schwer besteigbaren Sirbāl galt, wie MORITZ behauptet [269], und daß diese Verehrung dann die Nabatäer nach Meinung von Greßmann übernommen haben. Noch weniger beweisbar und wahrscheinlich ist die Vermutung von Albrecht ALT, der nabatäische Kult im Hochgebirge der Sinaihalbinsel könne "geradezu ein örtlicher Nachfolger des ältesten uns noch erkennbaren Jahwekultus" gewesen sein und damit eine treffende Analogie zum Gottesberg der israelitischen Überlieferung darstellen [27o].

Wo die einzelnen Pentateuchquellen den Gottesberg-Sinai-Horeb gesucht haben, konnte bisher noch nicht herausgefunden werden, zumal man sich über ihre Vorstellungen von der Auszugsroute ebensowenig im Klaren ist. Einen Hinweis auf die Lage des Sinai im südlichen Hochgebirge der Halbinsel liefert uns jedoch die PRIESTERSCHRIFT in Ex 16. Wie meine literarkritische und traditionsgeschichtliche Untersuchung [271] dieses Kap. gezeigt hat, läßt sich die Mannaerzählung (auch in Num 11; Dtn 8,3+16; Jos 5,12; Neh 9,15+2o; Ps 78, 23-25 u. Ps 1o5,4o) nur auf P und auf keine ältere Quelle, also nicht J, wie allgemein angenommen, oder E zurückführen. Die priesterschriftliche Grunderzählung (Ex 16,1-3.6+7.9-14abα.15.21.31.35a), die dreifach erweitert wurde (1. erweiterte Einheit: Ex 16,22aαb.23-24aα.25-26; 2. erweiterte Einheit: Ex 16,16-2o.32-34; 3. erweiterte Einheit: Ex 16,4+5.27-3o) und wovon alle übrigen Stellen des AT über das Manna abhängig sind, bringt in den Vv 14+31 eine ganz realistische und naturkundlich einwandfreie Beschreibung des Mannas. Daß sie tatsächlich ein Naturprodukt, nämlich das sinaitische Tamariskenmanna meint, konnte auch an der Etymologie von מן "Manna" aufgezeigt werden. Als Grundbedeutung stellte sich "dünne Schicht, feiner Belag; etwas Dünnes, Feines" heraus, so daß P mit דק in Ex 16,14 eine exakte wissenschaftliche Etymologie von מן gibt [272]. Wenn nun P das Manna so genau kennt, wird sie sicherlich auch gewußt haben, daß sich dieses Naturprodukt einzig und allein in den Tälern des südlichen Hochgebirges und nicht etwa auf der gesamten Sinaihalbinsel oder gar darüber hinaus findet, wie oft

---

269 B. MORITZ, Der Sinaikult in heidnischer Zeit: AGWG.PH NF 16,2 (1916) 38.

27o A. ALT, Der Gott der Väter: BWANT 3. Folge Heft 12 (1929) = in: A. ALT, Grundfragen der Geschichte des Volkes Israel. Eine Auswahl aus den 'Kleinen Schriften'. Hrsg. von S. Herrmann, München 197o, 25.

271 P. MAIBERGER, Das Manna. Eine literarische, etymologische und naturkundliche Untersuchung (ÄgAT 6), Wiesbaden 1983.

272 Hier kann nur kurz das Ergebnis meiner Untersuchungen vorgestellt werden, die Beweisführung ist in der Arbeit selbst nachzulesen.

fälschlich angenommen. Dies hängt mit den besonderen, nur dort herrschenden (und in den letzten fünftausend Jahren konstant gebliebenen) klimatologischen Verhältnissen zusammen. Wenn die Priesterschrift den wunderbaren Sachverhalt, daß der gütige Gott sein unzufriedenes und murrendes Volk in der lebensfeindlichen und unfruchtbaren Wüste vor dem Hungertod bewahrt hat, mit dem Tamariskenmanna erklärt, dann muß sie wohl der Meinung gewesen sein, daß die Israeliten durch den Süden der Halbinsel gezogen waren und irgendwo im dortigen Hochgebirge der Sinai lag [273].

Auf der Sinaihalbinsel scheint auch JOSEPHUS FLAVIUS den Berg gesucht zu haben, wie man seinem geographischen Hinweis in Contra Apionem (II,25) entnehmen kann: τὸ μεταξὺ τῆς Αἰγύπτου καὶ τῆς 'Αραβίας ὄρος, ὃ καλεῖται Σίναιον. Ob er dabei einen konkreten Berg im Auge hatte, wissen wir nicht. Wenn er ihn als höchsten Berg der ganzen Umgebung schildert (Ant. II,265: τοῦτο δ' ἐστὶν ὑψηλότατον τῶν ταύτῃ ὀρῶν καὶ πρὸς νομὰς ἄριστον, ἀγαθῆς φυομένης πόας), der wegen seiner außerordentlichen Höhe und Steilhänge nicht nur für den Fuß, sondern auch für das Auge eines Menschen unerreichbar zu sein scheint (Ant. III, 76: τὸ Σιναῖον, ὑψηλότατον τῶν ἐν ἐκείνοις τοῖς χωρίοις ὀρῶν τυγχάνον καὶ διὰ τὴν ὑπερβολὴν τοῦ μεγέθους καὶ τῶν κρημνῶν τὸ ἀπότομον ἀνθρώποις οὐ μόνον οὐκ ἀναβατὸν ἀλλ' οὐδὲ ὁραθῆναι δίχα πόνου τῆς ὄψεως δυνάμενον), dann dürfte er weniger einen realen als vielmehr einen idealen Berg beschreiben, um dadurch seine ehrfurchtsgebietende Heiligkeit und Unbetretbarkeit hervorzuheben (ebd.: ἄλλως τε διὰ τὸν λόγον εἶναι περὶ τοῦ τὸν θεὸν ἐν αὐτῷ διατρίβειν φοβερὸν καὶ ἀπρόσιτον). Außerdem bestimmte man damals die Höhe eines Berges nicht nach dem Meeresspiegel, sondern nach dem Augenschein, d.h. wie hoch er sich von seiner Umgebung abhob, sodaß eine derart subjektive Angabe auf viele Berge zutreffen kann. Auf das südliche Hochgebirge weist aber auch bei Jo-

---

273 Die Wachtelspende weist dagegen an das Gestade des Mittelmeeres. Dort werden heute noch diese (inzwischen seltener gewordenen) Vögel in kilometerlangen Netzen eingefangen. Um die Zeit des Ersten Weltkrieges erbeutete man zwischen ein und zwei Millionen Wachteln! Allerdings fällt die Jagdsaison in den Herbst, wenn sich diese Zugvögel auf dem Weg von Europa nach Afrika befinden. Der Auszug der Israeliten aber geschah im Frühjahr zur Zeit des Wachtelrückflugs. Um diese Zeit kann man nur in der weiteren Umgebung des Hafenstädtchens aṭ-Ṭūr ausnahmsweise gleichzeitig Wachteln und Manna antreffen. Wenn auch die Wachtelspende in Ex 16,13 (P) von den gewaltigen herbstlichen Vogelschwärmen an der Mittelmeerküste inspiriert ist (Manna findet man dort und in der gesamten Tīh-Region nicht!), so kann die Priesterschrift jedenfalls nicht in der Nähe des Mittelmeeres den Sinai gesucht haben, weil es dort keine Berge gibt.

sephus Flavius die Bemerkung, das Manna regne noch bis auf den heutigen Tag in jener ganzen Gegend vom Himmel (Ant. III,31: ἔτι δὲ καὶ νῦν ὕεται πᾶς ἐκεῖνος ὁ τόπος, καθάπερ καὶ τότε Μωυσεῖ χαριζόμενον τὸ θεῖον κατέπεμψε τὴν διατροφήν), womit er also ein Naturprodukt, nämlich das Tamariskenmanna, meint [274].

Offensichtlich hatte man schon Jahrhunderte vor den christlichen Einsiedlern den Sinai im südlichen Hochgebirge der Halbinsel vermutet, was auch den Anachoreten bekannt gewesen und ihnen bei ihrer Suche nach dem Gesetzesberg die Richtung gezeigt haben könnte. Ob allerdings bereits die Priesterschrift einen ganz bestimmten Berg, am Ende gar den Ǧabal Mūsā für den Sinai hielt, kann man nicht wissen. Die Feststellung, daß sie das Tamariskenmanna jener Gegend ganz genau kannte, zeigt jedenfalls, daß sie mit den dortigen besonderen Verhältnissen gut vertraut war. Man kann daher natürlich die Frage aufwerfen, ob P bereits von den Dendriten dort wußte und diese strauchähnlichen Zeichnungen im Gestein jener Berge, wie es Jahrhunderte später denn auch geschah, mit dem Brennenden Dornbusch und dem Sinai in Verbindung brachte. Da sich dafür aber nicht der geringste Anhaltspunkt in der Priesterschrift findet und jenes interessante Phänomen, das man als "Dendriten-Frömmigkeit" der Sinaipilger bezeichnen könnte, nachweislich erst im 13. Jh. auftaucht, sollte man von solchen Spekulationen absehen.

KAPITEL VIII: DER BAU DES KATHARINENKLOSTERS NACH EINER DORTIGEN UNEDIERTEN ARABISCHEN HANDSCHRIFT

§ 1: *Die Nachrichten von Prokopios und Eutychios*

Über den Bau des Katharinenklosters sind wir hauptsächlich aus zwei Quellen unterrichtet. Die erste stammt von dem zeitgenössischen Historiker PROKOPIOS von Kaisareia (geb. um 49o in Caesarea in Palästina, gest. nach 562), der in seinem Spätwerk De aedificiis (περὶ κτισμάτων), in dem er nach geographischer Ordnung die Baudenkmäler Justinians beschreibt, im 5. Buch, Kap. VIII, 1-9, wenn auch nur kurz, von dem stark befestigten Kloster am Sinai und sei-

---

274 Wenn JOSEPHUS einige Sätze zuvor (III,27) sagt, das Volk habe, als es das ihm unbekannte Manna vom Himmel fallen sah, gemeint, es schneie und diese Erscheinung der Jahreszeit zugeschrieben (τοῦ πλήθους ἀγνοοῦντος καὶ νομίζοντος νίφεσθαι καὶ τῆς ὥρας εἶναι τοῦ ἔτους τὸ γινόμενον), dann kann man auch diese metereologische Bemerkung wiederum auf das Zentralmassiv beziehen, da nur dort Schnee fällt.

ner der Gottesmutter geweihten Kirche berichtet. Die zweite, sehr viel ausführlichere Information liefert uns, allerdings über dreieinhalb Jahrhunderte später, der alexandrinische Patriarch EUTYCHIOS, auf arabisch Sa^cīd Ibn Baṭrīq genannt (geb. am 17. Aug. 877 in Fusṭāṭ, gest. am 11. Mai 94o in Alexandrien), in seinen "Die Perlenschnur" (Naẓm al-ǧauhar) betitelten Annalen [275]. Im Gegensatz zu Prokopios wurde das Geschichtswerk des Eutychios, dessen Beliebtheit sowohl die große handschriftliche Verbreitung als auch die wiederholte Benützung durch spätere Historiker bezeugt, wie den Kopten al-Makīn (13. Jh.), den Araber al-Maqrīzī (14. Jh.) und den Kreuzzugschronisten Wilhelm von Tyrus (12. Jh.), in Europa erst verhältnismäßig spät bekannt. Die erste vollständige lateinische Übersetzung besorgte 1658 Edward Pococke [276] (abgedruckt in PG 111,9o7-1156), der arabische Text wurde 19o6-19o9 von Louis Cheikho (CSCO 5o-51) ediert [277].

Dazu gesellt sich eine weitere, ebenfalls arabisch verfaßte Überlieferung in einer kleinen, im Katharinenkloster selbst aufbewahrten Handschrift, die aber bisher noch nicht veröffentlich wurde. Sie soll daher hier zum erstenmal ediert, übersetzt und kommentiert werden. Damit der Leser jene drei Überlieferungen bequem kennenlernen und miteinander vergleichen kann, empfiehlt es sich, zugleich als Einführung in die Thematik, die Texte von Prokopios und Eutychios, wenigstens in deutscher Übersetzung [278], vorauszuschicken.

1.1 PROKOPIOS schreibt:

"In der früher Arabien, jetzt aber das dritte Palästina genannten Landschaft erstreckt sich weithin eine wüste Gegend, unergiebig an Früchten, Wassern und allen sonstigen Gütern. Dort liegt auch ein steiler und gewaltig rauher Berghang, der den Namen Sinai trägt, ganz nahe an dem sogenannten rothen Meere ... Auf diesem Berge Sina wohnen Mönche, deren Leben eine sorgfältige Beschäftigung mit dem Tode ist, da sie in der ihnen so theuren Einsamkeit einen ungestörten Genuss finden. Diesen Mönchen nun erbaute Kaiser Justinian (da sie nichts haben, wonach sie trachten, sondern erhaben über alles Menschliche sind, und nicht den Erwerb, noch die Pflege ihres Lebens, noch auch irgend eine andere Annehmlichkeit, welcher Art sie

---

275 Vgl. G. GRAF, Geschichte der christlichen arabischen Literatur, 2 Bd. (StT 133), Città del Vaticano 1947, 32-35.

276 Contextio Gemmarum, sive, EUTYCHII Patriarchae Alexandrini Annales. Illustr. Joanne Seldeno ... interprete Edwardo Pocockio, 2 Tom., Oxoniae 1658-59.

277 EUTYCHII Patriarchae Alexandrini Annales I, edidit L. Cheikho: CSCO 5o (Scriptores Arabici Tom. 6), Louvain ²1954.

278 Nach G. EBERS, Durch Gosen zum Sinai, Leipzig 1872.

auch sei, im Auge haben) eine Kirche, welche er der Gottesgebärerin weihte, damit die Mönche dort in Gebet und Opfer ihr Leben beschliessen könnten. Diese Kirche errichtete er aber nicht auf dem Gipfel des Berges, sondern tief unten; denn es ist dem Menschen unmöglich auf der Höhe die Nacht zuzubringen, da beständige Donnerschläge und andere Himmelsphänomene, welche des Menschen Herz und Sinn erschrecken, sich bei Nacht hören lassen. Da hat einst Mose, wie es heisst, seine Gesetze von Gott empfangen und verkündet. An dem Fusse des Berges erbaute dieser Kaiser auch eine ausserordentlich starke Veste und errichtete einen ansehnlichen Militärposten, damit nicht, da wir ja das Land als ein unbewohntes kennen, die barbarischen Saracenen von dieser Seite her Palästina ganz unerwartet überfallen könnten. Das wurde also hier von Justianus in's Werk gesetzt" [279].

1.2 EUTYCHIOS liefert zwar eine ausführlichere Nachricht, die aber stellenweise den Eindruck erweckt, mit legendären Zügen ausgeschmückt zu sein:

"Als aber die Mönche des Berges Sina von dem guten Willen des Kaisers Justinian gehört hatten, und wie er sein Vergnügen in der Gründung von Kirchen und Klöstern fände, gingen sie zu ihm und klagten, dass die ismaelitischen Araber ihnen dadurch, dass sie ihre Vorräthe an Lebensmitteln aufzehrten und ihre Wohnstätten zerstörten, Schaden zufügten. Sie kämen in ihre Zellen, plünderten alles darin befindliche, stürzten in ihre Kirchen und verschlängen die Hostien. Als nun der Kaiser fragte, was sie wollten, antworteten sie 'Wir bitten, o Herrscher, dass du uns ein Kloster erbauest, worin wir Schutz finden'. Denn damals gab es auf dem Berge Sina noch keine Klosterbrüderschaft zur Vereinigung der Mönche; sie lebten vielmehr zerstreut auf den Bergen und in den Thälern um den Dornbusch, aus welchem Gott zu Mose gesprochen. Sie hatten nur oberhalb des Busches einen grossen Thurm, der noch heute steht und darin einen Tempel der heiligen Maria. In diesen Thurm pflegten sich die Mönche, wenn sich jemand näherte, von dem sie etwas befürchteten, zu flüchten und sich in ihm in Vertheidigungszustand zu setzen. Es schickte also der Kaiser zugleich mit ihnen einen Gesandten ab, welcher mit vielen Schätzen und mit einem Schreiben an den Statthalter von Aegypten versehen war, des Inhalts, dass er ihm so viel Geld wie er verlangte, zahlen, ihm Männer zur Verfügung stellen und ihm Lebensmittel aus Aegypten herbeischaffen lassen sollte. Dem Gesandten wurde ferner der Auftrag gegeben, eine Kirche zu Kolzem (Kolzum) zu erbauen, desgleichen ein Kloster zu Raya (Raithu-Ṭôr) und ein anderes am Berge Sina zu errichten. Das letztere sollte er so vertheidigungsfähig machen, dass sich an keinem anderen Orte in der ganzen Welt ein besser befestigtes finden liesse. Die Fortification sollte so beschaffen sein, dass man nicht zu befürchten habe, es könne dem Kloster oder den Mönchen von irgendeiner Stelle aus Schaden zugefügt werden. Sobald der Gesandte in Kolzem angekommen war, gründete er dort die Kirche des heiligen Athanasius und erbaute das Kloster zu Raya. Dann ging er nach dem Berge Sina, wo er an einer engen Stelle zwischen zwei Bergen den Busch, eben dort einen in seiner Nähe errichteten Thurm und hervorsprudelnde Quellen fand. Die Mönche wohnten in den Thälern zerstreut. Er hatte daher im Sinne die Stelle, wo der Dornbusch und der Thurm standen, aufzugeben und das Kloster oberhalb des Berges zu errichten. Diesen Plan verwarf er jedoch wiederum des Wassers halber; denn es gab kein Wasser auf der Höhe des Berges. Er errichtete daher das Kloster neben dem Dornbusche

---

279 EBERS 4o3f. Den griech. Text findet man z.B. in: PROCOPIUS,with an English translation by H.B. Dewing ... with the collaboration of Glanville Downey, Vol. VII: Buildings ... (The Loeb Classical Library), London, Cambridge/Massachusetts 1961, 354ff.

an der Stelle des Thurmes, so dass er den Thurm mit in das Kloster einschloss. Und es lag das Kloster zwischen zwei Bergen an einer engen Stelle, also, dass, wenn jemand auf den nördlichen Gipfel des Berges stieg und einen Stein warf, dieser mitten in das Kloster fiel und die Mönche schädigte. Und das Kloster erbaute er nun an der bezeichneten engen Stelle, neben dem Dornbusche, den erhabenen Denkmälern und den Wassern; den Tempel jedoch auf des Berges Scheitel, an der Stelle, wo Mose das Gesetz empfing. Der Vorsteher des Klosters führte den Namen Doula.

Als der Gesandte zum Kaiser zurückgekehrt war, erzählte er ihm, welche Kirchen und Klöster von ihm errichtet worden wären; auch beschrieb er ihm, in welcher Weise er das Kloster des Berges Sinai erbaut habe. Der Kaiser erwiderte ihm: Du hast fehlerhaft gehandelt und den Mönchen Schaden zugefügt, da du sie in die Hände ihrer Feinde gegeben hast. Warum hast du denn nicht das Kloster auf des Berges Scheitel errichtet? Der Gesandte antwortete: Ich habe es neben den Dornbusch und in die Nähe des Wassers gelegt, weil, wenn es auf dem Gipfel des Berges erbaut worden wäre, die Mönche derartig an Wasser Mangel gelitten haben würden, dass sie vor Durst umkommen müssten, wenn man ihnen bei einer dereinstigen Belagerung das Wasser abschnitte. Ausserdem würde der Dornbusch weiter von ihnen entfernt gewesen sein. Der Kaiser sagte: Du musstest also den Berg, der im Norden das Kloster beherrscht, der Erde gleich machen. Der Gesandte entgegnete ihm: Wenn wir alle Schätze Roms, Aegyptens und Syriens daran wendeten, so vermöchten wir diesen Berg doch nicht der Erde gleich zu machen. Da ergrimmte der Kaiser und liess ihm das Haupt abschlagen.

Dann schickte er einen anderen Gesandten ab und zugleich mit ihm von den Haussklaven der Römer mit ihren Weibern und Kindern hundert Männer, und befahl ihm, noch aus Aegypten andere hundert mit Weib und Kind zu nehmen, denen er ausserhalb des Klosters Häuser errichten sollte, in denen sie wohnen möchten, um das Kloster und die Mönche zu beschützen. Ferner gebot er, ihnen Lebensunterhalt darreichen und ihnen und dem Kloster aus Aegypten an Getreide, so viel sie brauchen würden, herbeischaffen zu lassen. Als nun der Gesandte nach dem Berge Sina (Sinai) gelangt war, errichtete er ausserhalb des Klosters nach Osten zu viele Wohnungen und verschanzte sie mit einer Burg. In diese (Wohnungen) liess er die besagten Sklaven ziehen, damit sie das Kloster bewachten und dasselbe beschützten. Dieser Ort heisst bis auf den heutigen Tag Dir el Abid (Deir el ᶜAbîd) oder das Kloster der Sklaven. Als sie aber durch Kinderzeugung vervielfältigt lange dort gehaust hatten und der moḥammedanische Glaube sich geltend machte, fielen sie einer über den andern her und richteten unter einander ein Blutbad an, wobei einige fielen, andere flohen und noch andere den moḥammedanischen Glauben annahmen. Die Kinder der letzteren bekennen in den Klöstern bis auf den heutigen Tag jene Religion und heissen Banu Salchi. Sie gelten für Kinder (oder Sklaven) des Klosters, und zu ihnen gehören die Lachmienser. Die Mönche zerstörten aber die Wohnungen der Sklaven, nachdem diese die Religion des Moḥammed angenommen hatten, damit niemand in ihnen hause; sie stehen daher noch heute verfallen da" [28o].

28o EBERS 4o7-4o9 u. 293f. Vgl. den arab. Text in CSCO 5o,2o2-2o4 und die lat. Übers. in PG 111,1o71f.

§ 2: *Beschreibung und Inhaltsangabe der Handschrift*

Die besagte arabische Handschrift erzählt vom Bau des Katharinenklosters unter Justinian und der Sendung von Sklaven auf ganz ähnliche Weise, bringt aber noch mehr Einzelheiten, so daß dieser Text mitgeteilt und der Nachricht des Eutychios zur Seite gestellt zu werden verdient.

2.1 Das Manuskript besitzt ein etwas unübliches längliches Format von 38x 15,5 cm und besteht, ebenso ungewöhnlich, aus nur 7 Blatt Papier, von denen 4 Seiten sogar unbeschrieben sind. In dem bis Nr. 628 reichenden Katalog von Margaret Dunlop GIBSON, die 1893 zum erstenmal, leider in aller Eile und daher mit vielen Fehlern, die arabischen Handschriften des Klosters aufnahm, findet man dieses schmale Heftchen nicht [281]. Es wurde erst von Aziz Suryal ATIYA aufgespürt, der weitere 23 bisher unbekannte arabische Handschriften ausfindig machen konnte, die er im Anschluß an Gibson von 629 bis 652 durchzählte. Unsere Handschrift erhielt dabei die Nr. 648, die, von einem Kästchen umrahmt, auf dem leeren Deckblatt (fol 1a) oben in der Mitte eingetragen steht. Später aber mußte Atiya feststellen, daß man schon vorher verschiedenen gedruckten arabischen Büchern der Klosterbibliothek die Nummern 629 bis 672 gegeben hatte, so daß er die 24 Handschriften im Anschluß an diese von 673 bis 696 neu numerierte, wobei die alte Nr. 648 in Nr. 692 abgeändert wurde, unter der sie jetzt in seinem Katalog [282] und in der Checklist von CLARK [283] erscheint. Im Katalog von KAMIL führt sie dagegen die Nr. 581, die Nr. 692 steht in eckigen Klammern dahinter [284].

---

281 M.D. GIBSON, Catalogue of the Arabic MSS. in the Convent of S. Catharine on Mount Sinai (Studia Sinaitica No. III.), London 1894.

282 A.S. ATIYA, The Arabic Manuscripts of Mount Sinai ... foreword by W. Phillips, Baltimore 195o, 25 u. XXIIIf. - Von seinem weitaus ausführlicheren, ins Arabische übersetzten Katalog ist bisher nur der erste, bis Nr. 3oo reichende Band erschienen: A.S. ATIYA, Catalogue Raisonné of the Mount Sinai Arabic Manuscripts ... Translated into Arabic by J.N. Youssef, Vol. I, Alexandria 197o.

283 K.W. CLARK, Checklist of Manuscripts in St. Catherine's Monastery, Mount Sinai, microfilmed for the Library of Congress, 195o, Washington 1952, 37.

284 M. KAMIL, Catalogue of all manuscripts in the Monastery of St. Catherine on Mount Sinai, Wiesbaden 197o, 5o.

Trotz des geringen Umfangs handelt es sich um eine Sammelhandschrift, die drei kurze historische Traktate enthält. Sie beziehen sich auf die Jahre 53o, 1oo8 und 1825 und kommen darin überein, daß in ihnen von den Klostersklaven und Beduinen die Rede ist. Die Hs beginnt auf fol 1b mit dem Hinweis: هذا الدفتر المبارك منقول من الدفتر الكبير "Dieses gesegnete Buch (Heft) ist übertragen aus dem großen Buch (Heft)." Da der dritte Traktat gleich nach dem geschilderten Ereignis im Jahr 1826 von einem anderen Schreiber eingetragen wurde, ist diese Angabe wohl nur auf die beiden ersten Traktate zu beziehen. Diese sind demnach von einer umfangreicheren Handschrift abgeschrieben, wobei *manqūl* zugleich "übersetzt" bedeuten kann. Wahrscheinlich lag dem Kopisten und Übersetzer eine griechische Handschrift vor. Unter den im Katharinenkloster aufbewahrten griech. Manuskripten historischen Inhalts käme z.B. Nr. 1748 (bei Kamil) in Frage, die eine "Geschichte des Berges Sinai" enthält und aus dem 18. Jh. stammt. Doch müßte dies erst noch nachgeprüft werden.

2.2 Der erste Traktat handelt vom Bau des Katharinenklosters unter Justinian und von den Leibeigenen, die der Kaiser den Mönchen zur Verfügung stellte. Die kleine Abhandlung trägt die Überschrift: حرر في تاريخ مسيحيه سنه ٥٣٠ "Es wurde niedergeschrieben zur Zeit des christlichen Jahres 53o". Sie reicht von fol 1b, Zeile 3 bis fol 3a, Zeile 16. Fol 1b zählt insgesamt 3o Zeilen, fol 2a 29 und 2b 28 Zeilen. Die beiden Rückseiten besitzen Kustoden. Die Schrift ist ein ordentliches und gut lesbares *Nasḫī* und verrät mit ihrem flüssigen und zuweilen schwungvollen Duktus einen geübten Schreiber. Als orthographische Besonderheit ist anzumerken, daß das *Tā' marbūṭa* der Femininendung nur im status constructus, nicht aber - entsprechend der Aussprache - im status absolutus seine beiden Pünktchen erhält, was in der Edition beibehalten wurde. Infolge des Stimmabsatzverlustes wird auch kein Hamza geschrieben; statt dessen trägt das *Yā' kursī* - wiederum der Aussprache folgend - zwei Pünktchen.

2.3 Am kürzesten ist der sich gleich anschließende, vom selben Kopisten geschriebene zweite Traktat, der gerade eine Seite, von fol 3a, Zeile 17 bis fol 3b, Zeile 22 umfaßt. Als Überschrift trägt er das Datum سنة مسيحيه ١٠٠٨ "Im Jahr 1oo8 christlicher Zeitrechnung". Die im Handschriftenkatalog Atiyas stehende (von Kamil wörtlich übernommene) Inhaltsangabe: "Story of the persecution of the monks by the Bedouins in the year 1oo8 A.D." stimmt allerdings nicht. Die Rede ist von den Klostersklaven oder Ǧebālīye, die sich wegen interner Streitereien gegenseitig umgebracht und damit so sehr geschwächt hatten, daß sie gegen die dadurch heraufbeschworenen Überfälle und Raubzüge der Beduinen wehrlos waren. Um ihnen Recht und Sicherheit zu verschaffen, hielten die Mönche in der Moschee des Klosters mit den Vertretern des damals größten und stärksten Beduinenstammes, den Meḥāsene, sowie den angesehensten Scheichs ihrer "Beschützer" von den Zuhērāt, ^{c}Awāreme und ^{c}Olēqāt eine Ratsversammlung ab, auf der sie beschlossen, den Meḥāsene nur so lange die Nutznießung der Weinstöcke im Klostergarten zu gestatten, als sie sich den Ǧebālīye gegenüber friedfertig verhielten.

2.4 Der dritte und umfangreichste Traktat, der ein Ereignis aus dem vergangenen Jahrhundert festhält, ist nach außen hin sowohl durch eine andere Schrift als auch durch drei leere Seiten (fol 4a-5a) deutlich abgehoben. Er beginnt erst auf fol 5b und reicht bis fol 7a, Zeile 25. Die Zeilenzahl ist hier etwas höher, aber wiederum unterschiedlich: Fol 5b besitzt 32, 6a 33 und 6b 37 Zeilen. Das ziemlich eng geschriebene, ungelenke und nachlässige *Nasḫī* macht einen unordentlichen Eindruck und ist nicht immer leicht zu lesen. Im Gegensatz zu den beiden ersten Traktaten sind in einem Kolophon Schreiber und Datum angegeben: كاتبه الحقير غافريل الاقلوم "Sein Schreiber ist der verächtliche Gabriel, der Sekretär". Daneben steht: حرر وجرا في جماد اول ١٨ ١٢٤١ "Es wurde niedergeschrieben und geschah am 18. Ǧumādā 'l-ūlā 1241" (= 29. Jan. 1826). Es ist anzunehmen, daß die beiden undatierten ersten Traktate nicht allzulange vorher geschrieben wurden, wenngleich auch die Möglichkeit besteht, daß einige Jahre dazwischenliegen können.

Gabriel war sicherlich ein Mönch des Katharinenklosters, da er seine Aufzeichnung mit der Formel einleitet: بسم الاب والابن والروح القدس الاد واحد امين "Im Namen des Vaters und des Sohnes und des Heiligen Geistes, eines einzigen Gottes, Amen." In der zweiten Zeile folgt dann die Inhaltsangabe [285]: نكتب خلاص الصبيان من يد القارارشه عونك يا رب القرات "Wir beschreiben die Befreiung der Sklaven (des Klosters) aus der Hand der Qārāreše (mit) deiner Hilfe, Herr der Mächte." Für dieses Ereignis wird das Jahr 1825, das dem Jahr 1241 der Hiǧra entspricht, angegeben.

---

285 Der Katalog von ATIYA a.a.O. (und KAMIL a.a.O.) gibt als Inhalt an: "Story of an Arab raid and conclusion of peace in 1825 A.D."

Geschildert wird in ausführlicher und umständlicher Weise eine Auseinandersetzung des Klostersklaven Muḥammad Kabīr aus dem Stamm der Ǧebālīye mit Ṣāliḥ Naṣīr vom Stamm der Qārāreše und wie dieser Streit zugunsten des ersteren im Haus von Aḥmad Ibn ᶜĀmir aus dem Stamm der Tiyāhā entschieden wurde, wobei die beiden Kontrahenten sowohl von ihren eigenen Leuten als auch von Vertretern anderer Stämme unterstützt wurden.

2.5 Die Handschrift lag mir nicht im Original, sondern nur im Mikrofilm sowie photographischen Abzügen vor. Im ersten Halbjahr 195o hatte die Library of Congress in Washington unter Leitung der American Foundation for the Study of Man in New York City und unter Mitarbeit der Farouk I University in Alexandria die wertvollsten Handschriften des Katharinenklosters auf 35 mm Mikrofilm aufgenommen, um sie der Nachwelt zu sichern und der Wissenschaft leichter zugänglich zu machen [286]. Von den 3.282 Manuskripten in elf verschiedenen Sprachen wurden insgesamt 1.687 vollständig photographiert, ebenso die 1.742 Firmane, von denen 1.o71 arabisch und 671 türkisch geschrieben sind. Neben den 2.291 griechischen Handschriften bilden die arabischen die zweitgrößte Sammlung. Sie werden bis Nr. 696 gezählt; da jedoch 36 Hss fehlen und 59 Nummern gedruckte Bücher umfassen, handelt es sich also um 6o1 arabische Manuskripte. Von ihnen wurden 3o6 auf Mikrofilm aufgenommen, darunter auch unsere Hs Nr. 692. Mein Dank gilt dem Library of Congress Photoduplication Service, Washington, der mir diese sowie andere arabische und griechische Handschriften im Mikrofilm zur Verfügung stellte.

---

286 Wendell Phillips schreibt im Vorwort des Katalogs von ATIYA a.a.O. XII: "The purpose of this expedition was not so much to discover new material as to make accessible to scholars the unworked resources of this remarkable library. Few scholars have visited, or can visit, isolated Sinai. But Sinai can now come to scholars. Never before in history has an institution, in this instance represented by the Library of Congress, received such an extensive body of ancient manuscripts to make available to the world of scholarship."
Über diese Expedition informieren außerdem das Vorwort von ATIYA, Catalogue raisonné..., Alexandria 197o, III-VII sowie von K.W. CLARK, Checklist ..., Washington 1952, VII-X. Ferner K.W. CLARK, The Mikrofilming Projects at Mount Sinai and Jerusalem: The Library of Congress Quarterly Journal, Vol. 8, No 3 (May 1951) 6-11. - DERS., Microfilming Manuscripts at Jerusalem and Mt. Sinai: BASOR 123 (Oct. 1951) 17-24.- DERS., Exploring the Manuscripts of Sinai and Jerusalem: BA 16 (May 1953) 22-43.

هذا الدفتر المبارك منقول من الدفتر الكبير
حرر فى تاريخ مسيحيه سنة ٥٣٠
نظهر ونبين نحن القسوس والرهبان المتوحدين الموجودين والقاطنين فى جبال
طور سينا وكافة مجمع الشوره انه لاجل اننا لم نقدر نحتمل اظهار العربان الغريبه
الموافيين الينا من البحر الاحمر ومن الحبش ومن كل ناحية ينهبون اى شى
وجدوه عندنا ويذبحونا ويعملون معنا كل الشرور الذى يعلمهم عليها الشيطان
فلاجل هذه الاعمال الرديه الشنعه والزوار الذين يحضرون من كل ناحية يزورون
هذه الاماكن المقدسة هم نبهونا وعلمونا ونحن لقيناه احسن واصلح حتى
نرسل نترجى ملكنا المعظم يوستنيانوس فى مدينة المتملكة القسطنطينيه
حتى يبنى لنا برجًا حصينًا لكيما اذا وافة العرب نحرس انفسا فى البرج لاجل
هذا اجتمعنا يومًا واحدًا فى مطرح الذى يدعى جبل الله الذى فيه كلم سيدنا موسا
وختمنا واخترنا اناسًا بان الى عند الملك يروحوا الذى يذكر اسمايهم الشيخ المتوحد
ثاوضوسيوس وبركوبيوس وبخوميوس وسابا وانطونيوس فللوقت والحال قاموا
سافروا فى البحر ووصلوا الى المدينه بالسلامه بدعا السواح الذين بطور سينا
فلما وصلوا طلعوا قدام الملك وقدموا له الدعا والصلوات المرسوله من الابا
وخروا على اقدامه وبكيوا بكاء مرًا قدامه واعلنوا وبينوا كل الشرور والاعمال
الرديه التى يعملوها فينا البربر النهب والذبح . وان الملك اقتبلهم بوجه فرح
متهلل وكرمهم اكرامًا زايدًا واعطاهم الراحه وسمع كلامهم باصغاء كلى ووعدهم
ان يعمل كل الذى طلبوه ومطلوهم لم يكن شيًا ما عدا ان يبنى لهم برجًا مثل
ما نحن وصيناهم . فللوقت الملك يوستنيانوس ارسل المتقدم فى اراخنته
جاورجيوس . ومعه اناسًا مكرمين وارسل فراما سلطانى بختم يده الى المتولى فى
مدينة مصر ثاوذروس وكتب الى المذكور ان يعطى الى جاورجيوس مالًا كثير
من خزنة السلطان وان يرسل اناسًا من عنده معلمين وكل شى يعوزون منشان
(fol 2a) البنا حتى يرسلهم الى عندنا حتى يبنوا لنا برجًا وايضًا كتب الى
المتولى فى مصر ثاوذروس حتى لا يحزن على صرف اموال لكن يعمل كل جهده
حتى يبنى برجًا قويا . وان الحاكم الذى فى مصر ثاوذروس للوقت حضر كل شى
يعوزوه للبنا . وشيع الارخن المرسل من قبل الملك ومعه جملة معلمين . ووصل
الى عندنا المذكور جاورجيوس بالسلامه . ولما وصل الى هاهنا فدار كل المطارح
ولم لقى احسن من مطرح العليقه . لاجل ان المطرح سهل وفيه موجود الماء . وهو
موضع مقدس من الله تعالى لاجل العجيبه التى صارت فى العليقه . وفى هذا
المطرح ابتدوا يعمروا ويبنوا . وخلصوه كما هو موجود الان لاجل هذا نحن دعينا
الى الملك بان الله يطول عمره ويعطيه ملكًا مخلدًا دنيا واخره امين ؞
لكن الرهبان لم وجدوا راحةً كليًا . لاجل ان العربان البربر كانوا يجوا يختفوا فى
الجبال والمغاير وكل ما لقوا احدًا من السواح يمسكوه ويذبحوه . واما الملك
ايوستيانوس فلما اخذ هذه الاخبار الصايره من البربر فارسل الى البحر الاسود
الى بلاد الافلاخ . وجاب مايه عيله رجال وحريمهم واولادهم وارسلهم الى مصر وكتب
الى الحاكم المتولى فى مصر ثاودرس حتى انه يرسل مايه عيله من عنده رجالًا
وحريمهم وولادهم ؞ والحاكم المتولى فى مصر ثاوذرس فللوقت الحاكم المذكور ارسل

المايه عيله من عنده من مصر مع المايه الذى ارسلها الملك من عنده من بلاد الفلاخ فلما وصلوا لى هاهنا عمروا لهم بلدين ورا الجبل الذى قدام الدير بعيدًا عن الدير تمانيه اميال وسكنوهم هناك وختم الملك المعظم يوستينيانوس بان يكونوا عبيدًا لى الدير هم وحريمهم واولادهم لى ابد الابدين لى ان الله يرث الارض وما عليها حتى يحرسوا ويخدموا الرهبان الدير فى كل خدمة وانهم يكونوا فى طاعة الدير والرهبان (fol 2b) لكى لا يخالفوا ابدًا. وان كان احدًا يخالف ويخطى بحق الدير معنا اذن نادبه مثل ما نريد هو وكل عيلته ونطرده ⁘ ولكن لاجل ان البر مطرح قفر يابس لم يخرج معاشا امر الملك بختمه الملوكى وامر المتولى فى مصر ثاودرس حتى يعطى لى الدير لى ابد الابد ⁘ من كل اردب واحد قدح من كل الحبوب قمح وشعير وعدس وجميع ما يوجد لاجل ياكلوا الرهبان وخدامين الدير ⁘ وهذه العطية الملوكية حققها وختمها النبى والرسول محمد واول ملوك الاسلام كما هو موجود ومكتوب فى عهدت محمد الذى اعطاها لى يد رهبان طورسينا المكتوبة بيده ⁘ هولاى عبيد الدير امر الملك يوستينيانوس ان لم يعطوا ولا لملك من الملوك لا ميره ولا خراج ولا بلص لا كثير ولا قليل ابدًا. وايضًا امر ان يكونوا معتوقين من كل خدمة ملوكية. وايضًا امر ان لا يكون لاحد عليهم سلطان. ما عدا الدير والرهبان راسهم وحاكم عليهم. هولاى عبيد الدير بقيوا حافظين دينهم وامانتهم فى طاعة الدير لى وقت السلطان سليم حين حكم فى مصر واخذ الملك من السراكسينى وبعد لما حكم السلطان سليم فى مصر ونزلوا عربان البر جميعًا من كل جنس وقابلوه وخضعوا لاوامره طايعين ومن جملتهم نزلوا صبيان الدير الى مصر وقابلوا المذكور السلطان سليم وبعدما قابلوه قالوا له يا سلطانا نحن جينا لى ملكك لكى نسلم ونطلع من خدمة الدير فرد عليهم جواب السلطان سليم انا بسلمكم لكن لم اخرجكم عن خدمة الدير والرهبان. لان اوامر الملوك لا يحلها احد من ملوكًا غيره. وان كنت انا احل امر الملك يوستينيانوس ياتى غيرى بعدى ويحل امرى. فلما قال هذا الكلام اسلمهم ولم اخرجهم (fol 3a) عن تعب الدير. ولكن كل المواهب والعطايا الذى انعم بها عليهم الملك ايوستينيانوس وبعده كتبها محمد فى عهدته الذى اعطاها لى رهبان الدير هذه عينها حققها وختمها بيده السلطان سليم ⁘ فمن حيث انه جميع الملوك الذين استولوا الدنيا باسرها نصارا واسلام والنبى والرسول محمد اعطوا هذه المواهب كلها لى الدير وخلوا صبيان الدير احرار معتوقين. من هو المتكبر المتشامخ الذى يتعدى على الدير وعلى صبيانه ويصير عدوًا لى محمد وكل من يفعل هذا الفعل يتعدى على الدير او على صبيانه يكون ملعون من الله ويصير عدوًا لى محمد دنيا واخره وغضب الملوك يادبه تاديبًا مرًا ⁘

وبعد عدة سنين هولاء صبيان الدير تحاربوا فى بعضهم بعضًا منهم قتل ومنهم هرب الى الشام والذين بقيوا نساهم فى خدمة الدير حسب الاوامر السلطانية ليس لاحد عليهم سلطه لا عربان ولا حذر ابدًا ابدًا ⁘

§ 4: *Deutsche Übersetzung*

Dieses gesegnete Buch ist übertragen aus dem großen Buch. Es wurde niedergeschrieben zur Zeit des christlichen Jahres 53o. Wir, die versammelten und anwesenden, im Gebirge *Ṭūr Sīnā* wohnenden Priester und Mönche sowie die gesamte Ratsversammlung geben öffentlich bekannt: Wir können nicht mehr das Auftauchen der fremden Araber ertragen, die vom Roten Meer und von Abessinien und von überall her zu uns kommen und rauben, was immer sie bei uns finden, und uns hinmetzeln und uns alles Böse antun, das der Satan sie lehrt. Wegen dieser verderblichen und schändlichen Taten und weil die Pilger, die von überall her kommen, um diese heiligen Stätten zu besuchen, uns den Rat erteilten, fanden wir es am besten und nützlichsten, an unseren erhabenen König Justinianos in der Residenzstadt Konstantinopel eine Bittgesandtschaft zu schicken, auf daß er uns einen sicheren Turm baue, damit, wenn die Araber kämen, wir uns in den Turm in Sicherheit bringen könnten. Aus diesem Grund waren wir eines Tages an einem Ort zusammengekommen, der Gottesberg genannt wird, auf dem unser Herr zu Mose gesprochen hatte, und faßten den Beschluß, Männer auszuwählen, die zum König gehen sollten, deren Namen das Oberhaupt der Einsiedler bestimmte: Theodosios, Prokopios, Pachomios, Saba und Antonios. Sogleich und unverzüglich machten sie sich auf den Weg und reisten über das Meer und kamen wohlbehalten in der Stadt an, dank des Gebetes der Anachoreten im *Ṭūr Sīnā*. Nachdem sie angekommen waren, traten sie vor den König hin und übermittelten ihm die Bitte und den Segen, den die Väter entboten, fielen ihm zu Füßen und weinten vor ihm bitterlich. Dann legten sie offen dar alle Schlechtigkeiten und verderblichen Taten, die uns die Barbaren antun, das Rauben und Morden. Der König empfing sie mit freudestrahlender Miene und nahm sie überaus ehrenvoll und gastfreundlich auf, ließ sie es sich bequem machen und hörte ihre Worte mit großer Aufmerksamkeit an. Hierauf versprach er ihnen, alles, was sie verlangten, zu tun und gewährte ihnen eine lange Audienz, damit nichts unberücksichtigt bliebe, wenn er ihnen einenTurm baue, wie wir durch sie bestellen ließen. Sofort schickte der König Justinianos den Obersten der Archonten, Georgios, und mit ihm vornehme Männer. Und er schickte einen königlichen Erlaß mit eigenhändigem Siegel an den Gouverneur in der Stadt Ägyptens, Theodoros, und schrieb an den besagten, er solle Georgios viel Geld aus der königlichen Schatzkammer zur Verfügung stellen und seinerseits Arbeitskräfte schicken und alles,was für den Bau nötig war, daß er sie zu uns schicke, damit sie uns den Turm bauten. Auch schrieb er an Theodoros, den Gouverneur von Ägypten, er solle nicht zurückhalten mit der Ausgabe der Mittel, sondern alle erdenklichen Anstrengungen unternehmen, um einen starken Turm zu bauen. Der Gouverneur in Ägypten, Theodosios, stellte sofort das ganze zum Bau benötigte Material zur Verfügung und schickte den vom König gesandten Archonten und mit ihm eine Menge Handwerker. Der besagte Georgios kam bei uns wohlbehalten an. Nachdem er eingetroffen war, inspizierte er die ganze Gegend und fand keinen geeigneteren Platz als die Stelle des Dornbuschs. Der Ort war nämlich eben, und es gab Wasser an ihm. Es war die vom erhabenen Gott geheiligte Stätte wegen des Wunders, das sich am Dornbusch ereignete. An diesem Ort begannen sie den Bau auszuführen und vollendeten ihn, wie er jetzt noch steht. Deswegen hatten wir für den König gebetet, Gott möge ihm ein langes Leben schenken und ihm ein ewiges Reich verleihen im Diesseits und im Jenseits, Amen.

Die Mönche aber fanden keine endgültige Ruhe, weil die barbarischen Araber immer wieder kamen, sich in den Bergen und Höhlen versteckten und jeden, den sie von den Anachoreten antrafen, ergriffen und töteten. Nachdem aber der König Justinianos von diesen Vorfällen, die sich seitens der Barbaren ereigneten, vernommen hatte, schickte er zum Schwarzen Meer ins Land der

Bauern und ließ hundert Familien(mitglieder) herbeischaffen, Männer, Frauen und Kinder, und schickte sie nach Ägypten. Er schrieb an den Gouverneur in Ägypten, Theodoros, daß auch er hundert Familien(mitglieder), Männer, Frauen und Kinder schicke. Und sofort schickte der Gouverneur in Ägypten, Theodoros, der besagte Gouverneur seinerseits hundert Familien(mitglieder) aus Ägypten zusammen mit den hundert, die der König von sich aus aus dem Land der Bauern geschickt hatte. Nachdem sie hierher angekommen waren, baute man für sie zwei Ortschaften jenseits des Berges, der vor dem Kloster liegt, acht Meilen vom Kloster entfernt, und siedelte sie dort an. Der erhabene König Justinianos bestimmte sie zu Sklaven für das Kloster, sie, ihre Frauen und ihre Kinder auf ewige Zeiten, bis Gott das Land erbe und was auf ihm ist, damit sie die Mönche und das Kloster schützten und bedienten in jeglicher Angelegenheit und dem Kloster und den Mönchen gehorchten und sich niemals widersetzten. Sollte jemand zuwiderhandeln und gegen unsere Klostervorschriften verstoßen, dann dürften wir ihn bestrafen, wie wir wollten, ihn und seine ganze Familie, und ihn fortjagen. Weil aber die Wüste ein öder, trockener Ort ist, der keine Lebensmittel hervorbringt, befahl der König Kraft seines königlichen Siegels, und befahl der Gouverneur Ägyptens, Theodoros, daß diese dem Kloster fortwährend geschenkt würden: Zwei Liter (ein *Qadaḥ*) von jeweils zweihundert Litern (*Irdabb*) einer jeglichen Körnerfrucht, wie Weizen, Gerste, Linsen und was es sonst alles gibt, damit die Mönche und Diener des Klosters zu essen hätten. Dieses königliche Geschenk bestätigte und besiegelte der Prophet, der Gesandte (Allahs) und der erste Herrscher des Islam, Muḥammad, wie man es geschrieben findet in der Vertragsurkunde Muḥammads, die er den Mönchen des *Ṭūr Sīnā* aushändigte, eigenhändig geschrieben. Jenen Klostersklaven befahl der König Justinianos, daß sie niemals, auch keinem anderen König, weder Abgaben noch Steuern, seien sie hoch oder niedrig, zu entrichten hätten. Auch befahl er, sie sollten von jedem königlichen Dienst befreit sein. Ferner befahl er, es solle über sie kein anderer Herrscher gesetzt sein außer dem Kloster und den Mönchen als ihr Haupt und Gebieter. Jene Klostersklaven blieben ihrer Religion und ihrem Glauben treu im Gehorsam gegenüber dem Kloster bis zur Zeit des Sultans Selīm, als er über Ägypten herrschte (1517-152o) und der König von den Sarazenen genommen wurde. Und nachdem der Sultan Selīm in Ägypten regierte, unterwarfen sich die Araber der Wüste insgesamt von allen Stämmen, erwiesen ihm ihre Reverenz und beugten sich gehorsam seiner Herrschaft. Aus ihrer Schar zogen die Sklaven des Klosters nach Ägypten und erwiesen dem besagten Sultan Selīm ihre Reverenz. Und nachdem sie ihre Reverenz erwiesen hatten, sprachen sie zu ihm: Oh Sultan, wir sind zu deiner Herrschaft gekommen, damit wir vom Klosterdienst frei und ledig werden. Da gab ihnen der Sultan Selīm zur Antwort: Ich verbürge mich für euer Wohlergehen, aber ich entlasse euch nicht aus dem Dienst des Klosters und der Mönche, denn die Befehle der Könige hebt kein anderer König auf. Wenn ich nämlich den Befehl des Königs Justinianos aufhebe, wird ein anderer nach mir kommen und meinen Befehl aufheben. Nachdem er diese Worte gesprochen hatte, entließ er sie, ohne sie von der anstrengenden Arbeit für das Kloster zu befreien. Alle Schenkungen und Gaben aber, die ihnen der König Justinianos hatte zukommen lassen und die nach ihm Muḥammad in seiner Vertragsurkunde, die er den Mönchen des Klosters übergab, festschrieb, genau dieselben bestätigte und besiegelte mit eigener Hand der Sultan Selīm. Und wer ließe wohl im Hinblick darauf, daß sämtliche Könige, welche sich der ganzen Welt bemächtigten, Christen und Muslime, sowie der Prophet und Gesandte (Allahs) Muḥammad, alle jene Geschenke dem Kloster vermachten, die Sklaven des Klosters frei und ledig? Wer ist so anmaßend und überheblich, daß er gegen das Kloster und seine Sklaven vorgeht und zum Feind Muḥammads wird? Jeder, der es unternimmt, gegen das Kloster oder gegen seine Sklaven vorzugehen, sei verflucht von Gott und werde zum Feind Muḥammads im Diesseits und Jenseits, und der Zorn der

Könige verhänge über ihn eine bittere Strafe.

Nach einigen Jahren bekämpften sich jene Sklaven des Klosters gegenseitig. Ein Teil von ihnen wurde getötet und ein Teil floh nach Syrien. Die aber übrig blieben, stellte man in den Dienst des Klosters gemäß den königlichen Anordnungen. Niemals hatte jemand über sie Gewalt, weder die Araber noch eine Vorsichtsmaßnahme, für alle Zeiten.

§ 5: *Kommentar*

5.1 *Zum Datum der Klostergründung*

5.1.1 Im Gegensatz zu Prokopios und Eutychios gibt unsere arabische Handschrift das Datum der Klostergründung an: Im Jahr 53o schickten die sinaitischen Mönche eine Gesandtschaft an den Kaiser Justinian und baten ihn um einen befestigten Klosterbau, der auch sogleich in Angriff genommen wurde. Wann er vollendet war, wird nicht gesagt.

Ist 53o als Gründungsjahr glaubwürdig? Es muß insofern kritisch geprüft werden, als daneben noch andere, weniger vertrauenswürdige Daten überliefert sind. So verlegt die im Katharinenkloster befindliche arabische Schriftrolle Nr. 955, ein undatiertes, stattliches Dokument von 62 x 46 cm [287], die Gründung in das Jahr 525 [288], was natürlich nicht stimmen kann, da Justinian

---

287 Vgl. ATIYA, Hand-list (195o) 74; CLARK, Checklist (1952) 51; KAMIL, Catalogue (197o) 2o2; hier Nr. 1o66.

288 Das bisher nicht edierte Schriftstück wurde mir ebenfalls von dem Library of Congress Photoduplication Service, Washington, in einem Mikrofilm zur Verfügung gestellt. Es beginnt mit den Worten:
فى سنت خمس مايه وخمسا وعشرين بعد السيد المسيح كان فى جبل سيدنا موسا
ديوره ورهبان فى دير تحت جبل موسا وفى مواضع ثنيا وبعد كثور العرب فى البلاد
والجبل صار ديق على الرهبان كثير من بنى اسماعيل فقامت اجتمعت الرهبان الذى
متفرقين فى الديارة وراحوا شكوا(ا) حالهم الى الملك يوستيانوس فى القسطنطينيه.
"*Im Jahr 525 nach unserem Herrn Christus gab es im Gebirge unseres Herrn Mose Klöster und Mönche: im Kloster am Fuß des Ǧabal Mūsā sowie an anderen Orten und außerdem viele Beduinen im Land und im Gebirge. So kam es häufig zur Bedrängnis der Mönche seitens der Söhne Ismaels (Araber). Da begannen die Mönche, die zerstreut in den Klöstern lebten, sich zu versammeln, gingen hin und klagten ihre Lage dem König Justi(ni)anos in Konstantinopel.*"

Da in der Urkunde die erst im 16. Jh. aufkommende Bezeichnung *Ǧabal as-sayyid Mūsā* sowie die um die Mitte des 17. Jh. belegte Kurzform *Ǧabal Mūsā* (vgl. Anm. 2o4) verwendet wird, kann sie nicht früher geschrieben worden sein. Auch der (Zeile 16) zu findende Name *Istambul* اسطنبول spricht für eine Abfassungszeit unter den türkischen Sultanen, die seit 1517 Ägypten beherrschten.

erst 527 die Regierung antrat. Dieses Jahr hinwieder nennen eine arabische und eine griechische Inschrift zweier Marmortafeln über der kleinen Pforte in der dem Klostergarten zugewandten Nordwestmauer.

Die arabische Inschrift lautet:

انشا دير طور سينا وكنيسة جبل المناجاة الفقير لله الراجي عفو مولاه الملك المهذب
الرومي المذهب يوستيانوس تذكارا له ولزوجته ثاوضورة على مرور الزمان حتى يرث الله
الارض ومن عليها وهو خير الوارثين وتم بناوه بعد ثلاثين سنة من ملكه ونصب له
ريسًا اسمه ضولاس جرى ذلك سنة ٦٠٢١ لادم الموافق لتاريخ السيد المسيح سنة ٥٢٧.

"Es erbaute das Kloster des Tôr (Berges) Sina und die Kirche des Berges des Zwiegesprächs der Gottes bedürfende und die Verheißung seines Herrn hoffende fromme König griechischer Confession Justianus (für Justinianus) zu seinem und seiner Gemahlin Theodora Gedächtniß gegen das Schwinden der Zeit, damit Gott die Erde erbe und wer auf ihr: denn er ist der beste der Erben. Und beendigt wurde sein Bau nach dreißig Jahren seiner Regierung. Und er setzte ihm einen Vorsteher mit Namen Dhulas. Und es ereignete sich dies nach Adam 6o21, was übereinstimmt mit dem Jahre 527 der Aera des Herrn Christus" [289].

Auf der griechischen Inschrift steht:

'Εκ βάθρων άνηγέρθη τὸ ἱερὸν τοῦτο μοναστήριον τοῦ Σιναίου ὄρους, ἔνθα ἐλάλησεν ὁ θεὸς τῷ Μωυσῇ παρὰ τοῦ ταπεινοῦ βασιλέως 'Ρωμαίων 'Ιουστινιανοῦ πρὸς ἀΐδιον μνημόσυνον αὐτοῦ καὶ τῆς συζύγου τοῦ Θεοδώρας· ἔλαβε τέλος μετὰ τὸ τριακοστὸν ἔτος τῆς βασιλείας τοῦ, καὶ κατέστησεν ἐν αὐτῷ ἡγούμενον ὀνόματι Δουλᾶ ἐν ἔτει ἀπὸ μὲν 'Αδὰμ ,σκα' ἀπὸ δὲ Χριστοῦ,φκζ'.

"Von Grund aus ward erbaut dieses heilige Kloster des Berges Sinai, wo Gott zu Moses sprach, von dem demüthigen Könige der Römer Justianus zum ewigen Gedächtniß desselben und seiner Gemahlin Theodora; es wurde vollendet im dreißigsten Jahre seiner Regierung, und er setzte in demselben einen Vorsteher ein Namens Dulas im Jahre 6o21 seit Adam, 527 seit Christus" [29o].

Beide Inschriften sind undatiert, stammen aber aus verhältnismäßig später Zeit. Der im Jahr 16o5 geschriebene Codex Sinaiticus Graecus besitzt nämlich auf fol 13ov eine um das Jahr 1778 eingetragene Anmerkung mit der griechischen Übersetzung einer arabischen Inschrift, von der es heißt, sie befinde sich in der sog. Mandra außerhalb des Klosters, so daß sie wohl mit mit obiger identisch ist. Diese griech. Übersetzung stimmt zwar inhaltlich,

289 Die Inschrift wurde aufgrund eines von Richard Lepsius 1845 genommenen Papierabklatsches von Konsul Dr. Wetzstein zum erstenmal ediert und übersetzt in: R. LEPSIUS, Briefe aus Aegypten, Aethiopien und der Halbinsel des Sinai ..., Berlin 1852, 441f; vgl. auch die Abb. S. 457.

29o Text und Übersetzung nach LEPSIUS a.a.O. 441; vgl. Abb. S. 457. Die Inschrift findet sich auch im Corpus Inscriptionum Graecarum IV (1877) Nr. 8634 u. Taf. XII.

aber nicht wörtlich mit dem eben zitierten griech. Text der neben ihr eingemauerten Tafel überein, die damals offenbar noch nicht existierte. Dagegen findet sich ein völlig gleichlautender Text auf der im Jahr 1778 von Johannes Kornaros bemalten Rückseite des erzbischöflichen Thrones. Wahrscheinlich hatte der gelehrte Erzbischof Cyrill der Kreter (1759-1798), auf den mehrere Inschriften am Sinai zurückgehen, obige griechische Inschrift als Pendant zur arabischen über der Klosterpforte anbringen lassen [291]. Jedenfalls werden beide erstmals in einer 1817 zu Venedig gedruckten Klosterbeschreibung (Περιγραφὴ ἱερά ...., S. 136f) erwähnt [292]. Von den Reisenden kommt Frederick HENNIKER 182o zum ersten Mal auf sie zu sprechen [293].

Wann die arabische Inschrift an ihren Platz kam, ist nicht mit Sicherheit bekannt. Nach Balthasar de MONCONYS, der sie schon im Jahr 1647 dort gesehen hatte, stammt sie aus der Zeit des Sultans Selīm I.: "So stehet auch über dem Thore eine Salveguarde mit Arabischer Schrifft in Marmor gehauen / welche Selim ihnen gleichfalls zugestanden hat / und von den Türcken so wol als Arabern in grossen Respect gehalten wird" [294]. Der 1722 reisende FRANZISKANERGENERAL, der nur das Datum 526 (sic!) entziffern konnte, hörte von den Mönchen die anachronistische Erklärung, die Kaiserin Helena habe die Inschrift ursprünglich über der Kapelle des Brennenden Dornbuschs anbringen lassen, nach der Erbauung des Klosters aber sei die Tafel an ihren jetzigen Platz gekommen. Er selbst wollte sie der Zeit Justinians zuschreiben [295]. Nach

291 Die arabische Inschrift befindet sich ungefähr in der Mitte über der Pforte, die griechische rechts daneben. Somit spricht auch die asymmetrische Anordnung für das spätere Hinzukommen der griech. Tafel.

292 Vgl. I. ŠEVČENKO, The Early Period of the Sinai Monastery in the Light of its Inscriptions: DOP 2o (1966) 259; Abb. 18 zeigt eine Aufnahme der griech. Inschrift auf der Rückseite des Erzbischofs-Throns, Abb. 17 den Latex-Abguß der griech. Schrifttafel in der Nordwestmauer; vgl. auch die nach dem Papierabklatsch angefertigte Zeichnung bei LEPSIUS a.a.O. 457, der sie (S. 441) aufgrund der Schriftzüge in das 12. oder 13. Jh. verweisen wollte.

293 F. HENNIKER, Notes, during a Visit to Egypt, Nubia, the Oasis, Mount Sinai, and Jerusalem, London 1823, 235.

294 Des Herrn de MONCONYS ungemeine und sehr curieuse Beschreibung Seiner ... Reisen ..., Leipzig und Augspurg 1697, 244f. Im franz. Original: Iovrnal des Voyages de Monsievr de Monconys ..., Lyon 1665, 229.

295 Seinen Reisebericht edierte R. CLAYTON, A Journal from Grand Cairo to Mount Sinai ..., London [12]1817, 237f. Von einer griech. Inschrift weiß er ebensowenig wie Monconys.

WETZSTEIN ist sie nicht vor dem Jahr 55o d.H. (=1155) anzusetzen[296]; MORITZ hält sie für die spätmittelalterliche Kopie einer alten, aber schwerlich ursprünglichen Bauinschrift [297], nach GRÉGOIRE reicht sie nicht über das 16. Jh. zurück [298]. Aufgrund des Ausdrucks *ǧabal al-munāǧāt* "Berg des Zwiegesprächs" dürfte sie frühestens in der 1. Hälfte des 16. Jh. entstanden sein [299], so daß sie also Monconys zufolge tatsächlich unter Selīm, dem ersten osmanischen Sultan Ägyptens (1517-152o),gemeißelt sein wird [3oo].

Das hier zu lesende Jahr 527, in dem Justinian den Thron bestieg, wäre zwar gerade noch möglich, aber es ist deswegen unwahrscheinlich, weil der Kaiser erst um das Jahr 535 mit seinen großen Bauvorhaben in den Provinzen begann, wie sich denn auch nach Eutychios die Sinaimönche begreiflicherweise erst dann an ihn wenden, nachdem sie von seiner Vorliebe für Kirchen- und Klostergründungen gehört hatten, was eine gewisse Regierungszeit voraussetzt. Von daher gesehen kann auch das in unserer Handschrift angegebene

---

296 Bei LEPSIUS a.a.O. 442. Nach H. SKROBUCHA, Sinai ..., Olten und Lausanne 1959, 38 enstammen die beiden Inschriften dem zwölften/dreizehnten Jahrhundert, und auch G. GERSTER, Sinai ..., Zürich [2]197o, 148 hält sie nicht älter als das 12. Jh.

297 B. MORITZ, Beiträge zur Geschichte des Sinaiklosters ..., Berlin 1918, 54, Anm. 3.

298 H. GRÉGOIRE, Sur la date du monastère du Sinai: BCH 31 (19o7) 327. Er bezeichnet beide Inschriften als "faux insigne".

299 Die Formulierung دير طور سينا وكنيسة جبل المناجاة bildet noch am ehesten einen festen Anhaltspunkt zur Datierung. Die Wortverbindung *dair Ṭūr Sīnā wa-ǧabal al-munāǧāt*"das Kloster des Ṭūr Sīnā und des Berges der Zwiesprache" findet sich erstmals in drei Urkunden von Qānṣūh aus den Jahren 15o5 und 15o6; vgl. H. ERNST, Die mamlukischen Sultansurkunden des Sinai-Klosters, Wiesbaden 196o, 218f, 22of u. 226f; ohne dair in einem Schreiben Ṭūmān Bāi's vom 14.12. 1516, ebd. 252f (vgl. oben Anm. 2o4). Demnach könnte die arab. Inschrift in der 1. Hälfte des 16. Jh. entstanden sein. In einer undatierten Inschrift eines Holzschemels der nach MORITZ a.a.O. 52 um 11o6 gebauten Klostermoschee ist vom *munāǧāt Mūsā* "(Berg) des Zwiegespräches Moses" die Rede und die syr. Hs Sin. 1 wurde im Jahr 129o für die *kanīsa al-munāǧāt* gestiftet; ebd. 54, Anm. 3. Die Wortverbindung *ǧabal al-munāǧāt* ist jedoch für das Hohe Mittelalter noch nicht belegt. Da sie auf Sure 19,52 beruht, muß sie als eine typisch islamische Ausdrucksweise angesehen werden. Schon J.L. BURCKHARDT, Reisen ..., 2. Bd., Weimar 1824, 879 war aufgefallen, daß in dieser Inschrift sogar der Koran zitiert wird (vgl. Sure 7,128).

3oo In einem Berāt vom 11.-19. Juli 1517 bestätigt Selīm I. alle Rechte der Sinaimönche, die sie zuvor unter den Mamlukensultanen besaßen; vgl. K. SCHWARZ, Osmanische Sultansurkunden des Sinai-Klosters ..., Freiburg 197o, 25-3o u. 121f.

Jahr 53o nicht in Frage kommen. Nichtsdestoweniger hatte sich Jahrhunderte hindurch eine Tradition behauptet, welche die Klostergründung in die ersten Regierungsjahre Justinians verlegte. Das Jahr 528 hörte schon der 1483 reisende Felix FABRI: "Regnante autem Justiniano imperatore anno quingentesimo XXVIII. ab incarnatione Domini ad instantiam sanctorum fundavit idem imperator in loco rubi ecclesiam et monasterium in honorem beatae Mariae Virginis, quod nominavit S. Mariae ad Rubum ..." [3o1].

5.1.2 Wenn auch die verschiedentlich überlieferten Gründungsdaten 525, 527, 528 und 53o als zu früh nicht in Frage kommen, so sprechen doch um so mehr alle Überlegungen dafür, daß das Kloster, wie auf den beiden Inschriften angegeben, im dreißigsten Regierungsjahr Justinians, nämlich 557, vollendet worden sein könnte. Den zuverlässigsten Anhaltspunkt für dieses Datum bilden zwei griechische Inschriften zu Ehren von Justinian und Theodora auf den Dachbalken der Basilika, die ursprünglich vom Kirchenschiff aus sichtbar waren, heute aber durch die im 18. Jh. eingezogene Flachdecke den Blicken entzogen sind [3o2]. Auf dem 7. Dachbalken steht: + Ὑπὲρ μνήμης κ(αὶ) ἀνα παύσεως τῆς γενα μένης ἡμῶν βασι λίδος Θεοδώρας + , auf dem 8. Balken: + Ὑπὲρ σωτηρίας τοῦ εὐσεβ(εστάτου) ἡμῶν βασιλέως Ἰουστι νιανοῦ + [3o3]. Da nach diesen Votivinschriften Theodora bereits verstorben, Justinian aber noch am Leben war, fällt also die Vollendung der Klosterkirche in die Zeit zwischen dem Tod der Kaiserin (548) und dem des Kaisers (565). Henri GRÉGOIRE hatte versucht, diesen Zeitraum mit Hilfe der dritten, etwas längeren Inschrift auf dem 1. Dachbalken, die den Baumeister der Kirche, Stephanos von Aila nennt, noch weiter einzugrenzen. Allerdings enthält die Inschrift einen Schreibfehler, der schon zu verschiedenen Übersetzungen führ-

---

3o1 Fratris Felicis FABRI Evagatorium in Terrae Sanctae ..., ed. Hassler, Stuttgart 1843, II 499.

3o2 R. POCOCKE, A Description of the East ..., London 1743, 15o hatte sie 1738 noch gesehen: "the roof of it is of cypress, cover'd with lead, and seems to be as old as the time of Justinian; for on the beams are some inscriptions to the honour of Justinian and his Empress Theodora". George Forsyth sagt in: J. GALEY, Sinai und das Katharinenkloster, Stuttgart und Zürich 1979, 57: "Auf vielerlei Weise, auch durch den C 14-Test, ist eindeutig erwiesen, daß dieses starke Tragwerk seit Justinians Zeit unverändert geblieben ist."

3o3 Vgl. ŠEVČENKO a.a.O. 262 und Abb. Nr. 4 und 5 der Latex-Abgüsse. Ausgezeichnete Aufnahmen (der Originale und der Latex-Abgüsse) findet man bei G.H. FORSYTH and K. WEITZMANN with I.ŠEVČENKO and F. ANDEREGG, The Monastery of Saint Catherine on Mount Sinai: The Church and Fortress of Justinian; Plates, Ann Arbor o.J. (197o?), Pl. LXXX-LXXXI; vgl. S. 8 u. 19.

te, wovon hinwieder der Datierungsversuch abhängt. Der Text lautet:
+ KE ΘΘC Ο ΟΦΘΕΙC ΕΝ ΤΩ ΤΟΠΩ ΤΟΥΤΟΥΤΩ CΩCON ΚΑΙ ΕΛΕ-ΗCON TON ΔΟΥ$_{ΛΟΝ}$ CΟΥ CΤΕΦΑΝΟΝ ΜΑΡ|ΤΥΡΙΟΥ ΔΙΚ° ΚΑΙ ΤΕΚΤΟΝΑ ΑΪΛΗCΙΟΝ ΚΑΙ ΝΟΝΝΑC Κ ΑΝΑΠΑΥCΟΝ ΤΑC ΨΥΧΑC ΤΩΝ ΤΕΚΝΩΝ ΑΥΤΟΥ ΓΕΟΡΓ [304]. ŠEVČENKO vermutet, daß der Holzschnitzer seine Vorlage nicht ganz getreu wiedergegeben hat. - Für seine Nachlässigkeit spricht auch die Dittographie ΤΟΥΤΟΥΤΩ (für ΤΟΥΤΩ) und daß er die Silbe ΛΟΝ von ΔΟΥΛΟΝ vergessen und nachträglich eingeflickt hat. - Wahrscheinlich ist sein Auge von dem κ(αί) des κ(αὶ) ἀνάπαυσον zum καί des am Textende stehenden καὶ Νόννας abgeirrt. Daß καὶ Νόννας an das Ende des Satzes gehört, zeigt der Genetiv - an seinem jetzigen Platz müßte der Name im Akkusativ stehen [305] - und der Plural von τῶν τέκνων , der mindestens zwei Personennamen nach sich verlangt. Der ursprüngliche Text lautet daher nach Ševčenko: + Κ(ύρι)ε ὁ θ(εὸ)ς ὁ ὀφθεὶς ἐν τῷ τόπῳ {του} τούτῳ, σῶσον καὶ ἐλέησον τὸν δοῦ|λόν/ σου Στέφανον Μαρ | τυρίου, δι(ά)κο(νον) καὶ τέκτονα Ἀϊλήσιον, κ(αὶ) ἀνάπαυσον τὰς ψυχὰς τῶν τέκνων αὐτοῦ Γεοργ(ίου) ⌈καὶ Νόννας.⌉

GRÉGOIRE [306] dagegen ergänzte das Textende nach DOBSCHÜTZ [307] mit τῶν τέκνων αὐτοῦ Γεοργίου καὶ Σεργίου καὶ Θεοδώρας und sah in Nonna nicht das verstorbene Kind, sondern die damals noch lebende Frau des Baumeisters Stephanos [308]. Ihr Grabstein war seiner Ansicht nach 19o3 in Beerscheba gefunden worden,weil auf ihm steht: + Ἐνθάδε κ(ε)ῖται ἡ μα|καρία Νόννα Στεφάνου | Ἀιλησία. Κατετ(έ)θη δὲ| ἐν μην(ὶ) Περίτ(ιου) ιβ'|ἰνδ(ικτιῶνος)ι' [309]. Da man nicht weiß, welches Jahr mit der 1o. Indiktion gemeint ist, zog Grégoire zur Datierung das Epitaph des Καΐουμος Αΐλησιος heran, das aufgrund palaeographischer Beobachtungen derselben Epoche angehören muß. Hier wird das in die 6. Indiktion fallende Todesjahr des Kaïoumos mit dem Jahr 344 der (199 nC beginnenden) Ära von Eleutheropolis gleichgesetzt, was dem Jahr 543 nC entspricht [310]. Wenn Nonna im 1o. Jahr derselben Indiktion ge-

---

3o4 Vgl. ŠEVČENKO a.a.O. 262 u. Abb. Nr. 3 sowie die Aufnahmen bei FORSYTH-WEITZMANN a.a.O.

3o5 G. EBERS, Durch Gosen zum Sinai ..., Leipzig 1872, 283 liest daher Νόνναν . Sein auch sonst abweichender Text reicht nur bis hierher.

3o6 GRÉGOIRE a.a.O. 331.

3o7 Wie M. von DOBSCHÜTZ: ByZ 15 (19o6) 244f auf (Γεωργίου) καὶ Σεργίου καὶ Θεοδώρας kommt, bleibt unerfindlich.

3o8 Auf andere abweichende Lesarten soll hier nicht eingegangen werden, da sie für seine Hypothese belanglos sind.

3o9 Vgl. Text und Foto bei Fr.M. ABEL, Inscriptions grecques de Bersabée: RB 12 (19o3) 426.

storben ist; dann fällt ihr Tod in das Jahr 547. War es aber nicht diese Indiktion, dann komme nur eine frühere oder spätere, also das Jahr 532 oder 562 in Betracht, da eine Indiktion einen Zeitraum von 15 Jahren umfaßt. Weil aber eine Bautätigkeit Justinians in den Provinzen vor 532 nicht nachzuweisen ist und Theodora 547 noch am Leben war, setzt Grégoire den Tod der Nonna in das Jahr 562 als terminus ante quem des Klosterbaus, womit er den in Frage kommenden Zeitraum zwischen den Todesjahren des Herrscherpaares (548-565) um wenigstens drei Jahre verringert. Doch beruht seine Berechnung auf einem Lesefehler, da die auf dem Dachbalken erwähnte Nonna nicht die noch lebende Frau, sondern das damals bereits verstorbene Kind des Baumeisters Stephanos war. Höchstwahrscheinlich starb es kurz vor Theodora im Jahr 547, wie auch ABEL annimmt, der in seiner Übersetzung des Grabsteins aufgrund der sonst üblichen Form des Patronymikums in Nonna auch ganz richtig die Tochter des Stephanos sieht [311].

Wie sich 532 als zu früh erweist, so 562 als zu spät, da in diesem Jahr Prokopios sein Werk De aedificiis mit Gewißheit schon veröffentlicht hatte. Da er es nach traditioneller Annahme um das Jahr 56o beendete, würde das Kloster am Dornbusch - auch ohne daß man sich auf Nonna zu berufen braucht - zwischen den Jahren 548 und 56o erbaut sein, so daß die Angabe der arabischen Inschrift, es sei im 3o. Regierungsjahr Justinians, nämlich 557 vollendet worden, durchaus zutreffen kann [312].

5.2 *Überfälle der Araber auf die Mönche*

5.2.1 Wie unsere Handschrift übereinstimmend mit Eutychios sagt, hatten die Sinaimönche den Kaiser Justinian gebeten, ihnen zum Schutz gegen die zahlreichen Überfälle räuberischer Beduinen ein wehrhaftes Kloster zu errichten. In dieser abgeschiedenen Gegend entbehrten sie nämlich nicht nur der ihnen abholden Annehmlichkeiten, sondern auch des schützenden Beistandes der zivilisierten Welt, auf den sie allerdings kaum verzichten konnten, wenn sie in dieser gefahrvollen Einsamkeit ein kontemplatives Leben in Ruhe und Sicherheit führen wollten. Immer wieder wurden sie von barbarischen Arabern, die der Hunger und die Beutegier oft von weitem herbei-

---

31o Vgl. Text und Foto bei H. VINCENT, Notes d'épigraphie palestinienne: RB 12 (19o3) 274f.

311 ABEL a.a.O. 426f: "Ici repose la bienheureuse Nonna (fille) d'Étienne, d'Aïlat (?). Elle fut ensevelie le 12 du mois de Péritios, en la 1o^{e} indiction." Daß es sich hier um die Tochter des Baumeisters Stephanos handelt, ist zwar nicht endgültig bewiesen, aber mit großer Sicherheit anzunehmen.

trieben, heimgesucht und ihrer spärlichen Mundvorräte, die sie dem kargen Boden abgerungen oder sich durch Handarbeiten von vorüberziehenden Händlern eingetauscht hatten, beraubt, ja sogar mißhandelt und getötet.

Einen anschaulichen Bericht eines solchen Überfalls hat uns der in Kanopos bei Alexandrien lebende Einsiedler AMMONIOS hinterlassen, der sich um das Jahr 373 auf seiner Palästinareise für einige Tage auch "an jenen heiligen Ort" (εἰς τὸν αὐτὸν ἅγιον τόπον)[313] begeben hatte und Zeuge zweier folgenschwerer Angriffe wurde. Während er sich im Dornbuschtal aufhielt, fiel eine Horde Sarazenen[314], deren Anführer unlängst gestorben war, über sie her. Die Barbaren wüteten zunächst auf der Westseite des Ǧabal Mūsā und brachten alle Mönche um, die sie in Gethrabbi, Chobar (Choreb), Kodar [315] sowie in den benachbarten Tälern antrafen. Als sie ins Dornbuschtal eindrangen, ver-

---

312 Anders dagegen verhält es sich, wenn man mit Menso FOLKERTS, Prokopios: Der Kleine Pauly, Lexikon der Antike 4 (1979) 1168 für eine Frühdatierung der Aedificia zwischen 553 und 555 eintritt. Dann wäre der für die Vollendung des Klosterbaus in Frage kommende Zeitraum zwischen diesen Daten und dem Tod Theodoras 548 sogar auf fünf bis sieben Jahre eingegrenzt.

313 AMMONIOS, ed. Combefis (166o) 89.

314 Der Name Sarazenen ist ein Appellativum und bedeutet "die Östlichen" (vgl. arab. šarqī "östlich"). Σαρακηνή ist bei Ptolemaios (V,17,3) der von den Σαρακηνοί bewohnte nördliche Teil der Sinaihalbinsel, woher die Räuber wohl gekommen waren.

315 Bei diesen drei Örtlichkeiten handelt es sich um Einsiedlerkolonien rings um den Ǧabal Mūsā, deren Lage sich insofern mit einiger Sicherheit bestimmen läßt, als aus ihnen dann Klöster hervorgegangen sind. Gethrabbi (Γεθραββί al. Γεθραμβεί) ist wohl das spätere Apostelkloster (Dair Apostoli) am Eingang des Wādi al-Liǧā zu Füßen des Ǧabal ar-Rabba, der nach SZCZEPAŃSKI, Nach Petra und zum Sinai, Innsbruck 19o8, 367, den Namen an diese Laura wachhält. Chobar (Χοβάρ) ist offensichtlich verschrieben, da Combefis in seiner AMMONIOS-Edition S. 137 Choreb (Χωρήβ) als andere Lesart angibt, die deshalb den Vorzug verdient, weil sie den anderen biblischen Namen für den Sinai darstellt. - Auch das von A.S. LEWIS, The Forty Martyrs of the Sinai Desert ... from a Palestinian Syriac and Arabic Palimpsest, transcribed (Horae Semiticae No. IX), Cambridge 1912, syr. Text S. 5, engl. Übers. S. 2, edierte palästinensisch-syrische Palimpsest liest ܚܘܪܒ ; die beiden anderen Orte werden ܓܬܪܒܝ und ܩܘܕܪ geschrieben. - Nach dem Vorbild von EUSEBIUS, der Sinai und Horeb für zwei nebeneinanderliegende Berge hielt (vgl.Anm. 222), wurde mit Horeb, wie AETHERIA (4,1) bezeugt, der Rās-aṣ-Ṣafṣāfa bezeichnet, unter dessen nördlicher Steilwand am Eingang des zur Eliaebene hochführenden Wādi aš-Šraiḫ die Überreste des ehemaligen Gartenklosters (Dair al-Bustān) liegen, vermutlich an Stelle der nach dem Berg benannten Eremitenkolonie Horeb. Die Niederlassung Kodar ist dagegen schwieriger zu bestimmen. S. SCHIWIETZ, Das morgenländische Mönchtum, 2. Bd., Mainz 1913, 24, vergleicht den Namen mit der arabischen Wurzel *kadara* "(Was-

schanzten sich die dortigen Mönche mit ihrem Vorsteher Dulas sowie mit Ammonios und seinen Begleitern im Schutzturm beim Dornbusch. Während sich die Sarazenen anschickten, den Turm zu erstürmen, brach plötzlich ein gewaltiges Unwetter los, bei dem das ganze Gebirge in dunkle Wolken gehüllt wurde, der Gipfel des Sinai aber himmelhoch aufblitzte,so daß die Barbaren aus Schrecken vor dieser ungewöhnlichen Erscheinung unter Zurücklassung ihrer Waffen und Kamele die Flucht ergriffen. Nachdem das Unheil vorüber war, wagten sich die Mönche aus dem Turm, um nach ihren Mitbrüdern zu sehen. Sie fanden achtunddreißig Tote, zwölf davon in Gethrabbi, die übrigen an anderen Orten, einige mit abgetrennten Gliedern und zahlreichen Wunden grausam verstümmelt. Zwei Mönche, Isaias und Sabas, waren schwer verletzt und starben nach wenigen Tagen, so daß bei jenem Überfall, der sich am 2. Tybi (Januar) ereignete, vierzig Mönche umkamen [316]. An sie erinnert das heute verlassene Kloster der Vierzig Märtyrer im Wādi al-Liǧā, wo wohl die meisten den Tod fanden, und eine Seitenkapelle in der Kirche des Katharinenklosters.

Noch während die Mönche die Ermordeten betrauerten, wurde ihnen von einem Ismaelit die Schreckensbotschaft hinterbracht, daß zur gleichen Zeit auch in Raithu ihre Mitbrüder überfallen und niedergemetzelt worden seien. Einige Tage später kam ein Mönch, der diesem Blutbad entronnen war, und erzählte, eine Räuberbande von etwa dreihundert Blemmyern [317] sei auf der Suche nach Schätzen über das Rote Meer (Golf von Sues) gekommen und habe von den dreiundvierzig Mönchen, die in der ummauerten Kirche vor ihnen Zuflucht gesucht hatten, neununddreißig unbarmherzig ermordet, nachdem sie selbst durch grausame Folterungen nichts von ihnen erpressen konnten. Von den vier Überleben-

---

ser) ausgießen" und dem Derivat *akdar* "Torrente". Dementsprechend möchte er Kodar mit "Gießbach" übersetzen und mit dem Wādi al-Liǧā, dem wasserreichsten Tal am Sinai, identifizieren, das wohl auch mit dem "Bach" am Sinai gemeint ist, an dem sich nach den Apophthegmata Patrum (PG 65,3o1) ein Mönch Megethios niedergelassen hatte (ἔμεινε δὲ καὶ εἰς ποταμὸν εἰς τὸ Σινά). Für diese Ortsbestimmung spricht jedenfalls, daß später auch in diesem Tal ein Kloster, nämlich das der Vierzig Märtyrer, entstand, das auf eben jene Einsiedlerkolonie zurückgehen dürfte.

316 AMMONIOS, ed. Combefis (166o) 91-95. Vgl. SCHIWIETZ a.a.O. 3o. H. SKROBUCHA, Sinai, Olten und Lausanne 1959, 28.

317 Die Blemmyer (kopt. ⲂⲀⲖⲈϨⲘⲞⲨ, mit ⲂⲖⲖⲈ "blind" zusammenhängend?) waren ein nomadisches Volk in Unternubien, das nach Strabon (17,786) auf dem rechten Nilufer gegenüber den Nubai lebte und immer wieder räuberisch in Ägypten einfiel. Noch im 6. Jh. waren sie Heiden und als Plünderer von Klöstern gefürchtet.

den sei der schwer verwundete Domnus zwei Tage später gestorben [318], so daß wir es auch hier wieder mit der heiligen Zahl von vierzig Märtyrern [319] zu tun haben.

5.2.2 Ein weiteres Blutbad am Sinai hatte sich um das Jahr 4oo abgespielt. Davon erzählt ein dort lebender Asket namens Nilus, auch Nilus Sinaita genannt [32o], der aber nicht mit dem durch seine Briefe bekannten Klostervorsteher Nilus von Ankyra (+ um 43o) identisch sein kann [321], da ihre Schrif-

---

318 AMMONIOS, ed. Combefis (166o) 1o7-129. Vgl. SCHIWIETZ a.a.O. 3o-33 und SKROBUCHA a.a.O. 29-32.

319 EPIPHANIOS Hagiopolites, der vor 785 den Sinai besuchte, sagt von Raithu: ἔνθα ἀνῃρήθησαν οἱ ἑπτακόσιοι Πατέρες ὑπὸ τῶν Βαρβάρων (PG 12o,265 D).

32o Die Narratio des NILUS erschien in der Erstausgabe von Possinus in PG 79,583-694 unter dem Titel: Νείλου μονάχοντος ἐρημίτου διηγήματα εἰς τὴν ἀναίρεσιν τῶν ἐν τῷ ὄρει Σινᾷ μοναχῶν καὶ εἰς τὴν αἰχμαλωσίαν Θεοδούλου τοῦ υἱοῦ αὐτοῦ.

Unter Berufung auf einen Brief von Hieronymus (ep. 126,2), den er zwischen 411 und 412 in Bethlehem geschrieben hat, und worin er von einer Beunruhigung der Grenzen Syriens, Palästinas und Ägyptens sowie von einer Heimsuchung seines bethlehemitischen Klosters durch räuberische Sarazenen spricht, wollte J.M. Suarez, der Herausgeber der Werke des hl. Nilus, den Überfall auf die Mönche am Sinai in das Jahr 41o datieren (vgl. PG 79,1394). SCHIWIETZ a.a.O. 44, Anm. 2 dagegen setzt ihn aufgrund einer Nachricht im 6. Buch der Collationes von Johannes Cassian (vgl. CSEL 13,153f), in der arabischen Wüste seien Mönche von Sarazenen niedergemetzelt worden, um 4oo an, weil Cassian in diesem Jahr in Ägypten weilte und damals Kenntnis davon erhalten haben mußte. Daß es sich dabei um den von Nilus geschilderten Überfall handelt, steht nicht mit Sicherheit fest, ist aber durchaus wahrscheinlich.

321 So noch F. DEGENHART, Der hl. Nilus Sinaita ... (BGAM 6), Münster 1915. Den Nachweis, daß es sich um zwei verschiedene Personen handelt, lieferte K. HEUSSI, Untersuchungen zu Nilus dem Asketen (TU 3. Reihe, 12. Bd., Heft 2), Leipzig 1917. Der Verfasser des sinaitischen Überfalls ist kein Vertreter des Coenobitentums, sondern ein greiser Eremit, der in der 1. pers. sg. erzählt, dessen Name niemals im Text selbst, sondern nur in der Überschrift der Narratio als "Neilos" erscheint. Wer der wirkliche Autor ist, weiß man nicht. Vielleicht wurde dem Nilus die Narratio wegen gewisser Ähnlichkeiten mit einem unter seinem Namen laufenden Brief (Epist. IV,62: PG 79,58o-581) zugeschrieben. In diesem wird nämlich, ähnlich wie in der Narratio, von einem greisen Eremiten erzählt, der sich zusammen mit seinem Sohn in die Einsamkeit des Sinai zurückgezogen hatte. Eines Tages wurden bei einem Überfall der Barbaren zahlreiche Mönche verschleppt (in der Narratio getötet) und der Sohn des Eremiten als Gefangener fortgeführt. Die Wiedervereinigung von Vater und Sohn wird in beiden Erzählungen verschieden geschildert.

ten nicht nur in stilistischer Hinsicht sich unterscheiden, sondern auch eine jeweils andere Persönlichkeit erkennen lassen. Wenn auch die Erzählung vom Überfall der Mönche am Sinai nicht als historisch zuverlässige Quelle gewertet werden darf, da sie romanhaft ausgeschmückt ist und vermutlich mit der Theodulosgeschichte erst später verbunden wurde, so liegt ihr doch sicherlich ein geschichtlicher Kern zugrunde [322]. In dieser Schrift nun wird gesagt, daß sich mehrere Jahre zuvor ein ähnlicher Vorfall ereignete, womit wohl der von Ammonios geschilderte gemeint ist, und man aus praktischen Gründen am selben Tag, nämlich am 14. Januar, aller jener Märtyrer gedenke [323].

Den um das Jahr 4oo stattfindenden Überfall erlebte Nilus Sinaita, wie einst Ammonios, als Augenzeuge. Als er am Sonntagmorgen, dem 14. Januar, nach dem nächtlichen Psalmengebet in der Kirche am Dornbusch zu seiner Zelle zurückkehren wollte, fielen plötzlich und unerwartet die Barbaren wie tollwütige Hunde mit lautem Geschrei über die Mönche her. Sie raubten ihnen alles, was sie als Lebensunterhalt für den Winter aufgespeichert hatten, und stellten die älteren Asketen nackt und bloß der Reihe nach zum Abschlachten auf. Nachdem sie Theodulos, den Priester des Ortes, und zwei andere Mönche, Paulus und Johannes, sowie einen jugendlichen Asketenschüler mit dem Schwert getötet hatten, gaben sie aus unerfindlichen Gründen den übrigen Asketen die Aufforderung zu fliehen, woraufhin diese zum Berg Sinai liefen, den die Barbaren aus religiöser Scheu nicht zu betreten wagten, und sich dort in Sicherheit brachten [324]. Nilus begab sich noch in der Nacht nach Pharan, um sich bei den Bürgern dieser Oasenstadt zu beschweren. Dort erfährt er von dem Sklaven des Senators Magathon, der ebenfalls von den Sarazenen ermordet wurde, die Barbaren hätten verschiedene Täler am Sinai durchstreift und sieben Mönche, von denen sie fünf in ihren Zellen überraschten und zwei unterwegs ergriffen, grausam zu Tode gemartert. Es waren Proklos

---

322 Da der Nilusbrief nur von einer Verschleppung, aber nichts von einem Martyrium der Mönche weiß, nimmt HEUSSI a.a.O. 152 an, daß die Theodulosgeschichte ursprünglich nichts mit dem Martyrium zu tun hatte, sondern erst vom Verfasser der Narratio damit verbunden wurde. Den der Narratio zugrundeliegenden geschichtlichen Kern sieht HEUSSI 145f durch ein altes Märtyrerfest, das von den Sinaimönchen am 14. Januar gefeiert wurde, bestätigt. Nach J. HENNINGER, Ist der sogenannte Nilus-Bericht eine brauchbare religionsgeschichtliche Quelle?: Anthr. 5o (1955) 93 u. 148 lassen die geographischen Kenntnisse des Verfassers darauf schließen, daß er auf der Sinaihalbinsel gelebt hat, wenn auch sein Bericht für religionshistorische Fragen unzuverlässig ist.

323 Vgl. PG 79,64o C.

324 PG 79,625 D - 632 A. Vgl. SCHIWIETZ a.a.O. 44f.

in Bethrambe, Hypatios in Te, Isaak in der Kolonie Salael, Makarios und Markos in der Wüste draußen, Benjamin in Ailim, Eusebius in Thola und Elias in Aze [325]. Die Bürger von Pharan aber betrachteten diese Gewalttaten als Bruch des Vertrages, den sie mit den nomadisierenden Sarazenen zwecks Tauschhandels geschlossen hatten, und schickten eine Gesandtschaft an ihren Fürsten Ammanes, um sich zu beschweren, woraufhin dieser den Schaden wiedergutzumachen versprach [326].

5.2.3 Um die Mönche vor solchen Überfällen zu schützen, ließ Justinian am Dornbusch eine stark befestigte Klosteranlage mit dicken, zwölf bis fünfzehn Meter hohen Wehrmauern errichten, die dem Kloster ein kastellartiges Aussehen verleihen. Die Anlage zieht sich wegen der Enge des Tals den Hang des Mosesberges hoch, so daß die südwestliche Umfassungsmauer um einiges höher liegt als die nordöstliche. Die sechs bis neun Fuß dicken Mauern, die mit mehreren Türmen verstärkt wurden, besitzen eine solche Stabilität, daß sie sich im wesentlichen bis heute erhalten haben. Sie sind im Laufe

---

325 PG 79,664: Ἦν δὲ ὁ μὲν ἐν τῇ Βη(σ)θραμβῇ Πρόκλος, Ὑπάτιος δὲ ὁ ἐν τῇ Τὲ, Ἰσαὰκ δὲ ὁ ἐν τῇ μονῇ Σαλαήλ, Μακάριος δὲ καὶ Μάρκος οἱ κατὰ τὴν ἔρημον ἔξω πεφονευμένοι καὶ Βενιαμὶν ἐν τῇ ἔξω τῇ Αἰλίμ. Εὐσέβιος δὲ ἐν Θωλὰ καὶ Ἡλίας ἐν Ἀζέ.
Von diesen in der Nähe des Sinai liegenden Örtlichkeiten läßt sich nur die erste mit einiger Sicherheit bestimmen. Βη(σ)θραμβή ist wohl mit dem von Ammonios erwähnten Γεθραμβεί oder Γεθραββί gleichzusetzen (vgl. Anm. 315), wobei der erste Namensbestandteil Βηθ vielleicht die ursprüngliche Lesart ist, da mit *Bēt* (Haus) viele semitische Ortsnamen zusammengesetzt sind. Weil nach Narratio V (PG 79,649 A) die Zelle des jugendlichen Hypathios ganz in der Nähe lag, scheint das rätselhafte ἐν τῇ "Τέ", wie SCHIWIETZ a.a.O. 25 wohl mit Recht vermutet, einfach nur eine Verschreibung für ἐν τῇ "αὐτῇ" (sc. μονῇ) zu sein und sich auf dieselbe Niederlassung zu beziehen. Nicht weit davon entfernt (vgl. Narr. V, PG 79,649 C: Οὐ πολὺ δὲ ἐκεῖθεν) muß die Einsiedlerkolonie Σαλαήλ gelegen haben, die SCHIWIETZ a.a.O. mit dem sich den Horeb/Rās aṣ-Ṣafṣāfa hinaufziehenden Wādi aš-Šraiḫ identifizieren möchte, das R. POCOCKE a.a.O. 143 das Tal Jah, d.h. Gottestal, nennen hörte. Ebenso sei nach SCHIWIETZ Salaēl zu übersetzen, da im Arabischen Sālun "Tal" und il (ʼilā) "Gott" bedeutet. Mit "der Wüste draußen" (κατὰ τὴν ἔρημον ἔξω) wird die Ebene ar-Rāḥa gemeint sein, in die dieses Tal mündet; nur Αἰλίμ , das ebenfalls in diesem Gebiet zu liegen scheint (ἐν τῇ ἔξω), läßt sich nicht genauer lokalisieren. Mit Θωλά dagegen könnte das Wādi aṭ-Ṭlāᶜ gemeint sein, das sich gewissermaßen als Fortsetzung des Wādi al-Liǧā parallel zur Ebene ar-Rāḥa hinzieht und im 6. Jh. durch die Niederlassung von Johannes Klimakus bekannt wurde (vgl. SZCZEPAŃSKI a.a.O. 387-389). Südöstlich vom Eingang dieses Tals liegt das Wādi Zawatīm, in dem sich noch jetzt viele zerfallene Einsiedlerhütten befinden (vgl. SZCZEPAŃSKI a.a.O. 389f) und das vielleicht mit dem zuletzt genannten Ἀζέ identisch ist.

der Zeit nicht durch Menschenhand, wohl aber mehrmals durch Erdbeben beschädigt worden, vor allem durch ein besonders verheerendes Anfang des Jahres 1588, von dem Samuel KIECHEL berichtet [327]. Die teilweise eingefallenen Mauern wurden 18o1 auf Befehl Napoleons durch Marschall Kléber, dem Befehlshaber der französischen Truppen während der Okkupation von Ägypten, restauriert, woran eine Gedenktafel in der südwestlichen Mauer erinnert.

Wenn auch diese hohen und starken Mauern für die Beduinen ein unüberwindliches Hindernis darstellten, so versuchten sie zuweilen mit List oder Gewalt durch die Pforte in das Innere des Klosters einzudringen, um die Mönche zu berauben und nach mutmaßlichen Schätzen zu suchen [328]. Um den Zutritt besser kontrollieren zu können, hatte man im 15. Jh. die große Pforte vermauert und einen kleinen und engen, mit drei eisenbeschlagenen Türchen abgesicherten Durchgang geschaffen, durch den jeder Besucher hindurchkriechen mußte, wie Arnold von HARFF 1497 erzählt [329]. Das große alte Haupttor

---

326 Vgl. SCHIWIETZ a.a.O. 45f.

327 Der im Juni dieses Jahres zum Sinai reisende KIECHEL, ed. Haszler (1866) 354 sagt, die Moschee auf dem Gipfel des Ǧabal Mūsā sei "durch einen grosen erdbüdem, ohngevahr vohr fünf mohnatt geschehen, der dann an vülen ortten schaden gethon, aller eingerissen worden; wüe auch an der Christen kürchen das dach aller eingerissen, unden im closter düe maur, wölche doch sehr dück, aller zerspalten".

328 Vgl. z.B. das Schreiben des Mamlūkensultans Ḫušqadam vom 15. D.Ḥ. 87o (= 29.7. 1466): "und falls sie (die Beduinen) der Gebetsverrichtung innerhalb des Klosters zu bedürfen vorgeben, um die Mönche in dem genannten Kloster zu benachteiligen und sie zu belästigen, so soll ihr Vorwand nicht angenommen werden und ihnen weder der Eintritt in das besagte Kloster ermöglicht noch die Möglichkeit geboten werden, sie zu belästigen, denn ihre (der Beduinen) Absicht damit ist nur, sie zu schädigen, zu belästigen und sie herauszutreiben [ ] und sie beabsichtigen, sie (die Mönche) zu töten und das zu rauben, was sie an Nahrungsmittelvorräten haben." Vgl. ERNST a.a.O. 143. Die Mönche haben die muslimischen Herrscher immer wieder ersucht, die Beduinen daran zu hindern, "Schwierigkeiten zu bereiten den im Kloster Ṭūr Sīnā lebenden Mönchen, und in ihr Kloster einzudringen und irgend etwas Nachteiliges zu unternehmen gegen ihre Ländereien, Dattelpalmen, Weinpflanzungen und Saaten", wie es etwa in einer Urkunde des Sultans Ṣāliḥ vom 27. Šaw. 754 (= 25.11. 1353) heißt; vgl. ERNST 75ff.

329 Die Pilgerfahrt des Ritters Arnold von HARFF ..., hrsg. von E. von Groote, Cöln 186o, 121: "dit is gar eyn kleyn starcke cloyster mit eyner vierecketiger hoger muyren mit thoernen vmtzoegen vmb der wilder Araben wylle, die yen degelichs gar groyssen oeuerlast bewijsen, dar vmb sij ouch gheyne groysse portzen an deme cloister en hauen, dan drij kleyne neder enghe durchen mit ijser platen oeuertzogen eyn vur deme ander so dat man dar durch kruyffen moyss." Auch auf dem Horeb oder Ǧabal Mūsā sei das "kleyn schoyn kirchelgen zo sent Saluatoir genant mit ijser dueren gemaicht vmb der wilder Araben wil" (S. 125f).

wurde nur bei der Visitation des in Kairo residierenden Abtes und Erzbischofs, die alle drei Jahre stattfinden sollte, für sechs Monate geöffnet. Da während der Anwesenheit des Abtes die Araber freien Zutritt zum Kloster hatten und von den Mönchen bewirtet werden mußten, blieb "das Tor des Abtes" (*Bāb ar-Ra'īs*) wegen der hohen Unkosten seit 17o9 für immer zugemauert. Der Erzbischof besuchte seither das Kloster inkognito [33o].

Diese Vorsichtsnaßnahmen schienen die Beduinen nur noch um so beutegieriger gemacht zu haben. Besonders in der Zeit der zu Ende gehenden Mamlūkenherrschaft muß ihre Dreistigkeit immer größer und das Durchsetzungsvermögen der Regierung immer geringer geworden sein. So werden in einem Erlaß des Sultans Qānṣūh vom 13. Ramaḍān 911 (= 7. Febr. 15o6) die Verwaltungsbeamten der Sinaihalbinsel angewiesen, gegen räuberische Beduinen, die das Kloster überfallen, Maßnahmen zu ergreifen und den Mönchen Beistand zu leisten. Die Mönche hatten sich nämlich bei Hofe darüber beschwert, daß eine Bande Beduinen vom Gebirge *aṭ-Ṭūr* das Kloster geplündert und ihnen Schaden zugefügt habe. Anstatt das Gestohlene zurückzugeben, hätten sie das Kloster erneut beraubt und sogar den Abt getötet [331]. Wegen dieser Überfälle und Gewalttätigkeiten hielt man den engen Durchschlupf fest verschlossen und zog die Besucher, die sich erst ein Empfehlungsschreiben beim Erzbischof in Kairo ausstellen lassen mußten, mit einem Seil die Mauer hoch. Erstmals erzählt von dieser berühmt gewordenen Luftreise Jean THENAUD im Jahre 1512: "Pour y entrer, on laisse descendre un chable de la syme des murailles, en l'anneau duquel on mect les piedz et là on se tient, et par ung tour l'on est monté. Car, s'il y avoit porte basse, les Arabes, qui ne demandent fors à destruire le monastere, y feroient tousjours leur effort"[332]. Im nachfol-

---

33o Vgl. C. NIEBUHR, Reisebeschreibung nach Arabien, 3 Bde, Kopenhagen 1774-78, I 245. J.B. KAMJASCHOTT, Wanderungen durch Syrien, Egypten, und einen Theil Arabiens, 2 Bde, Erfurt 18o6, II 5f. J.L. BURCKHARDT, Reisen II 883f. E.J. MORRIS, Notes of a Tour through Turkey, Greece, Egypt, Arabia Petraea, to the Holy Land, 2 Vols., Philadelphia 1842, II 243.

331 Vgl. ERNST a.a.O. 223ff. Von einer Plünderung des Klosters ist auch in einem Schreiben des Mamlūkensultans Ḥasan vom 1o. Rab. II 749 (= 8.7. 1348) die Rede: "und nun sind über sie hergefallen die Beduinen, die Beduinen dieser Wildnis, und sind in das Kloster eingefallen und haben geplündert alles, was den Mönchen gehört innerhalb und außerhalb des Klosters, und schlagen die Mön(che), und machen ihnen das Leben schwer"; vgl. ERNST 63.

332 J. THENAUD, Le Voyage d'Outremer ..., ed. Schefer, Paris 1884, 71. Vgl. E. SCHNYDRIG, Komm in das Land, das ich dir zeigen werde, Stuttgart 1964, 112.

genden Jahrhundert wurden die Pilger etwas sicherer und bequemer in einem Korb die Mauer hochgezogen, wie der 1658 reisende Jean de THÉVENOT berichtet: "du costé d'Orient il y a vne fenestre par laquelle ceux de dedans tirent les pelerins dans la Monastere, auec vne corbeille qu'ils descendent au bout d'vne corde passée par vne poulie" [333]. TROILO sagt im Jahr 1666, die Mönche ließen keinen Türken oder Araber ins Kloster hinein, weil sie ihnen mißtrauten und befürchteten, sie könnten von ihnen überwältigt, beraubt oder gar erschlagen werden. Sie erbauten daher außerhalb des Klosters eine steinerne Herberge, um ihnen und ihren Kamelen Unterkunft zu gewähren, wenn sie Lebensmittel aus Kairo herbeibrachten [334]. Dennoch versuchten die Araber immer wieder, sich mit Gewalt Zutritt zum Kloster zu verschaffen. So erzählt der 1598 reisende HARANT, sie hätten wenige Tage vor seiner Ankunft die Tür gestürmt. Weil diese aber, wohlverriegelt und mit Eisenblech beschlagen, nicht aufzubrechen war, hätten sie Feuer an sie gelegt, das aber von den Mönchen gelöscht werden konnte [335]. Diesen einzigen und besonders bedrohten Zugang hatten die Mönche wie bei einer mittelalterlichen Burg abgesichert, denn NEITZSCHITZ schreibt 1636: Das Kloster "hat drey starcke eiserne Thüren im Eingange / über der mittlern aber oben ein Loch / da die Münche / wenn die Mohren etwan mit Gewalt was suchen wollen / wie zum öfftern geschiehet / siedend Wasser unter sie giessen und mit Steinen werffen können" [336]. Der 1558 reisende russische Kaufmann Basilius POSNIAKOW gibt an, daß die Mönche sogar zwei Kanonen über der Eingangstür aufgestellt haben [337]. Nach TURNER besaß das Kloster im Jahr 1815 vier Kanonen und einige Musketen [338] und auch COUTELLE erwähnt die Kanonen und ein Arsenal mit Geweh-

---

333 J. de THÉVENOT, Relation d'vn Voyage fait av Levant ..., Paris 1664, 321f.

334 Frantz Ferdinand von TROILO, Orientalische Reise=Beschreibung ..., Dresden und Leipzig 1733, 5oo.

335 C. HARANT, Der Christliche Ulysses / Oder Weit=versuchte Cavallier ..., Nürnberg 1678, 581.

336 Georg Christoph von NEITZSCHITZ, Sieben=Jährige und gefährliche Welt=Beschauung ..., Budißin und Leipzig 1673, 2o1.

337 Le pèlerinage du marchand Basile POSNIAKOV aux saints lieux de l'Orient 1558-1561 ... trad. par B. de Khitrovo, Paris, Leipzig, Genève 1889, 3o3.

338 W. TURNER, Journal of a Tour in the Levant, 3 vols. , London 182o, II 443.

ren [339]. Allerdings haben die Mönche diese Waffen so gut wie niemals gegen die Araber eingesetzt [34o], die sich daher wohl auch kaum von ihnen beeindrucken ließen.

Die Araber hatten dagegen keine Bedenken, ihre Waffen gegen das Kloster abzufeuern. Dies geschah jedoch weniger in der bösen Absicht, die Mönche zu töten, als sie vielmehr einzuschüchtern, um sie ihren Forderungen gefügig zu machen. TURNER berichtet, daß in Zeiten großer Dürre die Araber in Scharen vor das Kloster kommen und ihre Flinten abfeuern, bis die Mönche versprechen, um Regen zu beten. Als einmal bei einem Wolkenbruch zwei Araber und viele Kamele in einem Wādi ertranken, schoßen sie wiederum auf das Kloster, weil sie dieses Unglück der Bosheit der Mönche zuschrieben, die statt Segen Fluch auf sie herabgefleht hätten [341]. Die Araber glauben nämlich, daß der Regen unter der unmittelbaren Aufsicht und Anordnung von Mose stehe. Sie sind davon überzeugt, daß die Priester im Besitz des Taurāt sind, eines dem Mose vom Himmel herabgesandten Buches, und der Regen davon abhängt, ob dieses Buch geöffnet oder verschlossen ist. So hat der angebliche Ruf, Regenmacher zu sein, den Mönchen schon mehr Unannehmlichkeiten als Ansehen eingebracht. Da die Beduinen nun einmal der festen Ansicht sind, daß von ihrer Fürbitte der Regen abhänge, klagen sie bei jeder Dürre die Mönche übelwollender Gesinnung an, kommen lärmend vor das Kloster und nötigen sie, auf den Ǧabal Mūsā zu steigen, um dort um Regen zu beten. Als einmal bei einem heftigen Sturzregen, der viele Dattelpalmen vernichtete, einem Beduinen die Kamele und Schafe weggeschwemmt wurden, feuerte er wütend sein Gewehr auf das Kloster ab und rief den Mönchen zu: Ihr habt das Buch so stark geöffnet, daß wir alle überschwemmt sind! Erst durch ein Geschenk ließ er sich besänftigen und bat die Mönche im Weggehen, den Taurāt doch nur halb zu öffen, damit der Regen nicht allzu heftig falle [342].

Wenn die Araber unzufrieden sind, ergreifen sie manchmal auch einen Mönch außerhalb der schützenden Klostermauern und prügeln ihn ordentlich durch [343],

---

339 J.M.J. COUTELLE, Observations sur la topographie de la presqu'île de Sinaï ..., in: Description de l'Égypte ... publiée par C.L.F. Panckoucke, Tom. 16., Paris [2]1825, 163f.

34o BURCKHARDT a.a.O. 893: "Die Mönche haben dagegen bisweilen auch auf die Beduinen geschossen, denn sie haben ein gut versehenes Zeughaus und zwey kleine Kanonen; allein sie hüten sich sehr, jemand zu tödten."

341 TURNER a.a.O. II 447.

342 Vgl. BURCKHARDT a.a.O. 9o9f.

werfen von den benachbarten Anhöhen, wie schon Eutychios befürchtet hatte, Steine in das Kloster oder schießen mit ihren Gewehren hinein, wobei Ende des 18. Jh. ein Mönch sogar getötet wurde [344],und stoßen allerlei Verwünschungen und Flüche gegen die armen Mönche aus [345]. Manchmal lassen sie ihre Wut auch an den Gärten des Klosters aus, die sie dann verbrennen und verwüsten. So sagt schon Arnold von HARFF 1497 vom Garten beim Kloster der Vierzig Märtyrer, daß diesen "die heyden den broederen gar duck verdestruwieren" [346]. Wie TURNER aus dem Jahr 1815 berichtet, hatten die Araber in den letzten Jahren von den acht Gärten der Mönche alle bis auf den einen beim Katharinenkloster weggenommen, den sie dafür plünderten [347].

---

343 KAMJASCHOTT a.a.O. II 25: "es gehört keineswegs zu den Seltenheiten, daß ein Klosterbruder, der sich allein zu weit vom Kloster entfernt, von den Bedouinen, die ihm begegnen, ausgeprügelt wird, daß er sich nicht besinnen kann." Der 1585 reisende Hans Ludwig von LICHTENSTEIN: Große Reisen und Begebenheiten ... hrsg. von H. Frhrn. von Rotenhan, München 19o2, 38, erzählt, die über 5o Mönche des Katharinenklosters "stehen täglichen wegen der fremden, streifenden Araber in großer Gefahr". Er hörte, "daß nicht vor gar langen Jahren etliche Mönche von streifenden Arabern umgebracht worden".

344 BURCKHARDT a.a.O.893; vgl. auch KAMJASCHOTT a.a.O. II 25: " ... klettern auf die umliegenden Anhöhen, werfen mit Steinen hinab in den Hof, und feuern wohl gar mit Pistolen und Flinten ins Kloster". NIEBUHR a.a.O. I, 244f schreibt von den Arabern: "Diese sind den griechischen Mönchen sehr schlimme Nachbaren.Man sagt daß sie bisweilen von den nahe liegenden Bergen mit ihren Flinten in das Kloster feuern. Und wenn sich die Griechen nur ein wenig von dem Kloster entfernen, so halten sie sie bisweilen an, und liefern sie nicht ehe wieder aus, als bis sie reichlich bezahlt worden sind." - J.N. FAZAKERLEY, Journal from Cairo to Mount Sinai, and return to Cairo, in: R. WALPOLE (Ed.), Travels in various Countries of the East ..., London 182o, 373: " ... a crowd of Arabs brandishing their daggers and guns, and screaming with every appearance of fury. The few priests who ventured to show themselves were imploring mercy; and as the Arabs not unfrequently climb up the rocks which overlook the convent and fire into it, we thought that this was the beginning of an attack." Als sich L. de LABORDE, Journey through Arabia Petraea, to Mount Sinai, London 1836, 233, im Jahr 1828 im Kloster aufhielt, wurde ein Pilger durch eine Kugel, die ein Beduine von einem Felsvorsprung herunter auf ihn abgefeuert hatte, im Oberschenkel getroffen; "vermutlich hatte der verwundete Pilger volles Verständnis für Justinian, der den Klosterarchitekten hatte köpfen lassen", meint G. GERSTER, Sinai, Zürich ^{2}197o, 157.

345 KAMJASCHOTT a.a.O. II 25f: "Von der Art des Schimpfens dieses Lumpenvolkes hat ein Europäer keine Begriffe, ihre Verwünschungen und Schimpfnamen sind so charakteristisch, so ärgerlich und zahlreich, daß ich glaube, nur in der reichhaltigen arabischen Sprache kann so geschimpft werden."

346 HARFF a.a.O. 126 ("die Heiden den Brüdern gar oft zerstören").

347 TURNER a.a.O. 445. Vgl. BURCKHARDT a.a.O. 892: "Kommt ein Scheikh von den beschützenden Stämmen zum Kloster, um Kaffee, Zucker oder Kleidungs-

5.2.4 Gegen diese Belästigungen nützten den Mönchen auch die starken Klostermauern nichts. Das Verhältnis der Mönche zu den ringsum wohnenden Arabern wäre auf die Dauer sicherlich unerträglich geworden und zu ständiger Feindschaft ausgeartet, wenn sie nicht seit Jahrhunderten schon den hungrigen Beduinen zu essen gegeben hätten [348]. Sie selbst waren wegen ihrer Gärten und Plantagen, die sie nicht nur rings um den Sinai, sondern auch bei aṭ-Ṭūr und im Wādi Fairān besaßen, sowie aufgrund ihrer reichen Besitzungen in verschiedenen Ländern [349] vor Not geschützt und wurden von ihrem Filialkloster in Kairo regelmäßig mit Nahrungsmitteln versorgt [35o], so daß sie selbst dann das Lebensnotwendige hatten, wenn die Beduinen infolge einer Dürre Hunger leiden mußten. Aus einer anfänglich christlicher Nächstenliebe zu verdankenden Armenspeisung hatten die rings um das Kloster

---

stücke zu fordern, und wird mit dem, was er bekömmt, nicht ganz zufrieden gestellt, so wird er sogleich der Feind der Mönche, verwüstet einige ihrer Gärten und muß zuletzt doch durch ein Geschenk besänftigt werden."

348 B. de MONCONYS, Ungemeine und sehr curieuse Beschreibung Seiner ... Reisen ..., Leipzig und Augspurg 1697, 244 meint: "und ist ein stück Brod das kräfftigste Gewehre wieder die Raserey dieses Volcks". - Im Hinblick auf die Kanonen und Musketen des Klosters sagen J.A. van EGMONT and J. HEYMAN, Travels ..., London 1759, II 16o: "the fathers at present used no other arms against the Arabians than meal, bread, and other smal presents, seasoned with fair words".

349 Die Besitzungen des Katharinenklosters auf der Sinaihalbinsel, im Heiligen Land (Jerusalem, Jaffa, Akko), in Ägypten (Kairo, Alexandrien), in Syrien (Damaskus, Antiochien), bei Konstantinopel und auf den Inseln Kreta und Zypern, die hauptsächlich Kirchen, Häuser, Hospize, Grundstücke, Palm- und Olivenhaine sowie Weingärten umfassen, werden z.B. in einer Bestätigungsbulle Papst Honorius' III. an den Erzbischof Simeon vom Sinai vom 6. Aug. 1217 aufgezählt; vgl. G. HOFMANN, Sinai und Rom: OrChr 9 (1927) 226 u. 242-244. Zu den Metochien des Sinai-Klosters vgl. auch K. SCHWARZ, Osmanische Sultansurkunden, Freiburg 197o, 13-16.

35o Schon Magister THIETMAR, Peregrinatio, ed. Laurent, Hamburgi 1857, 42 schreibt im Jahr 1217: "Pleraque, que habent, apportantur eis de Babilonia" (= Kairo). Wie KIECHEL a.a.O. 343 berichtet, hatte der Erzbischof des Klosters am 3o. Mai 1588 eine Karawane von 9o Kamelen mit allerlei Lebensmitteln von Kairo zum Sinai geschickt. A.A. MORISON, Relation historique ..., Toul 17o4, 79 sagt, daß am 11. Nov. 1697 eine Lebensmittelkarawane von ungefährt 2oo Kamelen und 2oo Arabern von Kairo zum Sinai aufgebrochen sei. Den großen Bedarf an Nahrungsmitteln erklärt der 1636 reisende NEITZSCHITZ a.a.O. 2o2: "Zu dem Ende werden auch Jährlich drey oder viermahl aus Egypten dem Kloster so viel Victualien zugeführet / daß sie solch Anlauffen ausstehen und der hungerigen Mohren Boßheit stillen können." Im Juli 1815 hatten nach TURNER a.a.O. 446 die Araber den Proviant (Wein, Öl, Mehl usw.) im Wert von 12.ooo Piastern, der von Kairo zum Kloster transportiert wurde, in ihren Besitz gebracht. Die Geschenke, mit denen sich die Mönche die Friedfertigkeit der Araber einhandeln müssen, kosteten sie jährlich 2o.ooo Piaster.

wohnenden Araber im Laufe der Zeit ein Gewohnheitsrecht abgeleitet, das ihrer Meinung nach die Mönche dazu verpflichtete, sie immerfort mit Nahrungsmitteln und allerlei Gebrauchsgegenständen, ja sogar mit Geld zu versorgen. Sie waren nur dann zufrieden und friedfertig, wenn vom Wohlstand des Klosters auch für sie etwas abfiel. Anderenfalls versuchten sie, mit Drohung und Gewalt ihre Forderungen durchzusetzen. Die Speisung der mitunter in großer Zahl und von weither kommenden Araber hat den Mönchen oft schwer zu schaffen gemacht und zuweilen so überfordert, daß sie keinen anderen Ausweg mehr wußten, als das Kloster vorübergehend zu verlassen.

Seit wann - außer den von Justinian dem Kloster geschenkten Sklaven - auch noch eine Anzahl von Beduinen von den Mönchen regelmäßig mit Nahrungsmitteln versorgt werden mußten, wissen wir nicht. Jedenfalls ist dieser Brauch schon für das 14. Jh. bezeugt [351]. JACOBUS de Verona sagt 1335: "multas elemosynas cotidie faciunt omnibus Arabibus venientibus ad monasterium" [352]. Desgleichen schreibt Nicolas de MARTONI 1394: "omnibus Sarracenis Arabis, quorum magnus est concursus illuc, dat ad commedendum" [353]. Wie Johann TUCHER aus dem Jahr 1479 mitteilt, waren außerhalb des Klosters ebenso viele Personen zu versorgen wie innerhalb, wo damals "bey achtzig Brüder" lebten: "Die Brüder daselbst haben gar grossen vberlast von den Arabern / deñ sie täglich bey 8o. oder hundert Arabern geben müssen das Brot vnd Manester" [354]. Lupold von WEDEL sagt 1578 von den 14o rings um den Sinai wohnenden Mönchen: "sie mussen jerlich zur Unterhaltung haben wol 5ooo Ducaten, den sie teglich file Araber spisen, es sullen unterweilen wol etzlige 1oo Araber vors Kloster kumen und begeren fressen oder drowen, das Kloster zustormen ..." [355].

351 Der 1217 reisende Magister THIETMAR erwähnt ihn nicht, doch dürfte er schon damals durchaus bestanden haben.

352 Liber peregrinationis Fratris JACOBI de Verona, ed. Röhricht: ROL 3 (1895) 233.

353 N. de MARTHONO, Liber Peregrinationis ad Loca Sancta, ed. Le Grand: ROL 3 (1895) 6o8.

354 TUCHER, Reyßbuch (1584) 364b. Ebenso schreibt sein Reisegefährte Sebald RIETER, ed. Röhricht/Meisner (1884) 95: "Dy bruder haben auch grosen uberlast von den Arrben, wann sy teglich bey 8o Arben geben müssen prot und menesten."

355 L. von WEDEL, Beschreibung seiner Reisen ... hrsg. von M. Bär: Baltische Studien 45 (1895) 135. Ähnlich berichtet FABRI, ed. Hassler II (1843) 5o5 aus dem Jahr 1483: "Singulis enim diebus dant panes et pulmentum ad minus 8o Arabibus deserti, latronibus, et communiter centum veniunt, aliquando plures, et si non statim tribuere volunt, quod petunt, contra eos insurgunt et monasterium perturbant." Ebenso sein Reisegefährte BERNHARD von Breitenbach, Reyßbuch (1584) 1o4b: "Die Araber

Der im folgenden Jahr reisende Hans Jacob BREUNING spricht von den "Araber / so jhnen stettigs auff dem halß ligen / welchen sie auch wochentlich / ein genants entweder von meel oder brod / von einem oder dem andern zugemüß geben vnd reichen müssen / vom höhsten biß auff dz geringste / als wann sie Nadel vnd fadem von nöhten / jhre hembder zu machen / oder dergleichen / Item so sie kranck / Honig / Zucker vnd anders / so sie nur immer von den München begeren / also das jhnen deßhalben ein grosser last auff dem halß ligt. Es sein kurtz vor vnserer ankunfft / alhie gewesen 3oo. Araber / so wegen eines vertrags (die Moskee, so innerhalb deß Closters / betreffend) in die sechs wochen auff jhren vnkosten verharret ..." Man kann sich gut vorstellen, wie froh die Mönche darüber waren, daß diese hungrige und gierige Schar durch die Schutzmauer Justinians daran gehindert wurde, das Kloster zu betreten, um sich selber das Gewünschte zu holen. BREUNING fährt fort: "Von oben herab / auß einem Laden deß Closters / wird den Arabern / an einem seyl (das sie ausserhalb empfangen können) jhr deputat gereicht vnd gegeben ..." [356]. Der 1588 reisende Samuel KIECHEL sagt von den Mönchen: "Domitt süe aber dös yberlaufs für der portta döss closters yberhoben seyen, haben süe ein besonder ortt, do süe das almusen iber düe mauren in

---

beschweren dasselbige Kloster mit jrem vberfall gar sehr. Also daß der Abt gemeynlich alle tag achtzig oder hundert derselben muß speisen." Dieselbe Zahl gibt auch MONCONYS (1697) 244 an, NEITZSCHITZ a.a.O. 2o1f spricht 1636 von 5o-1oo Arabern. Stark übertrieben ist die Angabe des 1542 reisenden Iodocus a MEGGEN, Peregrinatio Hierosolymitana, Dilingae 158o, 19o: "Sunt qui asserant 5ooo. homines à monachis alendos esse." Im Jahr 1816 mußte das Kloster nach BURCKHARDT a.a.O. II 891 nur noch für 3o bis 4o Personen täglich Brot liefern. Es kämen deswegen nur wenig Beduinen, weil in der Nähe keine guten Weideplätze sind. Im 18. Jh. hätten sie noch das Recht gehabt, eine warme Mahlzeit zu verlangen. Das Brot, das sie jetzt erhalten, nennt er (S. 886) nur "eine zweyte und dritte Art". Völlig ungenießbar mußte es der mit boshaften Bermerkungen nicht sparsame E.H. PALMER, Der Schauplatz der vierzigjährigen Wüstenwanderung Israels, Gotha 1876, 49, gefunden haben: "Einen dieser Laibe habe ich mitgebracht; ein berühmter Geologe, dem ich diese Probe vorlegte, erklärte sie für 'ein Stück metamorphischen Gesteines, welches Bruchstücke von Quarz, eingebettet in einer amorphen Grundmasse, enthält'. Kein anständig erzogener Vogel Strauß könnte einen solchen verschlingen, ohne seine Verdauung für Lebenszeit in Gefahr zu bringen." Auch ROBINSON a.a.O. 291 nennt das Brot schlecht. Da für die vielen Araber das Getreide nicht ausreiche, werde es oft mit Gerste vermischt. Die Bäckerei des Klosters sei sehr groß. Immerhin "finden die Mönche es räthlich, diese vielen arabischen Mäuler lieber mit Brot zu stopfen, als sich ihrem lauten Geschrei und der Gefahr plötzlicher Gewaltthätigkeiten auszusetzen". Wenn auch derart gefährliche Zeiten längst vorüber sind, so blieb doch diese jahrhundertealte Übung bis in unsere Tage bestehen. Ich konnte selbst am 16. Aug. 1982 im Katharinenkloster miterleben, wie um die Mittagszeit ein Mönch einigen Ǧebālīye-Beduinen Brot austeilte. Als ich mich bei ihm erkundigte, wie es gegenwärtig um diesen Brauch bestellt sei, gab er mit zuerst einmal freundlicherweise ebenfalls ein Stück, das

einem grosen korb am zug herunder lassen" [357]. Jeden Tag müssen über hundert Araber mit Weib und Kind unterhalten werden, berichtet Christoph HARANT 1598, denen man einen Krug Mehl oder Weizen oder einen Laib Brot durch ein eigenes Fenster mit einem Seil in einem Behälter herabläßt. Da dies bei den vielen Menschen fast den ganzen Tag in Anspruch nahm, hat man eigene Leute dafür angestellt, die sonst nichts anderes tun. Die Beduinen fangen aber bei jeder Kleinigkeit Streit an, so daß die Mönche immer wieder aufs neue Verträge und Abmachungen mit ihnen eingehen müssen. Sind aber den Mönchen die Forderungen zu hoch, drohen sie, das Kloster zu verlassen, was dann die Beduinen zum Einlenken zwingt [358].

Eine lebhafte Schilderung dieses Spektakels gibt Pietro DELLA VALLE, der sich 1615 am Sinai aufhielt. Die Mönche müssen 2oo-3oo Arabern das Essen an einem Seil aus einem hohen Fenster herunterlassen, "unter welchem sie Tag und Nacht ruffen und schreyen / als wann sie besessen wären / mit offtmaligen Bedrohungen / wann man ihnen nicht geben würde / was sie begehrten / das Thor auffzuschlagen / die Bäume umbzuhauen / und die daherumb liegende Gärten zu verbrennen / und was dergleichen ungebührliche Sachen mehr

---

aber wider Erwarten keineswegs die aus der älteren Literatur bekannt schlechte Qualität besaß, sondern außerordentlich gut schmeckte. Da sich die Zeiten auch für die ehemals bettelarmen Beduinen zum Besseren gewendet haben, kämen heutzutage, wie er mir sagte, nur noch wenige zum täglichen Brotempfang.

356 H.J. BREUNING, Orientalische Reyß ..., Straßburg 1612, 191. Vgl. auch den Bericht seines Reisegefährten LE CARLIER, ed. Blochet, Paris 192o,216.

357 KIECHEL, ed. Haszler (1866) 35o. Aus dem Jahr 1615 berichtet A.G. von STAMMER, Morgenländische Reise=Beschreibung ..., Jena 1671, 119f: "Es gaben die Münche allen Arabiern zu essen / welches ein wenig Mehl mit Wasser zugerichtet war / sie ließens ihnen in einem Korbe mit einer Schnur herunter / und musten solches fast alle Tage thun / und keinem nichts versagen / sonsten würde das Kloster von ihnen gestürmet / und alle Münche todt geschlagen." (Diese Stelle hat L. FLAMINIUS, Itinerarium per Palaestinam ..., Rotenburg 1682, 85 wörtlich abgeschrieben.) Daß die Mönche den Arabern das Essen in einem Korb herablassen, erwähnen auch F.F. von TROILO, Orientalische Reise=Beschreibung, Dresden und Leipzig 1733, 498, für das Jahr 1666 und für 1697 A. MORISON, Relation historique, Toul 17o4, 1o6. Die Sitte, den Beduinen, die das Kloster nicht betreten dürfen, vom Fenster aus Brot zu geben, kennt auch noch BURCKHARDT a.a.O. II 89o im Jahr 1816.

358 HARANT a.a.O. 6o9f. Auf dem Bild zwischen den Seiten 61o und 611 ist das Fenster eingezeichnet, durch das man den Arabern das Essen hinunterzulassen pflegte.

sind / dergestalt / daß diese arme Brüder deß Jobs Geduldt haben / und nicht geringen Unkosten auffwenden müssen" [359].

Den Arabern war es im Laufe der Jahrhunderte des öfteren gelungen, sich Zutritt zum Kloster zu verschaffen und Mönche sowie Pilger zu belästigen. So wird schon in einem Dekret von Asad ad-Dīn Šīrkūh, dem Wesir des Fāṭimidenkalifen al-ᶜĀḍid, vom Ǧumādā II. 564 (März/April 1169) dazu aufgefordert, "die Beduinen daran zu hindern, ihre Klöster zu betreten und zu rauben, was sich (die Mönche) aus ihren eigenen Kräften erworben und zur Bewirtung der bei ihnen Vorüberziehenden und ihrer Gäste aufbewahrt haben" [36o]. Von diesem unverschämten und geldgierigen Gesindel wurden auch Martin von BAUMGARTEN und GEORG, Prior von Gaming, die im Jahr 15o7 gemeinsam den Sinai besuchten, selbst noch innerhalb des Klosters belästigt, denn als sie sich in ihrem Zimmer zur Ruhe legen wollten, stürzte eine Horde "Flūs!" (Geld) schreiender Araber herein und begannen alle ihre Sachen zu durchwühlen [361]. Noch mehr aber, so mußten sie feststellen, hatten die Mönche zu leiden: "profani Saraceni pro suo voto regunt, diripiunt, pessundant. Audivi ego à Monacho quodam canitie venerabili, singulis diebus quinquaginta non minùs Arabes eò adventare, victumq; sibi vel expostulare vel extorquere. Monachis nil libertatis relinquere, Muskheam unam monasterio habere, ubi noctu plerumq; congregati clamoribus suis, fratribus somnum eripiunt, uno hoc abstinere, quòd Ecclesiam fratrum non intrant, caetera pro libitu agere, ipsos esse loci Dominos, ipsos custodes, ipsos deniq; vastatores" [362]. Eines Tages aber, so hörte der Prior von Gaming sicherlich nicht ohne Bestürzung, wären diese Kerle in die Klosterkirche eingedrungen und hätten auf der Suche nach Schätzen den Reliquienschrein der heiligen Katharina aufgebrochen. Da sie aber außer ihren Gebeinen nichts Kostbares fanden, hätten sie diese aus Wut und Enttäuschung zerstreut. Seitdem sei kein Öl mehr aus ihren Gebeinen geflossen [363].

---

359 P. DELLA VALLE, Reiß-Beschreibung ..., Erster Theil, Genff 1674, 115.

36o Vgl. S.M. STERN, Fāṭimid Decrees, London 1964, 81: ويمنع العربان من الدخول عليهم في دياراتهم واختطاف ما يحصلونه من أقواتهم ، ويذخرونه لقرى المجتازين بهم وضيافاتهم.

361 GEORGII, Prioris Gemnicensis, Ephemeris, sive Diarium Peregrinationis Transmarinae ..., ed. à L. Widemanno, in: B. PEZ(ius), Thesaurus Anecdotorum Novissimus, Tom. II (1721) Pars III, 495f = Martini à BAVMGARTEN in Braitenbach, Peregrinatio in Aegyptum, Arabiam, Palaestinam & Syriam ..., Noribergae 1594, 57.

362 GEORG a.a.O. 5o5, BAUMGARTEN a.a.O. 63f.

5.2.5 Zeitweilig wurden die Mönche so sehr von den Arabern bedrängt, daß sie sich nicht anders zu helfen wußten, als das Kloster zu verlassen. So hörte Graf Albrecht zu LÖWENSTEIN 1561, "daß vor etlich jaren / als sich vneynigkeit zwischen jnen vnd den Arabiern zugetragen / darumb sie das Kloster öde müssen stehen lassen" [364]. Er erzählt dazu die Legende, die Mönche hätten in der Klosterkirche ein "Bildnuß / da sie anzeygen / wenn die Arabier ein vneinigkeit mit jhnen haben / daß das Bild anheb zu schwitzen / als den schliessen sie das Kloster zu / vnd lassen es öde stehen / biß wider mit den Arabiern eine vergleichung geschicht" [365]. Sein Mitreisender Jacob WORMBSER berichtet von einem weiteren wunderbaren Zeichen in der Kapelle des Brennenden Dornbuschs: "vnd haben vns die Brüder angezeigt / daß es sich offt begebe / wenn sie mit den Arabiern zu vnfrieden werden / vn̄ im Land vnfried seyn wil / dz sie weichen / vnd das Kloster verlassen müssen / so löschen sie die Ampeln ab / on dise an dem ort / da die Flamme gewesen ist / in der mitten / die lassen sie brennen / vnd sind wol 4. oder 5. jar verjagt gewesen / vnd wenn sie wider kom̄en sind / so haben die Ampeln noch gebrunnen / vnd kein Mensch kejn hand nie in der zeit darzu gethan" [366].

Im November 1565 fanden Christoph FÜRER von Haimendorff und Johann HELFFRICH das Kloster ebenfalls verschlossen und verlassen. Sie sandten daher ihr Empfehlungsschreiben, das ihnen der in Kairo residierende Abt und Erzbischof ausgestellt hatte, an das Filialkloster nach aṭ-Ṭūr, in das sich die Mönche zurückgezogen hatten, und baten, ihnen jemand heraufzuschicken, der ihnen die heiligen Stätten zeige. Das Kloster selbst aber konnten sie nicht betreten, sondern nur vom Berghang aus einen Blick in es hineinwerfen [367]. Ebenso findet im August 1581 der Bruder des Königs Heinrich III. von Frankreich und Polen, Jean PALERNE, Herzog von Anjou und Alençon, zu seiner Verwunderung das Katharinenkloster verschlossen. Er trifft nur einen einzigen,

---

363 GEORG a.a.O. 5o4;fehlt bei BAUMGARTEN. Auf dieses Sakrileg scheint sich auch Jacob WORMBSER, Reyßbuch (1584) 222b zu beziehen, wenn er sagt, in dem Schrein der hl. Katharina sei außer dem Schädel "vil Gebein darin / aber der gantze Leib ist nit mehr da / denn etwas in einer Aufruhr davon ist kommen" (d.h. abhanden gekommen).

364 LÖWENSTEIN, Reyßbuch (1584) 199a.

365 Ebd. WORMBSER, Reyßbuch (1584) 255b: "wenn ein Auffruhr vnter den Arabiern wirt / so schwitzet zuvor das Bild von öl / daß man es augenscheinlich sihet".

366 WORMBSER a.a.O.

in einer nahegelegenen Hütte hausenden Mönch an, bei dem er mit seinen Begleitern übernachtet, und der ihnen die heiligen Stätten zeigt, die sie in aller Eile besichtigen, um nach zwei Tagen wieder abzureisen. Der Mönch erzählte ihnen,seine Mitbrüder seien nach aṭ-Ṭūr geflohen, aus Furcht vor den Arabern, die das Kloster stürmen und sie umbringen wollten, weil sie mit den Zuteilungen an Brot, Öl und Oliven unzufrieden waren und mehr verlangten [368].

Im 17. Jh. mußten die Mönche ebenfalls das Kloster mehrmals verlassen, wie Charles THOMPSON berichtet [369]. Dies geschah auch noch im 18. Jh. So sagt der 1738 reisende Richard POCOCKE, die Mönche hätten sich vor einigen Jahren nach aṭ-Ṭūr zurückgezogen, weil sie die Araber nicht mehr ertragen konnten [37o]. Erst in der 1. Hälfte des 19. Jh. hatte sich das Verhältnis zwischen Arabern und Mönchen gebessert. ROBINSON schreibt, daß seit einigen Jahren Friede und Freundschaft zwischen ihnen herrsche, wenn es auch hie und da noch zu Zwischenfällen komme[371]. Verantwortlich für diese Wende war der Vizekönig Mehmed Ali (18o5-1849), der Ägypten mit eiserner Faust regierte und zur Ruhe brachte und sich auch bei den Beduinen der Sinaihalbinsel Respekt zu verschaffen wußte [372].

5.3 *Die Beschützer und die Sklaven des Katharinenklosters*

5.3.1 Zu den ständigen Streitereien war es nicht zuletzt auch deshalb gekommen, weil bestimmte Stämme und Sippen durch Gewohnheitsrecht oder Verträge abgesicherte Privilegien bei den Mönchen besaßen, über die sie eifersüchtig wachten und gegen jede Einmischung oder Einschränkung erbittert verteidigten. Dies betrifft die im sinaitischen Zentralmassiv lebenden Beduinen, die nach dem in ihrem Gebiet liegenden Ort *aṭ-Ṭūr* unter dem Namen

---

367 C. FÜRER von Haimendorff, Reis=Beschreibung. In Egypten / Arabien / Palästinam /Syrien / etc. ..., Nürnberg 1646, 112. HELFFRICH, Reyßbuch (1584) 387b.

368 Peregrinations du S. Iean PALERNE ..., Lyon 16o6, 178-18o.

369 THOMPSON a.a.O. 2o9.

37o POCOCKE a.a.O. 152.

371 ROBINSON a.a.O. 217f.

372 Vgl. H. BRUGSCH, Wanderung nach den Türkis-Minen und der Sinai=Halbinsel, Leipzig ²1868, 45. Nach BURCKHARDT a.a.O. 892 hatten die Mönche im Jahr 1816 Muḥammad ᶜĀli um seinen Schutz gebeten.

Ṭawara (الطورة ; sg. *Ṭūrī*) zusammengefaßt werden. Sie zerfallen in die drei Hauptstämme der *Ṣawāleḥa* (الصوالحة), der *ᶜOlēqāt* (العليقات) und *Mezēne* (مزينة)[373].

Das Gebiet der Ṭawara umfaßt hauptsächlich die Südspitze des Sinai. Im Westen geht es nicht weit über das Wādi Ġarandal hinaus, im Osten reicht es dagegen fast bis ᶜAqaba. Im Norden bildet der Sandstrich zwischen dem Tīhplateau und dem Granitgürtel des Zentralmassivs die Grenze. Das Gebiet der ᶜOlēqāt hat seinen Mittelpunkt in dem Gebirge rings um den bekannten altägyptischen Ruinenort Serābiṭ el-Ḫādem, das Gebiet der Mezēne beginnt südlich von aṭ-Ṭūr und die Ṣawāleḥa wohnen in der Mitte. Das Land der Ṭawara ist größtenteils schwer zugänglich und - von wenigen Oasen abgesehen - ganz unfruchtbar, so daß sie nur wenig Vieh, viele Stammesmitglieder nicht einmal Kamele besitzen. Die wirtschaftliche Grundlage bildet daher der Ertrag der Oasen, deren wichtigste im Wādi Fīrān liegt und hauptsächlich den Ṣawāleḥa gehört.

Vor dem Zweiten Weltkrieg zählten die Ṭawara nach OPPENHEIM insgesamt 1.111 (Ṣawāleḥa 242, ᶜOlēqāt 269, Mezēne 6oo) Zelte. Die Herkunft der einzelnen Stämme läßt sich, wie so häufig bei Beduinen, nicht eindeutig bestimmen. Jedenfalls bilden sie keine genealogische Einheit, sondern eine Interessengemeinschaft mit einem stark ausgeprägten Zusammengehörigkeitsgefühl. Zur Zeit der arabischen Eroberung gehörte das von ihnen bewohnte Gebiet ausschließlich den Aulād Sulēmān. Die Ṣawāleḥa und ᶜOlēqāt (letztere stammen aus Oberägypten und Nubien) wohnten damals östlich des Nildeltas, von wo aus sie häufig in den Süden der Halbinsel einfielen, um sich an der Dattel- und Obsternte zu bereichern und ihr Vieh in den mit würzigen Kräutern bewachsenen Gebirgstälern weiden zu lassen, bis sie endlich nach langen Kämpfen dieses Gebiet in ihren Besitz brachten und die Aulād Sulēmān verdrängten. Diese wurden im Laufe der Zeit, ebenso wie die Benī Wāṣel, immer geringer an Zahl und Bedeutung und schließlich von anderen Stämmen fast

---

373 Vgl. BURCKHARDT a.a.O. 894-899. - G.W. MURRAY, Sons of Ishmael. A Study of the Egyptian Bedouin, London 1935, 256-265 u. 247 Karte mit ihren Wohngebieten. - A. KAISER, Die Sinaiwüste, Frauenfeld 1922, 36-46. - M. Frhr. von OPPENHEIM, Die Beduinen, Bd. 2, Leipzig 1943, 156-164. Von ihm wird die (auf dem Dialekt beruhende) Transkription der Stammesnamen übernommen (jedoch dj durch ǧ, j durch y, ḳ durch q und sch durch š ersetzt). BURCKHARDT schreibt die Namen: Towara, Szowaleha (صوالحا), Aleygat und El Mezeine; MURRAY: Towara, Sawalha, ᶜAleiqat und Muzeina: KAISER: Tauara, Saualha, Alegat und Emsene.

vollständig absorbiert. Der schwächere Stamm der ^{c}Olēqāt, der heute hauptsächlich den Küstenstreifen zwischen Sues und Abū Zanīma bewohnt, verbündete sich mit den Mezēne, die später aus dem Ḥiǧāz herüberkamen und den südöstlichen Teil der Halbinsel okkupierten, gegen die Ṣawāleḥa, die den stärksten und vornehmsten Stamm der Ṭawara bilden, um sich besser behaupten zu können.

Die *Ṣawāleḥa* (sg. *Ṣāliḥī*) [374] leben vor allem in dem westlich vom Katharinenkloster gelegene Hochgebirge und zerfallen in mehrere Sippen. Die bedeutendsten und angesehensten sind: a) die *^{c}Awāreme* (العوارمة oder Benī Muḥsen) mit 59 Zelten, die ursprünglich die Ṣawāleḥa der Eroberung sein sollen, b) die *Qārāreše* (القرارشة) mit 95 Zelten, die als die reichsten unter den sonst bettelarmen Ṭawara-Beduinen gelten, da sie die besten Palmenbestände im Wādi Fairān besitzen, und c) die *Aulād Sa^{c}īd* (اولاد سعيد) mit 88 Zelten, auf deren Gebiet das Katharinenkloster, das Wādi aš-Šaiḫ sowie die höchsten Berge der Halbinsel liegen. Von den Ṭawara-Stämmen stellen die Ṣawāleḥa und ^{c}Olēqāt die sog. *Ġufarā'* (sg. *Ġafīr*) oder "Beschützer" des Klosters [375], während die später eingewanderten Mezēne kein Anrecht darauf besitzen. Unter den Ṣawāleḥa hinwieder sind ausschließlich die Aulād Sa^{c}īd und ^{c}Awāreme Beschützer, während die Qārāreše davon ausgeschlossen sind [376]. Die *Ġufarā'* besitzen das (früher den Aulād Sa^{c}īd allein zugestandene) Recht, die Pilger von Kairo nach dem Katharinenkloster zu begleiten und mit Reittieren zu versorgen, eine für die Bewohner dieser kargen Gebirgswüste lebenswichtige Einnahmequelle, derentwegen sie untereinander [377] und mit den

---

374 Nach SEETZEN a.a.O. III 425 wegen der angeblichen Abkunft vom Propheten Ṣāliḥ so genannt. Doch hat nach KAISER a.a.O. 42 Nabī Ṣāliḥ, dessen hochverehrtes Grabmal sich in dem nach ihm benannten Wādi aš-Šaiḫ, etwa 12 km nördlich des Katharinenklosters, befindet, mit diesem Stamm nichts zu tun. OPPENHEIM a.a.O. 156 gibt an, daß die Ṣawāleḥa laut einer Urkunde von 1514 Aulād ^{c}Alī sind, doch läßt sich nicht ausmachen, was für ein Stamm das ist.

375 Vgl. BURCKHARDT a.a.O. 891f und OPPENHEIM a.a.O. 157.

376 Vgl. die Legende, weshalb die Qārāreše das Vorrecht, Beschützer des Klosters zu sein, verloren haben, bei ROBINSON a.a.O. 227f. Deshalb hätten sie sich mit den Mezēne gegen das Kloster und seine Beschützer verbündet und hegten eine unfreundliche Gesinnung gegen sie. Besonders an der Kirche auf dem Gipfel des Ǧabal Mūsā hatten die Qārāreše, wie BURCKHARDT a.a.O. 9o7 mitteilt, ihre Wut ausgelassen und sie größtenteils zerstört, weil sie keinen Tribut vom Kloster fordern durften. - Nach OPPFENHEIM a.a.O. 16o sind (unter Berufung auf Na^{cc}ūm Bej Schuḳair, Ta'rīch Sīnā wa 'l ^{c}Arab, Kairo 1916, 313 entgegen den älteren Quellen) die Qārāreše zu 4/9, die Aulād Sa^{c}īd zu 3/9 und die ^{c}Awāreme zu 2/9 am Pilger- und Gütertransport zum Katharinenkloster beteiligt.

Mönchen, die sie dafür mit Brot und anderen Gütern versorgen mußten [378], häufig in Streit gerieten.

5.3.2 Der merkwürdigste und ethnisch interessanteste Beduinenstamm der gesamten Sinaihalbinsel aber sind die *Ǧebālīye* (الجبالية) [379], d.h. "Gebirgler", die von jenen zweihundert von Justinian dem Kloster geschenkten Sklaven abstammen und sich bis auf den heutigen Tag rein und unvermischt erhalten haben. Ihrem Aussehen und ihrer Lebensweise nach unterscheiden sie sich für einen Außenstehenden nicht von den übrigen Beduinen, denen sie sich im Laufe der Jahrhunderte vollkommen angeglichen haben, doch werden sie von diesen nicht als ebenbürtige freie Söhne der Wüste anerkannt, sondern verächtlich "Klostersklaven" und "Christenkinder" genannt[380].

---

377 E. RÜPPELL, Reise in Abyssinien, 2 Bde, Frankfurt am Main 1838, I 123, erzählt von einem Streit zwischen den Ṣawāleḥa und den ᶜOlēqāt, als es darum ging, ihn vom Sinai zum Sirbāl zu bringen: "Der Streit zwischen den verschiedenen Concurrenten war äusserst lebhaft; man nahm gewaltsam mein Gepäck weg, lud es bald auf diese, bald auf jene Thiere, und dabei ertönte ein verwirrtes Geschrei von Menschen und Kameelen." Im Jahr 1837 soll es nach ROBINSON a.a.O. 141 wegen des Rechts, Reisende von und nach dem Kloster zu führen, fast zum Stammeskrieg gekommen sein. Die Ṣawāleḥa und ᶜOlēqāt haben sich in das Transportwesen geteilt. Doch müssen letztere ihre Einnahmen mit den verbündeten Mezēne teilen, wie KAISER a.a.O. 46 berichtet. Bei Regierungstransporten müssen sie ihnen die Hälfte, bei Pilgertransporten ein Drittel, und bei Touristen- und Klostertransporten ein Fünftel der Einkünfte abtreten. Vertraglich geregelt sind auch die Aufbruchsstellen und die Aufbruchszeit der Karawanen sowie die Zahl der Last- und Reittiere, die jeder Stamm zu stellen hat. Doch beruhen diese Vertragsbestimmungen auf Voraussetzungen, die den einzelnen Stämmen ganz ungleiche Rechte zuteilen, und nehmen vor allem keine Rücksicht auf die körperliche Leistungsfähigkeit sowie auf intellektuelle und moralische Qualitäten der Beteiligten.

378 BURCHKHARDT a.a.O. 892: "Kommt ein Scheikh von den beschützenden Stämmen zum Kloster, um Kaffee, Zucker oder Kleidungsstücke zu fordern, und wird mit dem, was er bekömmt, nicht ganz zufrieden gestellt, so wird er sogleich der Feind der Mönche, verwüstet einige ihrer Gärten und muß zuletzt doch durch ein Geschenk besänftigt werden." Die Scheichs der Aulād Saᶜīd, ᶜAwāreme und ᶜOlēqāt nennen sich als Beschützer des Klosters "Šaiḫ ad-Dair"; vgl. MURRAY a.a.O. 262.

379 Vgl. BURCKHARDT a.a.O. 9o2-9o4, der erstmals ausführlich über sie berichtet.

38o Die Verachtung der Ǧebālīye durch die echten Beduinen kommt nach KAISER a.a.O. 4of auch darin zum Ausdruck, daß sie beim Kampf nicht des Schwertstreichs, sondern nur Prügel gewürdigt, und zur Bestrafung mit Stricken gebunden herbeigeschleppt werden, was man bei einem freien Araber niemals tun würde.

Aus diesem Grund verheiraten sich die echten Beduinen auch nicht mit ihnen, obwohl die Mädchen der Ǧebālīye als die schönsten der ganzen Halbinsel angesehen werden - was schon zu manchen unglücklichen Liebschaften geführt hat - und die Männer als stark und kühn gelten.

Demographische und genetisch-anthropologische Untersuchungen, die seit 1968 von israelischen Wissenschaftlern durchgeführt wurden [381], haben bestätigt, daß die Ǧebālīye aufgrund ihrer erstaunlich reinen Inzucht [382] unter den Beduinenstämmen der Sinaihalbinsel eine Sonderstellung einnehmen. Bei den Blutproben fiel der ungewöhnlich hohe Prozentsatz von Rhesus-negativen (22 %) und mehr noch von Kell-positiven Personen auf, der mit 29 % vielleicht der höchste der Welt ist [383]. Eine substantiell negroide Komponente, die jedoch interessanterweise nicht in der Physiognomie in Erscheinung tritt, läßt darauf schließen, daß die Frauen, die mit den europäischen Sklaven verheiratet wurden, wohl afrikanischen Ursprungs waren. Somit gehören die Ǧebālīye zu den ältesten hybriden Volksgruppen der Welt [384].

Es ist erstaunlich, daß den Ǧebālīye bis heute noch, wenn auch nur als Schimpfwort, das Odium "Sklaven" des Klosters zu sein, anhaftet, obwohl sie in rechtlicher Hinsicht längst nicht mehr diesem Stand angehören. Immerhin wurde noch ROBINSON vom Prior unterrichtet, daß sie ganz und gar dem Kloster unterstehen und "die Mönche sie verkaufen, bestrafen, ja sogar tödten dürfen, wie es über sie beschlossen wird" [385]. Eigenartigerweise

---

381 Vgl. B. BONNÉ, The Beduins of South-Sinai: Proceedings of the Tel-Hashomer Hospital 7 (1968) 67-73 und B. BONNÉ, S. ASHBEL and M. GOLDSCHMIDT-NATHAN, Anthropological Studies of South-Sinai Bedouins: Pathologia et Microbiologia 35 (197o) 2o5-2o9. - Ferner B. BONNÉ, M. GODBER, S.ASHBEL, A.E. MOURANT and D. TILLS, South-Sinai Bedouin. A preliminary report on their inherited blood factors: American Journal of Physical Anthropology 34 (1971) 397. - B. BONNÉ, Merits and Difficulties in Studies of Middle Eastern Isolates: Israel Journal of Medical Sciences 9 (1973) 1291-1298. - M. BAT-MIRIAM KATZNELSON, B. BONNÉ-TAMIR, S.ASHBEL, Dermatoglyphic Study of the South Sinai Beduin: International Symposium of the Dermatoglyphic Society, Alabama 1977. - B. BONNÉ-TAMIR, Blood Markers in Bedouin Tribes: A contribution to the study of population genetics of the Middle East: International Symposium on Abnormal Hemoglobins: Genetics, Populations and Diseases, Jerusalem 1981.

382 Heutzutage ist nur ein einziger Fall einer Heirat zwischen einem Ǧebālīye-Mann und einer Frau eines anderen Stammes bekannt; vgl. BONNÉ / ASHBEL / GOLDSCHMIDT-NATHAN (197o) 2o7, Anm.

383 Ebd. 2o7.

384 Vgl. BONNÉ (1968) 72.

kommen die Reisenden auf diese ein christliches Kloster nicht gerade ehrende Erscheinung von Leibeigenen verhältnismäßig spät zu sprechen. Pero TAFUR, der im Jahr 1436 den Sinai besuchte, scheint wohl als erster zu berichten, daß unter den 5o oder 6o Personen, die das Katharinenkloster bewohnen, nicht nur Mönche, sondern auch "Sklaven" sind [386]. Der 1588 reisende Samuel KIECHEL spricht von den "Araber, derer süe vül im closter underhalten, wölche mehrtheils erkaufte sclaven sein, wölche zu allerhandt arbeüt gebraucht werden" [387]. Zu ihren Aufgaben gehörte es, die Pilger auf den Moses- und Katharinenberg zu begleiten, und so nahm auch KIECHEL, als er mit einem Mönch den Ǧabal Mūsā bestieg, "mütt unns einen Arabier, so ein sclave, der unns das essen und trincken trüeg" [388]. Nach POCOCKE hatte ein Sklave die Moschee zu versorgen [389], und ein oder zwei weitere die übrigen Dienste im Kloster zu verrichten. Neben verschiedenen Gelegenheitsarbeiten aber wurden sie vor allem zur Bestellung und Pflege der Klostergärten herangezogen [39o]. So wohnten im Jahr 1721 nach EGMONT und HEYMANN fünf Sklaven im

---

385 ROBINSON a.a.O. 223. Nach EGMONT and HEYMAN (1759) II 162 besaßen die Sklaven ein Oberhaupt, das ihr Benehmen überwachte und Vergehen bestrafte.

386 P. TAFUR, Travels and Adventures, 1435-1439. Translated and Edited with an Introduction by Malcolm Letts, New York and London 1926, 82. Auch P. BELON du Mans, Les observations ..., Paris 1553, 129a, der über hundert Jahre später (1547) zum Sinai kam, spricht von "leurs esclaues", welche die Mönche zu ernähren hätten.

387 KIECHEL, ed. Haszler (1866) 351.

388 Ebd. 352. Nach EGMONT and HEYMAN (1759) II 164 trugen drei Sklaven die Verpflegung auf den Ǧabal Mūsā. Der 1479 reisende TUCHER, Reyßbuch (1584) 365b schreibt: "Wir namen auch mit vns Araber die vns geleiteten / den wir geben mußten schenckung". Ebenso sein Reisegefährte RIETER, ed. Röhricht/Meisner (1884) 98: "wir namen auch mit uns ettlich Arben, dy uns geleytten, den wir gross korthesey und schanckung thun musten." Das Verköstigen und Begleiten der Fremden auf den Moses- und Katharinenberg ist nach BURCKHARDT a.a.O. 924 die einzige Einnahmequelle der Ǧebālīye.

389 Nach BURCKHARDT a.a.O. 876 wird dies von den *Raṯanī* (رثني), armen Beduinen, besorgt, die angeblich Nachkommen türkischer Pilger sind, die im Jahr 783 d.H. (= 1381/2) von ihrer Karawane abgekommen und vom Kloster unter der Bedingung aufgenommen worden waren, daß sie und ihre Nachkommen gegen ein Gehalt den Dienst an der Moschee verrichteten.

39o POCOCKE (1743) 152. Wie er S. 149 sagt, diente auch ein Sklave im Kloster der Apostel Petrus und Paulus sowie im Kloster Kosmas und Damian.

Kloster der Vierzig Märtyrer, um den großen Garten dort zu pflegen [391]. BURCKHARDT spricht im Jahr 1816 von einer Ǧebālīyefamilie, die hier zur Beaufsichtigung des Gartens wohnte [392], wogegen sich 1831, laut RÜPPELL, nur noch ein einziger Diener im Kloster aufhielt, der nicht nur für die Bewässerung des Gartens, sondern auch für die Reinigung der Kapelle und die Unterhaltung des Ewigen Lichts zu sorgen hatte [393]. Nach SCHUBERT ist ein Ǧebālīyebeduine sogar Inspektor und Halbbesitzer des am Fuß des Rās-aṣ-Ṣafṣāfa liegenden Bustāngartens, da die Hälfte des Ertrages der Bäume ihm gehört [394]. Wie GRAUL berichtet, sollen die Ǧebālīye gar 4o bis 5o über verschiedene Täler zerstreute Klostergärten gegen eine jährliche Abgabe von Früchten unter sich haben [395], doch hätten sie diese, sagt SEETZEN, den Mönchen nach und nach mit Gewalt abgenommen [396].

Für ihre Dienste wurden die Ǧebālīye, ebenso wie die übrigen Beduinen, besonders von den Beschützer-Stämmen der Ṣawāleḥa und ᶜOlēqāt, vom Kloster mit Brot und anderen Gütern versorgt. Nach ROBINSON erhielt jeder Mann fünf kleine, etwa faustgroße und sehr grobe Brote, Frauen etwas weniger, und Kinder ein oder zwei Brote. Die Armut dieser bedauernswerten und verachteten Menschen war außerordentlich groß. ROBINSON sah auch Alte, Kranke und Kinder zum Kloster kommen, ein Bild des Hungers und der Verzweiflung, die sich meist von Gras und Kräutern ernährten und bis zum Skelett abgemagert waren [397]. Der 1615 zum Sinai pilgernde Pietro DELLA VALLE sagt:

---

391 EGMONT/HEYMAN (1759) II 171.

392 BURCHKARDT a.a.O. 911.

393 E. RÜPPELL, Reise in Abyssinien, Frankfurt am Main 1838, I 124. Nach dem 1838 reisenden ROBINSON a.a.O. 177 ist es wiederum eine Familie, die den Garten pflegt und bewacht.

394 G.H. von SCHUBERT, Reise in das Morgenland, 3 Bde, Erlangen 1838-39, II 339.

395 K. GRAUL, Reise durch Egypten und nach dem Sinai, Leipzig 1854, 211.

396 SEETZEN III (1855) 88f; vgl. auch S. 93.

397 ROBINSON a.a.O. 224. HARANT a.a.O. 61of: "Gewiß ist es / wann die Caloyeren nicht da wären / so könten sie sich auch nicht daselbsten aufhalten / sie wolten dann Hungers sterben; Uber die in den Felsen wohnende Araber / unterhalten die Mönche noch andere im Closter / welche um die Kost / ihnen in allen dienen / und sind gleichsam ihre Leibeigene oder Sclaven / welche sie folgender Gestalt speisen: Nemlich / man geusst ihnen in einen grossen Zuber allerhand Sudelding / von Bonen=Hülsen / und etlich wenig Bonen darunter / Brodbrosamen / und was anders von dem Köchet übrig bleibet / und für die Caloyeren nicht taugt. Um solche Speiß setzen sie sich auf der Erden herum (nicht auf Türckische Weis / nemlich / wie bey uns die Schneider auf

"Es ist aber dieses ein alter Gebrauch / der nunmehr gleichsam zu einem Gesetz worden / weil Mahomet ... sich gegen dieses Closter / wegen der empfangenen Wolthaten danckbar gegen dasselbe erweisen wollen / und dannenhero allen Inwohnern daherumb aufferleget / diesen Mönchen zu dienen / jedoch mit dem Beding / daß sie ihnen dafür zu essen geben solten ... gibt es etliche / die dem Closter dienen; die jenige aber / so am meisten kommen / und das gröste Wesen machen / und zu essen haben wollen / thun den wenigsten / ja gar keinen Dienst" [398].

Über die Zahl der Klostersklaven, die im Laufe der Zeit natürlich Schwankungen unterworfen war, liegen uns erst seit dem 18. Jh. einigermaßen zuverlässige Angaben vor. Als RÜPPELL im Jahr 1822 das Katharinenkloster besuchte,waren dort 82 Ǧebālīye zum Gehaltsempfang eingeschrieben [399]. BURCKHARDT gibt für den Stamm der Ǧebālīye etwa 12o bewaffnete Männer an [4oo]. Im Jahr 1831 schätzte der Prior die Gesamtzahl auf 15oo-2ooo Menschen [4o1]. Nach SEETZEN dagegen zählten sie im Jahr 18o7 ungefähr 2oo Seelen, die in einem Dawwār ("Gehöft") von 4o Zelten auf der Südseite des Katharinenberges wohnten [4o2]. Auch nach POCOCKE siedelten im Jahr 1738 fast 4o Familien

der Werckstatt / da sie die Füß Creutzweis für sich legen: sondern sie knien auf die Knie nieder / und setzen sich darauf / daß also sie die Fersen hinten naus gestreckt und über sich gewendet haben / dergleichen Weis im Sitzen dann alle Araber behalten) und nemen daraus Handvoll weiß / bis ihnen durch die Finger wieder heraus dringt und fället / oder wann sie etwan ein Stuck Brod haben / so schöpffen sie es damit an statt eines Löffels heraus / welches aber ohne Besudelung und Benetzung aller Finger nicht geschicht. In der Warheit die Hund bey schlechten Menschen bey uns / haben ein bessers / ja man gibt den Windspielen und Spürhunden zu Hof den Schrott aus Habern oder Ohs und Stückbrod besser zugericht / als denen Leuten. Ja wann sie die Hundsspeiß unserer Hund haben solten / hielten sie gewiß selbige für ein Panquet ...".

398 DELLA VALLE (1674) 115.

399 E. RÜPPELL, Reisen in Nubien, Frankfurt am Main 1829, 194.

4oo BURCKHARDT a.a.O. 9o3.

4o1 ROBINSON a.a.O. 225. Der 1845 reisende F.A. STRAUSS, Sinai und Golgatha, Berlin 1847, 146 beziffert sie auf über tausend Personen.

4o2 SEETZEN III (1855) 88.

rings um das Kloster [4o3], demgegenüber die Zahl von 3oo Klostersklaven, die EGMONT und HEYMANN für das Jahr 1721 angeben, etwas hoch erscheint [4o4]. Nach COUTELLE bildeten die Ǧebālīye im Jahr 18oo fünf Sippen mit je einem Scheich und insgesamt 135 waffenfähigen Männern: 1. Aulād Selīm mit 3o, 2. Aulād Abū Ḥamd mit 2o, 3. Aulād Abū Hebāt mit 15, 4. Aulād Ǧindī mit 3o und 5. Aulād Rezīn mit 4o waffenfähigen Männern [4o5]. MURRAY nennt 6 Sippen: 1. Wilad Masa^{c}ud, 2. Wilad Musa^{c}ad, 3. Wiheibat, 4. Wilad Salim, 5.Heimat und 6. Wilad Gindi, die 1929 nach Auskunft des Erzbischofs vom Sinai 42o Personen umfaßten [4o6]. Dieselbe Zahl gibt auch OPPENHEIM für folgende Stämme an: 1.*El Ḥamājede* (الحمايدة), 2. *El Selājeme* (السلايمة), 3. *El Wuhēbāt* (الوهيبات) und 4. *Aulād Ǧundī* (اولاد جندى) [4o7].

Die Ǧebālīye, die ursprünglich christlichen Glaubens waren, bekennen sich schon seit Jahrhunderten fast alle zum Islam. BURCKHARDT hörte von den Mönchen, daß es im 18. Jh. noch einige christliche Beduinenfamilien gegeben habe und der letzte Christ, eine alte Frau, im Jahr 175o starb und im Klostergarten begraben wurde [4o8]. Doch gab es immer wieder einige Konvertiten. So hörte der englische Missionar Joseph WOLFF, daß zwischen 1821 und 1836 einige Ǧebālīye von dem Mönch Kallistos getauft worden seien [4o9]. Auch ROBINSON sagt, der Prior habe innerhalb weniger Jahre zwei dieser Leibeigenen getauft, ohne daß die anderen daran Anstoß genommen hätten [41o]. Constantin TISCHENDORF hatte an Pfingsten 1844 zu seiner Überraschung einige neugetaufte Ǧebālīye in ihrer Beduinentracht am Festgottesdienst in der Klo-

---

4o3 POCOCKE (1743) 152.

4o4 EGMONT/HEYMAN (1759) II 162.

4o5 COUTELLE a.a.O. 193f.

4o6 MURRAY a.a.O. 266. Abkömmlinge der Ǧebālīye sind nach BURCKHARDT a.a.O. 9o4 die Tebna, die sich in den ehemaligen Klostergärten des Wādi Fairān niedergelassen haben, die Bezya in den Klostergärten von aṭ-Ṭūr und die Sattla, die an anderen Orten wohnen. Sie bestehen aus ein paar Familien und werden von den echten Beduinen verächtlich *Fallāḥūn* "Bauern" genannt.

4o7 OPPENHEIM a.a.O. 166.

4o8 BURCKHARDT a.a.O. 9o4. ROBINSON a.a.O. 223 hörte 1838 vom Prior, die letzte Christin sei vor etwa 4o Jahren im Kloster der Vierzig Märtyrer gestorben.

4o9 Journal of the Rev. Joseph WOLFF ..., London 1839, 31o.

41o ROBINSON a.a.O. 225.

sterkirche teilnehmen sehen [411], und auch Friedrich Adolph STRAUSS erblickte im folgenden Jahr einen kürzlich zum Christentum übergetretenen Klostersklaven beim Sonntagsgottesdienst [412]. Die Beduinen, so meinte der Prior zu ROBINSON, würden morgen Christen, wenn sie sich davon ernähren könnten [413]. Vielmehr sind nach unserer Handschrift die Ǧebālīye aus Opportunitätsgründen unter der Herrschaft des Türkensultans Selīm I. (1517-152o) zum Islam übergetreten, weil sie glaubten, dadurch frei zu werden. Dieselbe Geschichte erzählen auch EGMONT und HEYMANN, die im Jahr 1721 den Sinai besuchten. Nachdem die Türken Konstantinopel eingenommen hätten - wahrscheinlich ist, wie in unserer Handschrift, die Eroberung Ägyptens im Jahr 1517 gemeint, da ja, im Gegensatz dazu, der Fall von Konstantinopel 1453 keinerlei Konsequenzen für die Beduinen der Sinaihalbinsel hatte -, seien die Klostersklaven zu Muslimen geworden. Weil sie aber nur deswegen zum Islam übertraten, um ihre Freiheit zu erhalten, habe der türkische Sultan angeordnet, sie sollten weiterhin Sklaven des Klosters bleiben. Sie hätten später nur das Privileg erhalten, bestimmte Waffen zu tragen, die sie auch ins Kloster mitnehmen durften. Doch sind sie, so meinen die beiden Reisenden, viel freier als die Mönche, die sich wegen der Gewalttätigkeiten der Beduinen in ihr Kloster einschließen müssen und es nur mit Furcht und Zittern zu verlassen wagen [414]. Vor einigen Jahren, sagt der 1836 zum Sinai reisende Missionar Joseph WOLFF, hätten ein paar Klostersklaven gegen die Mönche rebelliert, doch seien sie, nachdem ihre Kamele und Frauen in großer Zahl starben, in der Meinung, dies sei eine Strafe des Himmels, wieder zu ihrem früheren Gehorsam zurückgekehrt [415].

Die Nachricht von EGMONT und HEYMANN erlaubt abschließend ein Urteil über die Abfassungszeit des unserer Handschrift zugrundeliegenden Textes. Zweifellos handelt es sich dabei um eine Überarbeitung und Ausschmückung der von Eutychios mitgeteilten Geschichte und ist jedenfalls nach der Herrschaft Sultan Selīms als terminus post quem anzusetzen. Da EGMONT und HEYMANN offen-

---

411 C. TISCHENDORF, Reise in den Orient, Leipzig 1846, I 25o.

412 STRAUSS a.a.O. 141.

413 ROBINSON a.a.O. 236.

414 EGMONT/HEYMAN (1759) II 162.

415 WOLFF a.a.O. 311. RÜPPELL a.a.O. 194 meint: "Die verschmitzten Pfaffen wissen durch Legenden und vorgebliche Wunder einen gewissen Einfluß über diese Leute zu behaupten."

sichtlich dasselbe unter diesem osmanischen Herrscher stattfindende Ereignis meinen, dürften sie ihr Wissen aus der gleichen Quelle, die vielleicht aus der Vorlage unserer Handschrift geflossen ist, geschöpft haben, so daß als terminus ante quem ihr Reisejahr 1721 zu gelten hat. Da dem Verfasser außerordentlich daran gelegen ist aufzuzeigen, daß nach dem Schiedsspruch Selīms die Klostersklaven, die sich von dem Regierungswechsel in Ägypten die Befreiung aus ihrer Leibeigenschaft erhofft hatten, weiterhin in ihrem Dienst verbleiben und die alten Rechte und Privilegien der Sinaimönche zu respektieren sind, dürfte in dem Bestreben, unter den veränderten politischen Verhältnissen seine Position zu verteidigen und zu sichern, der Text nicht allzulange nach der Regierung Selīms geschrieben worden sein.

LITERATURVERZEICHNIS

Die Abkürzungen der wissenschaftlichen Zeitschriften und Reihen stimmen überein mit Siegfried SCHWERTNER, Internationales Abkürzungsverzeichnis für Theologie und Grenzgebiete. Zeitschriften, Serien, Lexika, Quellenwerke mit bibliographischen Angaben, Berlin . New York, 1974.

ABEL Felix-Maria, Inscriptions grecques de Bersabée: RB 12 (19o3) 425-43o.

ABŪ 'L-FĪDĀ': Géographie d'Aboulféda. Texte arabe publié d'après les manuscrits de Paris et de Leyde par M. Reinaud et Mac Guckin De Slane, Paris 184o.

ADAM Alfred, Der Sinai und das Katharinen-Kloster (Sammelreferat über neuere Literatur): Göttingische Gelehrte Anzeigen 217 (1965) 212-224.

ADRICHOMIUS Christianus (Christian van Adrichom), Theatrum Terrae Sanctae et Biblicarum Historiarum cum tabulis geographicis aere expressis, Coloniae Agrippinae 159o.

AETHERIA (Etheria od. Silvia; richtig: EGERIA): S. Silviae, quae fertur, peregrinatio ad loca sancta, in: Itinera Hierosolymitana saeculi IIII-VIII, ed. Paulus Geyer: CSEL 39 (1898) 37-1o1.

- - Éthérie: Journal de voyage. Texte latin, introduction et traduction de Hélène Pétré (Sources Chrétiennes 21), Paris 1948.

- - Die Pilgerreise der Aetheria (Peregrinatio Aetheriae). Eingeleitet und erklärt von Hélène Pétré. Übersetzt von Karl Vretska, Stift Klosterneuburg bei Wien, NÖ. 1958.

- - Itinerarium Egeriae (Peregrinatio Aetheriae). Herausgegeben von Otto Prinz. Fünfte, neubearbeitete und erweiterte Auflage (Sammlung vulgärlateinischer Texte), Heidelberg 196o.

- - Itinerarium Egeriae. Editio critica cura et studio Aet. Franceschini et R. Weber: CCSL 175 (1965) 29-1o6.

- - Egeria's Travels. Newly translated with supporting documents and notes by John Wilkinson, London 1971.

AFFAGART Greffin: Relation de Terre Sainte (1533-1534) par Greffin Affagart, publiée avec une introduction et des notes par J. Chavanon, Paris 19o2.

AHARONI Yohanan, Kadesch-Barnea und der Berg Sinai, in: Beno Rothenberg, Yohanan Aharoni und Avia Hashimshoni, Die Wüste Gottes. Entdeckungen auf Sinai. Mit 9o Fotos von Beno Rothenberg, München - Zürich 1961.

ALBRECHT, Graf zu Löwenstein: Pilgerfahrt gen Jerusalem / Alkayr / In Egypten / vnd auff den Berg Synai / Durch mich Albrechten / Grauen zu Löuwnstein / vnd Herren zu Scharpffeneck / etc. vollbracht / vnd nachfolgender massen verzeichnet. Welche sich angefangen auff den heyligen Palmtag / den 3o. Martij / als man zehlet von vnsers einigen Seligmachers Geburt / tausendt / fünffhundert sechtzig vnd ein Jar / Auch sich geändet den 16. tag Augusti / Anno 1562., in: Reyßbuch (1584) 188b-212b.

ALT Albrecht, Der Gott der Väter: BWANT 3. Folge Heft 12 (1929)= in: Albrecht ALT, Grundfragen der Geschichte des Volkes Israel. Eine Auswahl aus den 'Kleinen Schriften'. Hrsg. von Siegfried Herrmann, München 197o, 21-98.

AMMONIOS: Ammonii Monachi Relatio, de Sanctis Patribus, Barbarorum incursione in monte Sina, & Raithu peremptis, in: Illustrium Christi Martyrum lecti triumphi, vetustis Graecorum monumentis consignati. Ex tribus antiquissimis Regiae Lutetiae Bibliothecis, F. Franc. Combefis ... produxit, Latinè reddidit, strictim notis illustrauit, Parisiis 166o, 88-132 (144).

ANGLURE, Seigneur d': Le Saint Voyage de Jherusalem du Seigneur d'Anglure, publiê par François Bonnardot & Auguste Longnon (Sociêtê des anciens textes français 1o), Paris 1878.

ANTONINUS Martyr: De locis sanctis quae perambulavit Antoninus Martyr circa A.D. 57o. Nach hand- und druckschriften mit bemerkungen hrsg. von Titus Tobler, St. Gallen 1863.

- - Antonini Placentini Itinerarium, im unentstellten Text mit deutscher Übersetzung hrsg. von Johann Gildemeister, Berlin 1889.

- - Antonini Placentini Itinerarium, in: Itinera Hierosolymitana saeculi IIII-VIII, recensuit et commentario critico instruxit Paulus Geyer: CSEL 39 (1898) 159-191.

ATIYA Aziz Suryal, The Arabic Manuscripts of Mount Sinai. A handlist of the Arabic manuscripts and scrolls microfilmed at the library of the Monastery of St. Catherine, Mount Sinai; foreword by Wendell Phillips (Publications of the American Foundation for the Study of Man, Vol. I), Baltimore 1955.

- - Catalogue Raisonnê of the Mount Sinai Arabic Manuscripts. Complete Analytical Listing of the Arabic Collection Preserved in the Monastery of St. Catherine on Mt. Sinai. Translated into Arabic by Joseph N. Youssef, Vol. I, Alexandria 197o.

AUERBACH Elias, Moses, Amsterdam 1953.

AWAD Hassân, La montagne du Sinaï central. Étude morphologique (Publications de la Sociêtê royale de Gêographie d'Égypte), Le Caire 1951.

BACHJA ben Ascher ibn Chalāwa: ... בחיי בר אשר אבן חלאוה, ביאור על התורה Venedig (Daniel Bomberg) 1546 (Erstausgabe: Neapel 1492).

BÄCK Leo, סנה und סיני : Monatsschrift für Geschichte und Wissenschaft des Judenthums 46,NF 1o (19o2) 299-3o1.

BAETGHEN Friedrich, Beiträge zur semitischen Religionsgeschichte. Der Gott Israel's und die Götter der Heiden, Berlin 1888.

BAIḌĀWĪ Abū 'l-Ḫair Nāṣir ad-Dīn al-: Beidhawii Commentarius in Coranum ex Codd. Parisiensibus, Dresdensibus et Lipsiensibus edidit indicibusque instruxit H.O. Fleischer, Vol. I-II, Lipsiae 1848.

- - *Tafsīr al-qāḍī al-Baiḍāwī*, 2 Bde, Istambul 1314 (= 1896/97).

BAKRĪ ^{c}Abd al-^{c}Azīz al-: كتاب معجم ما استعجم . Das geographische Wörterbuch des Abu 'Obeid 'Abdallah ben 'Abd el-'Azīz el-Bekrí nach den Handschriften zu Leiden, Cambridge, London und Mailand, hrsg. von Ferdinand Wüstenfeld, 2.Bd., Göttingen, Paris 1877.

BALL John, The Geography and Geology of West-Central Sinai (Survey Department), Cairo 1916.

BARRON Thomas, The Topography and Geology of the Peninsula of Sinai (Western Portion), (Survey Department, Egypt), Cairo 19o7.

BARTHEEL Carla, Unter Sinai-Beduinen und Mönchen. Eine Reise, Berlin 1943.

BARTLETT William Henry, Forty Days in the Desert, on the Track of the Israelites;or, A Journey from Cairo, by Wady Feiran, to Mount Sinai and Petra, London 1849.

BAT-MIRIAM KATZNELSON M., BONNÉ-TAMIR B., ASHBEL S., Dermatoglyphic Study of the South Sinai Beduin: International Symposium of the Dermatoglyphic Society, Alabama 1977.

BAUMGARTEN von Martin, zu Breitenbach: Martini à Bavmgarten in Braitenbach, Equitis Germani Nobilißimi & Fortißimi: Peregrinatio in Aegyptum, Arabiam, Palaestinam & Syriam ... Consensu, sumtibusque Nobilissimorum haeredum Christophori-Philippi à Baumgarten &c. Martini filii, in lucem edita, studio et opera M. Christophori Donavéri, Ratisponensis. Praefixa est Equitis vita, eodem Auctore. Unà Cum duplici, rerum & verborum, Indice, Noribergae 1594.

BECKER Jürgen, CONZELMANN Hans, FRIEDRICH Gerhard, Die Briefe an die Galater, Epheser, Philipper, Kolosser, Thessalonicher und Philemon. Übersetzt und erklärt (NTD), Göttingen 141976.

BEER Eduard Friedrich Ferdinand, Inscriptiones veteres litteris et lingua hucusque incognitis ad montem Sinai magno numero servatae, quas Pocock, Niebuhr, Montagu, Coutelle, Seetzen, Burckhardt, de Laborde, Grey aliique descripserunt (Studia Asiatica III), Lipsiae 184o.

BEER Georg, Exodus (HAT),Tübingen 1939.

BEKE Charles Tilstone, Origines Biblicae: or, Researches in Primeval History, Vol. I, London 1834.

- - On the Localities of Horeb, Mount Sinai, & Midian, in connexion with the hypothesis of the distinction between Mitzraim and Egypt: British Magazine, a monthly journal of literature, science and art 7 (June 1835) 672-675.

- - Vertheidigung gegen Herrn Dr. Paulus, in Betreff seiner Recension über meine Origines Biblicae, Leipzig 1836.

- - On the Passage of the Red Sea by the Israelites, and its Locality; and on the Situation of Mount Sinai: The Asiatic Journal N.S. 26 (London, May-August 1838) 9-16.

- - A Few Words with Bishop Colenso on the subject of the Exodus of the Israelites and the Position of Mount Sinai, London 1862.

- - Mount Sinai a Volcano, London 21873.

- - Mount Sinai: The Athenaeum. Journal of Literature, Science, the Fine Arts, Music, and the Drama, Nr. 2363, 8. Febr. (London 1873) 184; Nr. 2364, 15. Febr. (1873) 214-215 u. Nr. 241o, 3. Jan. (1874) 25.

- - The Late Dr. Charles Beke's Discoveries of Sinai in Arabia and of Midian, edited by his Widow, London 1878.

BELON du Mans Pierre, Les observations de plusieurs singularitez et choses memorables, trouuées en Grece, Asie, Judée, Egypte, Arabie, & autres pays estranges, redigées en trois liures, Paris 1553.

BELOT J.B., Vocabulaire arabe-français à l'usage des étudiants, Beyrouth 161951.

BERNHARD von Breitenbach (Breydenbach): Beschreibung der Reyse vnnd Wallfahrt / so der wolgeborne Herr / Herr Johann / Graff zu Solms/ Herr zu Müntzenberg / etc. In Gesellschafft Herrn Bernharts von Breitenbach / Kämmerers / vnd deß hohen Stiffts zu Meintz Dechans / vnd Herrn Philipsen von Bicken / Ritters / etc. im Jar nach Christi geburt 1483. vollnbracht / wie solchs von ehrngemelten Herrn von Breitenbach / selbs schrifftlich verfasset vnd an tag geben, in: Reyßbuch (1584) 5oa-122a.

BETZ Hans Dieter, Galatians. A Commentary on Paul's Letter to the Churches in Galatia (Hermeneia - A Critical and Historical Commentary on the Bible), Philadelphia 1979.

BEYER Hermann Wolfgang, Der Brief an die Galater. Neu bearbeitet von Paul Althaus (NTD), Göttingen 1971.

BLOCH ha-Levi Samson: שמשון בלאך הלוי: שבלי עולם. כולל ארצות תבל למחלקותיהן. חלק ראשון: אזיא, ווארשא תרט"ז (Szwula Olam, Warszawie 1855). (Bd. I-II zuerst: Zolkiew 1822-27).

BOCK Emil, Moses und sein Zeitalter. Das Alte Testament und die Geistesgeschichte der Menschheit, Stuttgart 1935.

BÖNHOFF, Die Wanderung Israels in der Wüste mit besonderer Berücksichtigung der Frage "Wo lag der Sinai?": Theologische Studien und Kritiken 8o (19o7) 159-217.

BONNÉ Batsheva, The Beduins of South-Sinai: Proceedings of the Tel-Hashomer Hospital 7 (Tel Aviv 1968) 67-73.

- - , ASHBEL Sarah and GOLDSCHMIDT-NATHAN Madeleine, Anthropological Studies of South-Sinai Bedouins: Pathologia et Microbiologia 35 (197o) 2o5-2o9.

- - , GODBER M., ASHBEL S., MOURANT A.E. and TILLS D., South-Sinai Bedouin. A preliminary report on their inherited blood factors: American Journal of Physical Anthropology 34 (1971) 397.

- - Merits and Difficulties in Studies of Middle Eastern Isolates: Israel Journal of Medical Sciences 9 (1973) 1291-1298.

BONNÉ-TAMIR Batsheva, Blood Markers in Bedouin Tribes: A contribution to the study of population genetics of the Middle East: International Symposium on Abnormal Hemoglobins: Genetics, Populations and Diseases, Jerusalem 1981.

BORN A. van den / HAAG H., Sinai, in: Herbert HAAG (Hrsg.), Bibel-Lexikon, Einsiedeln . Zürich . Köln [2]1968, 1594-1596.

BREMOND Gabrielle: Viaggi fatti nell'Egitto Svperiore, et Inferiore: Nel monte Sinay, e lvoghi piv cospicvi Di quella Regione: in Gerusalemme, Giudea, Galilea, Sammaria, Palestina, Fenicia, Monte Libano, & altre Prouincie di Siria: Qvello della Meka, e del Sepolcro di Mahometto con esatte, e cvriose osservationi Intorno i Costumi, Leggi, Riti, & Habiti de Turchi, degli Arabi, e Nationi conuicine. Opera del Signor Gabrielle Bremond Marsiliese. Da lui scritta in Francese, e fatta tradurre in Italiano, data in lvce da Givseppe Corvo Libraro ..., Roma 1679.

BRENTANO Dominikus von, Die heilige Schrift des alten Testaments. Erster Theil, welcher die fünf Bücher Mosis enthält. Auf Befehl des Hochwürdigsten Fürsten und Herrn, Herrn Rupert II., Abts des fürstlichen Hochstifts Kempten etc. etc., zum Nutzen und Gebrauche der hochfürstlichen Unterthanen herausgegeben, Frankfurt am Main 1797.

BREUNING Hans Jacob: Orientalische Reyß Deß Edlen vnnd Vesten / Hanß Jacob Breüning / von vnd zu Buochenbach / so er selb ander in der Türckey / vnder deß Türckischen Sultans Jurisdiction vnd Gebiet / so wol in Europa als Asia vnnd Africa / ohn einig Cüchiüm oder Frey Gleit / benantlich in Griechen Land / Egypten / Arabien / Palestina / das Heylige Gelobte Land vnd Syrien / nicht ohne sondere grosse Gefahr / vor dieser zeit verrichtet ... etc., Straßburg 1612.

BRING Ragnar, Der Brief des Paulus an die Galater, Berlin und Hamburg 1968.

BRUGSCH Heinrich, Wanderung nach den Türkis-Minen und der Sinai=Halbinsel, Leipzig ^{2}1868.

BRUGSCH Mohammed, Arabisch-Deutsches Handwörterbuch, umfassend die arabische Schriftsprache mit Einschluß des Sprachgebrauchs der Gegenwart. Auf Grund der wichtigsten bisher veröffentlichten Wörterbücher und lexigraphische Sammlungen, sowie eigener Materialien, bearbeitet, Hannover 1924.

BÜSCHING Anton Friedrich, Erdbeschreibung. Des eilften Theils erste Abtheilung, welche unterschiedene Länder von Asia begreift. Dritte verbesserte und vermehrte Ausgabe, Hamburg 1792.

BUHL Frants, Shuᶜaib: EI IV (1934) 418-419.

BURCKHARDT Johann Ludwig, Reisen in Syrien, Palästina und der Gegend des Berges Sinai. Aus dem Englischen. Herausgegeben und mit Anmerkungen begleitet von Wilhelm Gesenius, 2 Bde, Weimar 1823-24.

BURTON Richard Francis, The Land of Midian (Revisited), 2 vols., London 1879.

BUSTĀNĪ Buṭrus al-, *Kitāb muḥīṭ al-muḥīṭ, ay Qāmūs muṭawwal li-'l-luġa al-ᶜarabīyya,* 2 Bde, Bairūt 1867-7o.

BUXTORF Johannes d.Ä., Epitome Radicum Hebraicarum et Chaldaicarum complectens Omnes voces, tam primas quàm derivatas, quae in Sacris Bibliis, Hebraeâ & ex parte Chaldaeâ linguâ scriptis, extant ..., Basileae 16o7.

- - Lexicon Hebraicum et Chaldaicum: Complectens omnes voces, tam primas quam Derivatas, quae in Sacris Bibliis, Hebraeâ, & ex parte Chaldaeâ linguâ scriptis, extant ... Accessit Lexicon breve Rabbinico-Philosophicum ... Editio novissima, de novo recognita, & innumeris in locis aucta & emendata, Basileae 1735 (zuerst 1615).

- - Lexicon Chaldaicum, Talmudicum et Rabbinicum,In quo omnes voces Chaldaicae, Talmudicae et Rabbinicae, quotquot in universis Vet. Test. Paraphrasibus Chaldaicis; in utroq; Talmud, Babylonico & Hierosolymitano, in vulgaribus & secretioribus Hebraeorum Scriptoribus, Commentatoribus, Philosophis, Theologis, Cabalistis & Jureconsultis extant, fideliter explicantur ... Opus XXX. annorum, Nunc demum, post Patris obitum, ex ipsius Autographo fideliter descriptum ... in lucem editum à Johanne Buxtorfio Filio ..., Basileae 1639.

CASTELLUS Edmundus, Lexicon Heptaglotton, Hebraicum, Chaldaicum, Syriacum, Samaritanum, Aethiopicum, Arabicum, Conjunctim; Et Persicum, Separatim. Opus non tantum ad Biblia Polyglotta Londinensia, Biblia Regia Parisiensia, Biblia Regia Antwerpiana, Bibliaque Card. Ximenii Complutensia; Sed ad omnes omnino tam MSS. quam impressos Libros, in Universis hisce Linguis extantes, apprimè utile & pernecessarium ... etc. ..., Londini 1669.

CHARLETON Gualter, Exercitationes De Differentiis & Nominibus Animalium. Quibus accedunt Mantissa Anatomica, Et quaedam De variis Fossilium generibus, Deque differentiis & nominibus Colorum. Editio secunda, duplo fere auctior priori, novisque iconibus ornata, Oxoniae 1677.

CHRYSOSTOMUS Joannes, Commentarius in Epistolam ad Galates: PG 61, 611-682.

CLARK Kenneth W., The Microfilming Projects at Mount Sinai and Jerusalem: The Library of Congress Quarterly Journal, Vol. 8, No. 3 (May 1951) 6-11.

- - Microfilming Manuscripts at Jerusalem and Mt. Sinai: Bulletin of the American Schools of Oriental Research 123 (Oct. 1951) 17-24.

- - Checklist of Manuscripts in St. Catherine's Monastery, Mount Sinai, microfilmed for the Library of Congress, 195o, Washington 1952.

- - Exploring the Manuscripts of Sinai and Jerusalem: The Biblical Archaeologist 16 (May 1953) 22-43.

CLAYTON Robert (Ed.): A Journal from Grand Cairo to Mount Sinai, and back again, in company with some Missionaries de Propaganda Fide at Grand Cairo. Translated from a Manuscript written by the Prefetto of Egypt, by the Right Rev. Robert Clayton, Lord Bishop of Clogher, in: A Journey from Aleppo to Jerusalem, at Easter, A.D. 1697. by Henry Maundrell, London [12]1817, 215-27o. (Erstausgabe von Clayton: London 1753).

(COLA Joanne): Viaggio da Venetia al Santo Sepolchro. Et al Monte Sinai. Piv copiosamente descritto de gli altri: Con disegni de Paesi, Cittá, Porti, & Chiese, & li Santi luoghi etc., Venetia 1583 (ohne Paginierung; zuerst: Bologna 15oo. Dasselbe Werk erschien auch unter dem Namen von Bianco NOÉ, Venedig 1519, 1566 u.ö.).

COMPAGNONI Pia, Sinai: The Exodus Trip. Translated by Mario Vinci, Franciscan Printing Press, Jerusalem 1974.

COPPIN Jean, Le bouclier de l'Europe, ou la guerre sainte, contenant des avis politiques & Chrêtiens, qui peuvent servir de lumiére aux Rois & aux Souverains de la Chrêtienté, pour garantir leurs Estats des incursions de Turcs, & reprendre ceux qu'ils ont usurpé sur eux. Avec une relation de voyages faits dans la Turquie, la Thébaide & la Barbarie, Paris 1686.

CORNELIUS Cornelii a Lapide (Cornelis Cornelissen van den Steen), Commentaria in Scripturam Sacram. Accurate recognovit ac notis illustravit Augustinus Crampon. Editio nova ... Tomus primus: In Pentateuchum Mosis Genesis et Oxodus, Parisiis 1868.

CORNELY Rudolphus, Commentarius in S. Pauli Apostoli Epistolas. III: Epistolae ad Corinthios altera et ad Galatas (CSS), Parisiis [2]19o9.

CORPUS INSCRIPTIONUM SEMITICARUM ab Academia Inscriptionum et Litterarum Humaniorum conditum atque digestum. Pars secunda: Inscriptiones aramaicas continens. Tomus I, Fasciculus tertius, Parisiis 19o2, Sectio secunda: Inscriptiones Nabataeae; Caput VIII.: Inscriptiones Nabataeae in Peninsula Sinaitica repertae, Nr. 49o-1471 et Tomus II, Fasciculus primus, Parisiis 19o7, Nr. 1472-3233.

COUTELLE Jean Marie Joseph, Observations sur la topographie de la presqu'île de Sinaï, les moeurs, les usages, l'industrie, le commerce et la population des habitans, in: Description de l'Égypte, ou Recueil des observations et des recherches qui ont été faites en Égypte pendant l'expédition de l'Armée française, publiée par C.L.F. Panckoucke, Tom. 16., Paris [2]1825, 139-197.

CRITICI SACRI: sive doctissimorum virorum in SS. Biblia Annotationes, & Tractatus. Opus summâ curâ recognitum, & In novem Tomos divisum (ed. J. Pearson, A. Scattergood e.a.), Londini 166o.

CURRELLY C.T., Mount Sinai and Gebel Serbâl, in: W.M. Flinders PETRIE, Researches in Sinai, London 1906, 245-259.

DALMAN Gustaf, Der Paß von Michmas: ZDPV 27 (1904) 161-173.

- - Arbeit und Sitte in Palästina, 7 Bde (Schriften des Deutschen Palästina-Instituts. Bde 3, 5, 6, 8, 9, 10; zugleich Beiträge zur Förderung christlicher Theologie, 2. Reihe, Bde 14, 15, 27, 29, 33, 36, 41, 48), Gütersloh 1928-42 (Hildesheim 1964-71).

DAVIES G.I., Hagar, el-Heǧra and the Location of Mount Sinai; with an Additional Note on Reqem: VT 22 (1972) 152-163.

DEGENHART Friedrich, Der hl. Nilus Sinaita. Sein Leben und seine Lehre vom Mönchtum (Beiträge zur Geschichte des alten Mönchtums und des Benediktinerordens 6), Münster 1915.

DELLA VALLE Pietro: Petri Della Valle, Eines vornehmen Römischen Patritii Reiß-Beschreibung in unterschiedliche Theile der Welt / Nemlich In Türckey / Egypten / Palestina / Persien / Ost=Indien / und andere weit entlegene Landschafften ... Erstlich von dem Authore selbst / der diese Reisen gethan / in Italianischer Sprach beschrieben / und in vier= und fünfftzig Send=Schreiben in vier Theile verfasset: Nachgehends auß dieser in die Frantzösische und Holländische; Anjetzo aber auß dem Original in die Hoch=Teutsche Sprach übersetzet... Erster Theil, Genff 1674. (Italienische Erstausgabe: Viaggè di Pietro Della Valle il Pellegrino ..., Roma 1650).

DENNERT E., War der Sinai ein Vulkan?: Glauben und Wissen. Volkstümliche Blätter zur Verteidigung und Vertiefung des christlichen Weltbildes 2 (Stuttgart 1904) 298-306.

DIETERICI Fr., Reisebilder aus dem Morgenlande. Erster Theil: Egypten. Zweiter Theil: Sinai, Petra, Palästina, Berlin 1853.

DILLMANN August, Grammatik der äthiopischen Sprache, Leipzig [2]1899 (Graz 1959).

DÖBEL Ernst Christian, Wanderungen durch einen Theil von Europa, Asien und Afrika in den Jahren 1830 bis 1836, bearbeitet von Heinrich Schwerdt, 3 Bde, Eisenach 1837-39.

DONNER Herbert, Pilgerfahrt ins Heilige Land. Die ältesten Berichte christlicher Palästinapilger (4.-7. Jahrhundert), Stuttgart 1979.

DURBIN John Price, Observations in the East, chiefly in Egypt, Palestine, Syria, and Asia Minor, 2 vols., New-York (1845) [10]1854.

EBERS Georg, Durch Gosen zum Sinai. Aus dem Wanderbuche und der Bibliothek, Leipzig 1872.

- - und GUTHE Hermann, Palästina in Bild und Wort. Nebst der Sinaihalbinsel und dem Lande Gosen. Nach dem Englischen herausgegeben, 2.Bd., Stuttgart und Leipzig 1884.

EGERIA: s. AETHERIA.

EGMONT (van der Nijenburg) Jan Aegidius van and HEYMAN John (Joh. Wilhelm HEYMANN), Travels Through Part of Europe, Asia Minor, The Islands of the Archipelago; Syria, Palestine, Egypt, Mount Sinai, &c. Giving a particular Account Of the most remarkable Places, Structures, Ruins, Inscriptions, &c. in these Countries. Together with The Customs, Manners, Religion, Trade Commerce, Tempers, and Manner of Living of the Inhabitants. Translated from the Low Dutch (= Reizen door een gedeelte van Europa, Klein Asien, verscheide eilanden van de Archipel, Syrien, Palestina, Aegypten, den berg Sinai enz ... 2 Vols., Leyden 1757-58), 2 vols., London 1759.

EPHODI und SCHEM TOB: R. Mosis Maimonidis liber More Nebuchim (Doctor Perplexorum) ex versione Samuelis Tibbonidae cum commentariis Ephodaei, Schemtob, Ibn Crescas, nec non Don Isaci Abravanel adjectis summariis et indicibus, 2 Vol., Berlin 1875.

EPIPHANIOS Hagiopolites: Epiphanii Monachi Hagiopolitae ad modum descriptionis situs orbis, enarratio Syriae, Urbis Sanctae, et sacrorum ibi locorum: PG 12o, 259-272.

ERNST Hans, Die mamlukischen Sultansurkunden des Sinai-Klosters. Herausgegeben, übersetzt und erläutert, Wiesbaden 196o.

EUSEBIUS von Caesarea, Das Onomastikon der biblischen Ortsnamen. Herausgegeben von Erich Klostermann, Leipzig 19o4 (Hildesheim 1966). (=GCS 11/1).

EUTING Julius, Sinaïtische Inschriften, Berlin 1891.

EUTYCHIOS (Sa^{c}īd Ibn Baṭrīq): Contextio Gemmarum, sive, Eutychii Patriarchae Alexandrini Annales. Illustriss. Joanne Seldeno ... interprete Edwardo Pocockio ..., 2 Tom., Oxoniae 1658-59.

- - Eutychii Patriarchae Alexandrini Annales ... interprete Edwardo Pocockio: PG 111, 9o7-1156.

- - Eutychii Patriarchae Alexandrini Annales I, edidit L. Cheikho: CSCO 5o (Scriptores Arabici Tom. 6), Louvain ^{2}1954.

EWALD Heinrich, Geschichte Mose's und der Gottesherrschaft in Israel (Geschichte des Volkes Israel, 2. Bd.), Göttingen ^{3}1865.

FABRI Felix: Eigentliche beschreibung der hin vnd wider Fahrt zu dem heyligen Land gen Jerusalem / von den wolgebornen / edelen / strengen / vnnd vesten Herrn / Herrn Hans Werli von Zimber / vnnd Herrn Heinrich von Stöffel / Freyherrn / Herrn Hans Truchseß von Waldpurg / vnnd Herrn Bern von Rechberg zu hohen Rechberg / Vnd denn fürter durch die grosse Wüsten zu dem heyligen Berg Horeb vnd Synai / von etlich andern / auch wolgebornen / edelen vnd strengen Herren / etc. im Jar nach Christi geburt / 1483. vorgenommen / vnd folgends 84. vollnbracht. Durch den wirdigen / andächtigen Herrn Felix Fabri / Lesemeister vnd Prediger im Predigerkloster zu Vlm / wolermelter Herrn Capellan / Mitbilger vnd der gantzen Wallfart Reyßgenossen / gestellt vnd an tag geben, in: Reyßbuch (1584) 122b-188a.

- - Fratris Felicis Fabri Evagatorium in Terrae Sanctae, Arabiae et Egypti peregrinationem, edidit Cunradus Dietericus Hassler, 3 Vol. (Bibliothek des Literarischen Vereins in Stuttgart II-IV), Stuttgart 1843-49.

FAZAKERLEY J.N., Journey from Cairo to Mount Sinai, and return to Cairo, in: Robert WALPOLE (Ed.), Travels in various Countries of the East; being a Continuation of Memoirs relating to European and Asiatic Turkey, &c., London 182o, 362-391.

FICHTNER Johannes, Die etymologische Ätiologie in den Namengebungen der geschichtlichen Bücher des Alten Testaments: VT 6 (1956) 372-396.

FĪRŪZĀBĀDĪ Abū 'ṭ-Ṭāhir Muḥammad Ibn Ya^{c}qūb Ibn Muḥammad Ibn Ibrāhīm Maǧd ad-Dīn aš-Šīrāzī aš-Šāfi^{c}ī al-, *Al-Qāmūs al-muḥīṭ*, 4 Tle in 2 Bdn, Būlāq 13o1-o3 (= 1883/4-1885/6).

FLAMINIUS Leo: Leonis Flaminii Itinerarium per Palaestinam. Das ist / Eine mit vielen schönen Curiositaeten angefüllte Reiß=Beschreibung etc., Rotenburg 1682.

FOHRER Georg, Überlieferung und Geschichte des Exodus. Eine Analyse von Ex 1-15 (BZAW 91), Berlin 1964.

FONCK Leopold, Streifzüge durch die biblische Flora (Biblische Studien 5), Freiburg i. Br. 19oo.

FORSTER Charles, The Israelitish Authorship of the Sinaïtic Inscriptions vindicated against the incorrect "Observations" in the "Sinai and Palestine" of the Rev. Arthur Penrhyn Stanley ... A Letter to the right honourable The Lord Lyndhurst, London 1856.

- - Sinai Photographed, or, Contemporary Records of Israel in the Wilderness. With an Appendix, London 1862.

FORSTER (Forsthemius) Johann, Dictionarium hebraicum novum, non ex Rabinorum commentis, nec nostratium doctorum stulta imitatione descriptum, sed ex ipsis thesauris sacrorum Bibliorum, & eorundem accurata locorum collatione depromptum, cum phrasibus scripturae Veteris & Noui Testamenti diligenter annotatis ..., Basileae 1557.

FORSYTH George H., The Monastery of St. Catherine at Mount Sinai: Dumbarton Oaks Papers 22 (1968) 1-19, 5o Abb.

- - and WEITZMANN Kurt with Ihor ŠEVČENKO and Fred ANDEREGG, The Monastery of Saint Catherine at Mount Sinai: The Church and Fortress of Justinian; Plates (The University of Alexandria, The University of Michigan, Princeton University), Ann Arbor o. J. (197o?).

FRAMEYNSPERG Rudolphus de: Itinerarium nobilis viri Rudolphi de Frameynsperg, &c. in Palaestinam, ad montem Sinai, et in Aegyptum. Anno Domini M. CCCXLVI. Ex M.S. Cod. Monasterii S. Magni ad pedem pontis Ratisponensis, in: Henricus CANISIUS, Thesaurus Monumentorum Ecclesiasticorum et Historicorum etc., Tom. IV, Amstelaedami 1725, 358-36o.

FRESCOBALDI Lionardo: Viaggio di Lionardo di Niccolò Frescobaldi Fiorentino in Egitto e in Terra Santa. Con un discorso dell' Editore (Guglielmo Manzi) sopra il Commercio degl' Italiani nel Secolo XIV, Roma 1818.

- - , GUCCI Giorgio & SIGOLI Simone, Visit to the Holy Places of Egypt, Sinai, Palestine and Syria in 1384. Translated from the Italian by Theophilus Bellorini and Eugene Hoade, with a preface and notes by Bellarmino Bagatti (Publications of the Studium Biblicum Franciscanum 6), Jerusalem 1948.

FREYTAG Georg Wilhelm, Lexicon Arabico Latinum, ex opere suo maiore in usum tironum excerptum edidit, Halis Saxonum 1837.

FÜRER von Haimendorff Christoph, Ritter, Reis=Beschreibung. In Egypten / Arabien / Palästinam / Syrien / etc. ..., Nürnberg 1646.

FÜRST Julius, Librorum Sacrorum Veteris Testamenti Concordantiae Hebraicae atque Chaldaicae ... addito Lexico linguae sacrae hebraicae et chaldaicae duplici, uno neohebraice altero latine scripto, quo collatis interpretamentis translationibusque antiquissimis vocabulorum origines ac formae historica atque analytica ratione explicantur etc., Lipsiae 184o.

- - Hebräisches und chaldäisches Handwörterbuch über das Alte Testament ..., 2 Bde, Leipzig [2]1863.

GABRIEL Johann, Wo lag der biblische Sinai?: WZKM 39 (1932) 123-132.

GALEY John, Sinai und das Katharinenkloster. Einführung: George H. FORSYTH, Kurt WEITZMANN, Stuttgart und Zürich 1979.

GALL August Freiherr von, Altisraelitische Kultstätten (BZAW 3), Giessen 1898.

GEORG, Prior von Gaming: Ven. Georgii, Prioris Gemnicensis, Ordinis Carthusiani in Austria, Ephemeris, sive Diarium Peregrinationis Transmarinae, videlicet Aegyptii, Montis Sinai, Terrae Sanctae, ac Syriae Anno Dom. M.D.VII. & Sequenti. Nunc primum, ut videtur, Latinè editum, ac ex Codd. MSS. ejusdem Carthusiae suo Auctori restitutum à Ven. P. Leopoldo Widemanno, ibidem Presbytero & Bibliothecario, in: Bernhard PEZ(ius), Thesaurus Anecdotorum Novissimus: Seu Veterum Monumentorum, praecipuè Ecclesiasticorum, ex Germanicis potissimùm Bibliothecis adornata Collectio recentissima, Tom. II., Augustae Vindelicorum & Graecii 1721, Pars III., 453-64o.

GERSTER Georg, Sinai. Land der Offenbarung, Zürich 1961, ^{2}197o.

GESE Hartmut, Τὸ δὲ ʻΑγὰρ Σινὰ ὄρος ἐστὶν ἐν τῇ ʼΑραβίᾳ (Gal 4,25), in: Das ferne und das nahe Wort. Festschrift für Leonhard Rost, hrsg. von F. Maas = BZAW 1o5 (1967) 81-94. Der Aufsatz erschien auch in: Hartmut GESE, Vom Sinai zum Zion (Beiträge zur evangelischen Theologie 64), München 1974, 49-62.

GESENIUS Wilhelm, Hebräisches und chaldäisches Handwörterbuch über das Alte Testament, 2 Tle, Leipzig ^{4}1834. - 17. Aufl.: In Verbindung mit H. Zimmern, W. Max Müller u. O. Weber bearbeitet von Frants BUHL, Berlin/Göttingen/Heidelberg (1915) 1962.

GHISTELE Ioos van: Tvoyage van Mhr Ioos van Ghistele oft anders texcellent groot zeldsaem ende vremd voyage, ghedaen by wylent ... Ioos van Ghistele ... Tracterende van veelderande wonderlicke dijnghen gheobserveerd in den ... lande van Beloften, Arabien, Egyptien, Indien, Turckien ... (hrsg. von Ambrosius ZEEBOUT), Te Ghendt 1557.

GIBSON Margaret Dunlop, Catalogue of the Arabic MSS. in the Convent of S. Catharine on Mount Sinai (Studia Sinaitica No. III.), London 1894.

GILDEMEISTER Johannes Gustav, Beiträge zur Palästinakunde aus arabischen Quellen. 4. Muḳaddasī: ZDPV 7 (1884) 215-23o.

GIVEON Raphael, Les bédouins Shosou des documents égyptiens (Documenta et Monumenta Orientis Antiqui Vol. 22), Leiden 1971.

GLAZER Mordechai, Sinai and the Red Sea. Photography: Gideon Sella, English Translation: Yvonne Elgavi, Tel-Aviv 1977.

GOLDING Louis, In the Steps of Moses the Lawgiver, London 1937.

GOUJON Jacques Florent, Histoire et Voyage de la Terre-Sainte, Où tout ce qu'il y a de plus remarquable dans les Saints lieux, est tres-exactement descrit. Ouurage enrichi de plusieurs Figures en taille douce, Lyon (167o) 1672.

GRAETZ Heinrich, Die Lage des Sinai oder Horeb: Monatsschrift für Geschichte und Wissenschaft des Judenthums 27 (1878) 337-36o.

GRAF Georg, Geschichte der christlichen arabischen Literatur, 5 Bde (Studi e Testi 118, 133, 146, 147, 172), Città del Vaticano 1944 -53.

GRAUL Karl, Reise durch Egypten und nach dem Sinai, Leipzig 1854 (= 2. Bd.: Reise nach Ostindien, 5 Bde, Leipzig 1854-56).

GRÉGOIRE Henri, Sur la date du monastère du Sinai: Bulletin de correspondance hellénique. École française d'Athènes 31 (19o7) 327-334.

GREGOR I. d. Gr., Epistola ad Joannem Abbatem (an Johannes Klimakos vom 1. Sept. 6oo): PL 77, 1117-1119 und Epistola ad Palladium presbyterum: PL 77, 1119-1121.

GRESSMANN Hugo, Der Ursprung der israelitisch-jüdischen Eschatologie, Göttingen 19o5.

GRESSMANN Hugo, Palästinas Erdgeruch in der israelitischen Religion, Berlin 19o9.

- - Mose und seine Zeit. Ein Kommentar zu den Mose=Sagen (FRLANT 18, NF 1), Göttingen 1913.

- - Die Anfänge Israels (Von 2. Mosis bis Richter und Ruth) übersetzt, erklärt und mit Einleitungen versehen (SAT, 1. Abt.: Die Sagen des Alten Testaments, 2 Bd.), Göttingen 1914.

- - Der Sinaikult in heidnischer Zeit: Theologische Literaturzeitung 42 (1917) 153-156.

GRIMME Hubert, Althebräische Inschriften vom Sinai. Alphabet, Textliches, Sprachliches mit Folgerungen (Schriften-Reihe: Kulturen der Erde. Material zur Kultur- und Kunstgeschichte aller Völker. Abteilung: Textwerke), Darmstadt . Hagen i.W. . Gotha 1923.

- - Die altsinaitischen Buchstabeninschriften. Auf Grund einer Untersuchung der Originale herausgegeben und erklärt. Mit 28 Tafeln, Berlin 1929.

- - Altsinaitische Forschungen. Epigraphisches und Historisches. Mit 18 Tafeln (Studien zur Geschichte und Kultur des Altertums 2o/3), Paderborn 1937.

GUNKEL Hermann, (These, der Sinai müsse ein Vulkan gewesen sein): Deutsche Litteraturzeitung 24 (19o3) 3o58-3o59.

- - Das alte Testament im Licht der modernen Forschung, in: Beiträge zur Weiterentwicklung der christlichen Religion, hrsg. von A. Deissmann u.a., München 19o5, 4o-76.

- - Ausgewählte Psalmen, übersetzt und erklärt, Göttingen ^{2}19o5, ^{3}1911.

HAAG Herbert, Sinai: LThK IX (1964) 782-783.

HARANT Christoph: Der Christliche Ulysses / Oder Weit=versuchte Cavallier / Fürgestellt In der Denckwürdigen Bereisung So wol deß Heiligen Landes / Als vieler andrer morgenländischer Provintzen / Landschafften / und berühmter Städte: Welche ... Herr Christoph Harant / Freyherr von Polschiz und Weseriz auf Pezka ... im Jahr 1598. rühmlich vollenbracht ... anfangs selbst / in Böhmischer Sprache ... beschrieben; Folgends hernach aber dessen leiblicher Herr Bruder ... Herr Johann Georg Harant / etc. im Jahr 1638. aufs fleissigste geteutschet: Und nunmehro endlich ... Herr Christoph Wilhelm Harant ... zur Ergetzung deß Teutschen Lesers / zum Druck befördert, Nürnberg 1678. (Erstausgabe: Prag 16o8).

HAREL Menashe, Masa^{c}ēi Sinai. The Sinai Journeys, Tel Aviv 1969.

HARFF Arnold von: Die Pilgerfahrt des Ritters Arnold von Harff von Cöln durch Italien, Syrien, Aegypten, Arabien, Aethiopien, Nubien, Palästina, die Türkei, Frankreich und Spanien, wie er sie in den Jahren 1496 bis 1499 vollendet, beschrieben und durch Zeichnungen erläutert hat. Nach den ältesten Handschriften und mit deren 47 Bildern in Holzschnitt hrsg. von E. von Groote, Cöln 186o.

HART Henry Chichester, Some Account of the Fauna and Flora of Sinai, Petra and Wâdi 'Arabah, London 1891.

HAUPT Paul, Midian und Sinai: ZDMG 63 (19o9) 5o6-53o.

- - The Burning Bush and the Origin of Judaism: PAPS 48 (19o9) 354-369.

HAVA J.G., Arabic-English Dictionary, Beirut 1951.

HELFFRICH Johann: Kurtzer vnnd warhafftiger Bericht / Von der Reyß auß Venedig nach Jerusalem / Von dannen in Egypten / auff den Berg Sinai / Alkayr / Alexandria / vnd folgends widerumb gen Venedig / Vollbracht vnd beschrieben / Durch Johann Helffrich / jetzo Bürger in Leiptzig, in: Reyßbuch (1584) 375a-399b.

HENNIKER Frederick, Notes, during a Visit to Egypt, Nubia, the Oasis, Mount Sinai, and Jerusalem, London 1823.

HENNINGER Joseph, Ist der sogenannte Nilus-Bericht eine brauchbare religionsgeschichtliche Quelle?: Anthropos 5o (1955) 81-148.

HERMANN A., Dornstrauch: RAC IV (1959) 189-197.

HERRMANN Siegfried, Geschichte Israels in alttestamentlicher Zeit, München ²198o.

HEUSSI Karl, Untersuchungen zu Nilus dem Asketen (Texte und Untersuchungen zur Geschichte der altchristlichen Literatur, 3. Reihe, 12. Bd., Heft 2), Leipzig 1917.

HIERONYMUS Eusebius, Vita S. Pauli primi eremitae: PL 23, 17-3o.

HILD Hermann, Dendriten. Keine versteinerten Pflanzen - sondern mineralische Niederschläge: Kosmos 64 (1968) 1o2-1o3.

HÖLSCHER Gustav, Sinai und Choreb, in: Festschrift Rudolf Bultmann, zum 65. Geburtstag überreicht, Stuttgart und Köln 1949, 127-132.

HOFMANN Georg, Sinai und Rom: Orientalia christiana 9 (Rom 1927) 218-299.

HOGG John, Mount Serbal the true Sinai: Gentleman's Magazine, London, März 1847, 265-268.

\- - Remarks and additional Views on Dr. Lepsius's Proofs that Mount Serbal is the true Mount Sinai; - on the Wilderness of Sin; - on the Manna of the Israelites; - and on the Sinaic Inscriptions. With a Map: Transactions of the Royal Society of Literature of the United Kingdom, 2. Ser., Vol. III, London 1847/48 (185o) 183-236.

HOMMEL Fritz, Die altisraelitische Überlieferung, München 1897.

HOROVITZ Joseph, Jewish Proper Names and Derivatives in the Koran: Hebrew Union College Annual 2 (1925) 145-227.

\- - Koranische Untersuchungen, Berlin und Leipzig 1926.

HUME William Fraser, The Topography and Geology of the Peninsula of Sinai (South-Eastern Portion), (Survey Department, Egypt), Cairo 19o6.

HUMMELAUER Franciscus de, Commentarius in Exodum et Leviticum (CSS), Parisiis 1897.

HYATT J. Philip, Commentary on Exodus (NCeB), London 1971.

IBN ESRA Abraham ben Meir: Abraham Ibn-Ezra's Commentary to Exodus (Edited by I.S. Reggio, Prag 184o). With a preface and critically treated and explained on the ground of several manuscripts by Leopold Fleischer, Vienna 1926.

IBN MANẒŪR Ǧamāl ad-Dīn Abū 'l-Faḍl Muḥammad Ibn Mukarram al-Ḫazraǧī al-Ifrīqī, *Lisān al-ᶜArab*, 2o Tle in 1o Bdn, Būlāq 1299-13o8 (= 1881/2-189o/1).

IDRĪSĪ: Al-Idrīsī (Abū ᶜAbd Allāh Muḥammad ibn Muḥammad ibn ᶜAbd Allāh ibn Idrīs al-Ḥammūdī al-Ḥasanī), Opus Geographicum, sive "Liber ad eorum delectationem, qui terras peragrare studeant" ... una cum aliis ediderunt

A. Bombaci, U. Rizzitano, R. Rubinacci, L. Veccia Vaglieri, Fasciculus quartus, Neapoli-Romae 1974.

IMPERATO Ferrante, Dell'Historia Naturale ... libri XXVIII. Nella quale ordinatamente si tratta della diuersa condition di miniere, e pietre. Con alcune historie di Piante, & Animali; sin'hora non date in luce, Napoli 1599.

- - Ferrandi Imperati Neapolitani Historiae naturalis libri XXIIX. Accesserunt nonnullae Johannis Mariae Ferro Adnotationes ad librum vigeṣimum octavum. Nunc primum ex Italica in lingvam conversa Latinam. Cum indice locupletissimo, Lipsiae 1695.

IRBY Charles Leonard and MANGLES James, Travels in Egypt and Nubia, Syria, and the Holy Land; including a journey round the Dead Sea, and through the country east of the Jordan, London 1844.

Īšō^{c} bar ^{c}Alī: The Syriac-Arabic Glosses of Īshō^{c} bar ^{c}Alī, ed. by Richard J.H. Gottheil (Atti della r. accademia dei Lincei, Serie quinta, Memorie della classe di scienze morali, storiche e filologiche, Vol. 13), Roma 19o8.

Īšō^{c} bar Bahlūl: Lexicon Syriacum, auctore Hassano bar Bahlule, e pluribus codicibus edidit et notulis instruxit Rubens Duval, 3 Tom., Parisiis 19o1.

JACOBUS de Verona: Reinhold RÖHRICHT, Le pèlerinage du moine augustin Jacques de Vèrone (1335): Revue de l'Orient latin 3 (1895) 155-162 und Liber peregrinationis Fratris Jacobi de Verona, ebd. 163-3o2.

JANSENIUS Cornelius, Pentateuchus, sive commentarius in quinque libros Moysis, Editio secunda correctior, Lovanii 166o.

JARVIS Claude Scudamore, Yesterday and To-day in Sinai. With illustrations and map, Edinburgh and London (1931) ^{3}1933.

- - The Forty Years' Wanderings of the Israelites: Palestine Exploration Quarterly 1938, 25-4o.

JOSEPHUS Flavius: Josephus. With an English translation by H.ST.J. Thackeray, Ralph Marcus and Louis H. Feldman, 9 vols. (The Loeb Classical Library), London, Cambridge/Mass. 1956-65.

JULLIEN M., Sinaï et Syrie. Souvenirs bibliques et chrétiens, Lille 1893.

KAISER Alfred, Die Sinaiwüste: Mitteilungen der Thurgauischen Naturforschenden Gesellschaft 24 (Frauenfeld 1922) 3-1o6.

KAMIL Murad, Catalogue of all manuscripts in the Monastery of St. Catharine on Mount Sinai, Wiesbaden 197o.

KAMJASCHOTT J.B., Wanderungen durch Syrien, Egypten, und einen Theil Arabiens; nach seinem Tagebuche und den Bemerkungen anderer klassischer Reisebeschreiber bearbeitet. 2 Bde, Erfurt 18o6.

KAUTZSCH Emil, Die Heilige Schrift des Alten Testaments in Verbindung mit Professor Budde u.a. übersetzt und herausgegeben, Tübingen ^{3}19o9.

KAZIMIRSKI A. de Biberstein, Dictionnaire arabe-français, contenant toutes les racines de la langue arabe, 2 Tom., Paris 196o.

KELLER Adolf, Eine Sinai=Fahrt, Frauenfeld 19o1.

KHEDOORI Elias, Charters of Privileges granted by the Fāṭimids and Mamlūks to St. Catherin's Monastery of Ṭūr Sinai (ca. 5oo to 9oo A.H.), edited with an Introduction, Translation and Notes, University of Manchester 1958.

KIECHEL Samuel: Die Reisen des Samuel Kiechel. Aus drei Handschriften hrsg. von K.D. Haszler (Bibliothek des Litterarischen Vereins in Stuttgart 86), Stuttgart 1866.

KIMCHI: Rabbi Davidis Kimchi Radicum Liber sive Hebraeum Bibliorum Lexicon. Cum Animadversionibus Eliae Levitae. Textum ex trium manuscriptorum atque editorum librorum auctoritate denuo recognitum ... ediderunt Jo. H.R. Biesenthal et F. Lebrecht, Berolini 1847.

KINNEAR John G., Cairo, Petra, and Damascus, in 1839. With remarks on the government of Mehemet Ali, and on the present prospects of Syria, London 1841.

KIRCHER Athanasius, Prodromus Coptus sive Aegyptiacus ... in quo Cùm linguae Coptae, siue AEgyptiacae, quondam Pharaonicae, origo, aetas, vicissitudo, inclinatio; tùm hieroglyphicae literaturae instauratio, vti per varia variarum eruditionum, interpretationumque difficillimarum specimina, ita noua quoque & insolita methodo exhibentur, Romae 1636.

- - Oedipus Aegyptiacus. Hoc est Vniuersalis Hieroglyphicae Veterum Doctrinae temporum iniuria abolitae instauratio. Opus ex omni Orientalium doctrina & sapientia conditum, nec non viginti diuersarum linguarum authoritate stabilitum ..., Tom. I-III, Romae 1652-54.

KITTEL Rudolf, Geschichte des Volkes Israel (Handbücher der alten Geschichte, I. Ser., 3. Abt.), 1. Bd.: Palästina in der Urzeit. Das Werden des Volkes. Quellenkunde und Geschichte der Zeit bis zum Tode Josuas, Gotha [2]1912, [3]1916.

KOENIG Jean, La localisation du Sinaï et les traditions des scribes: RHPhR 43 (1963) 2-31 u. 44 (1964) 2oo-235.

- - Itinéraires sinaïtiques en Arabie: RHR 166 (1964) 121-141.

- - Le Sinaï montagne de feu dans un désert de ténèbres: RHR 167 (1965) 129-155.

- - Le problème de la localisation du Sinaï: Acta Orientalia Belgica: Correspondance d'Orient 1o (Bruxelles 1966) 113-123.

- - Le site de Al-Jaw dans l'ancien Pays de Madian, Paris 1971.

KORAN: Der Koran. Übersetzung von Rudi Paret, Stuttgart [2]198o. - Der Koran. Kommentar und Konkordanz von Rudi Paret, Stuttgart [2]198o.

KOSMAS Indikopleustes: Cosmae Indicopleustae, Christianorum opinio de mundo: sive, Topographia Christiana, in: Collectio nova Patrum et Scriptorum Graecorum ... Haec nunc primum ex Manuscriptis Codicibus Graecis Italicis Gallicanisque eruit, Latine vertit, Notis & Praefationibus illustravit Bernardus de Montfaucon, Tom. II, Parisiis 17o6, 113-345.

KRISS Rudolf und KRISS-HEINRICH Hubert, Volksglaube im Bereich des Islam. Bd. I: Wallfahrtswesen und Heiligenverehrung, Wiesbaden 196o.

KUTSCHEIT Johann Valerius, Hr. Professor Dr. Lepsius und der Sinai. Prüfung und Beseitigung der von dem genannten Herrn Professor auf seiner Reise nach der Halbinsel des Sinai für die biblische Geographie gewonnenen Resultate, Berlin 1846.

LABORDE Léon de, Journey through Arabia Petraea, to Mount Sinai, and the excavated city of Petra, the Edom of the Prophecies, London 1836 (= engl. Übers. von: Voyage en Arabie Pétrée et au Mount Sinai, Paris 183o).

LABORDE Léon de, Commentaire géographique sur l'Exode et les Nombres, Paris et Leipzig 1841.

LAGRANGE M.-J., Saint Paul: Épitre aux Galates (EtB), Paris 195o.

LANDERSDORFER Simon, Die Bücher der Könige. Übersetzt und erklärt (HSAT), Bonn 1927.

LANE Edward William, An Arabic-English Lexicon, derived from the best and the most copious eastern sources ..., Book I.- Part. 4. س - ص, London 1872.

LE CARLIER de Pinon Jean, Voyage en Orient. Publié avec des notes historiques et géographiques par E. Blochet, Paris 192o (Extrait de la Revue de l'Orient latin, tome XII, pp. 112-2o3, 327-421; tome XIII, pp. 61-197).

LEPSIUS Richard: Reise des Professors Dr. R. Lepsius von Theben nach der Halbinsel des Sinaï vom 4. März bis zum 14. April 1845, Berlin 1846.

- - Briefe aus Aegypten, Aethiopien und der Halbinsel des Sinai, geschrieben in den Jahren 1842-1845 während der auf Befehl Sr. Majestät des Königs Friedrich Wilhelm IV von Preußen ausgeführten wissenschaftlichen Expedition, Berlin 1852.

LEWIS Agnes Smith, The Forty Martyrs of the Sinai Desert, and the Story of Eulogios, from a Palestinian Syriac and Arabic Palimpsest, transcribed (Horae Semiticae No. IX), Cambridge 1912.

LICHTENSTEIN Hans Ludwig von: Große Reisen und Begebenheiten der Herrn Wolf Christoph von Rotenhan, Herrn Hannß Ludwig von Lichtenstein, Herrn Christoph von Wallenfelß, Herrn Hannß Ludwig von Münster nach Italien, Rhodus, Cypern, Türkey, besonders Constantinopel, nach Asien, Syrien, Macedonien, Egypten, in das gelobte Land etc. etc. etc. Berg Sinai etc. 1585-1589, aus den Niederschreibungen des Hannß Ludwig von Lichtenstein herausgegeben von Hermann Frhrn. von Rotenhan, München 19o2.

LIETZMANN Hans, An die Galater, erklärt (HNT), Tübingen ²1923, ⁴1971.

LIGHTFOOT J.B., The Epistle of St. Paul to the Galatians. With Introductions, Notes and Dissertations (Classic Commentary Library), Grand Rapids, Michigan ⁶1968.

LINDSAY Alexander William Crawford Lord, Letters on Egypt, Edom, and the Holy Land, 2 vols., London (1838) ²1839.

LÖW Immanuel, Die Flora der Juden, 4 Bde, Wien und Leipzig 1924-34.

LOHSE Eduard, Σινᾶ : ThWNT VII (1966) 281-286.

LONG Burke O., The Problem of Etiological Narrative in the Old Testament (BZAW 1o8), Berlin 1968.

LOTH Otto, Die Vulkanregionen (Ḥarra's) von Arabien nach Jâḳût: ZDMG 22 (1868) 365-382.

LUCAS Alfred, The Route of the Exodus of the Israelites from Egypt, London 1938.

LUDOLF von Suchem (Sudheim): Fleissige Auffzeichnung aller Gelegenheit / Reysen / Gebräuchen / Wunder vnd anderer Werck / Gebäuwen / Stätten / Wassern / Erdfrüchten / Thieren / vnd sonst allerhand Sachen / so in dem heyligen vnd daran angrentzenden Oertern / vom 1336. biß auff das 135o jar vermeldt worden. Geschehen durch den Herrn Rudolphen Kirchhern zu Suchen in Westphalen / der dieselbig viertzehen Jar beharrlich in diesen Ländern gewesen / vnd alle dero gelegenheit in einem lateinischen Buch beschrieben. Jetzund erstmals zu ergentzung dieses Reyßbuchs getrewlich verteutschet / vnd in offenen Druck außgeben, in: Reyßbuch (1584) 433a-454b.

- - Ludolphus de Sudheim. De Itinere Terre Sancte, ed. G.A. Neumann: Archives de l'Orient latin, Tome II, Paris 1884, 3o5-377.

MAIBERGER Paul, Das Manna. Eine literarische, etymologische und naturkundliche Untersuchung (Ägypten und Altes Testament 6), Wiesbaden 1983.

MAIMON Salomon, Giv^{c}at ha-More: More Nebuchim. Sive liber Doctor Perplexorum auctore R. Mose Majemonide arabico idiomate conscriptus, a R. Samuele Abben Thibbone in linguam hebraeam translatus, novis commentaris uno R. Mosis Narbonnensis, ex antiquissimis manuscriptis depromto; altero anonymi cujusdam, sub nomine Gibeath Hamore adauctus, nunc in lucem editus cura et impensis Isaaci Eucheli, Solisbaci 18oo (3 Tle in 1 Bd.).

MAIMONIDES: .... מורה נבוכים עם פירוש שם טוב ועם פירוש האפודי, Venedig 1551.

- - Mose ben Maimon, Führer der Unschlüssigen. Übersetzung und Kommentar von Adolf Weiss. Mit einer Einleitung von Johann Maier, 2 Bde (Philosophische Bibliothek Bd. 184a), Hamburg 1972.

MANNING Samuel, The Land of the Pharaohs, including a Sketch of Sinai, drawn with Pen and Pencil. New Edition revised and partly re-written by Richard Lovett, London (1875) 1887.

MANTEGAZZA Steffano, Relatione Tripartita del Viaggio di Giervsalemme, Nella quale si racontano gli auuenimenti dell'Autore, l'origini, & coseinsigni de' luoghi di passaggio visitati, Con vna sommaria raccolta delle indulgenze, e preci solite acquistarsi, & farsi nella visita di ciascun loco, Milano 1616.

MAQRĪZĪ Abū 'l-^{c}Abbās Aḥmad Ibn ^{c}Alī ^{c}Abd al-Qādir al-Ḥusainī Taqī' ad-Dīn al-, *Kitāb al-mawā^{c}iẓ wa-'l-i^{c}tibār fī ḏikr al-ḫiṭaṭ wa-'l-āṯār*, 2 Bde, Būlāq 127o (= 1853).

- - Macrizi's Geschichte der Copten. Aus den Handschriften zu Gotha und Wien mit Übersetzung und Anmerkungen. Von Ferd. Wüstenfeld. Aus dem dritten Bande der Abhandlungen der Kōniglichen Gesellschaft der Wissenschaften zu Göttingen, Göttingen 1845.

MARĀṢID: Lexicon Geographicum, cui titulus est, مراصد الاطّلاع على اسمآء الامكنة والبقاع. E. duobus Codicibus MSS. nunc primum arabice edidit T.G.J. Juynboll, Tom. I-VI, Lugduni Batavorum 1852-1864.

MARMARDJI Augustin Sêbastien, Textes géographiques arabes sur la Palestine, recueillis, mis en ordre alphabêtique et traduits en Français (Études Bibliques), Paris 1951.

MARTIANUS Capella, De nuptiis Philologiae et Mercurii, ed. Adolfus Dick, Stutgardiae 1925 et 1969.

MARTONI Nicolas de: Nicolai de Marthono, Notarii, Liber Peregrinationis ad Loca Sancta, ed. Léon LE GRAND, Relation du pèlerinage à Jérusalem de Nicolas de Martoni, notaire italien (1394-1395): Revue de l'Orient latin 3 (1895) 566-576 u. 577-612.

MAS^{c}ŪDĪ Abū 'l-Ḥasan ^{c}Alī Ibn al-Ḥusain Ibn ^{c}Alī al-: Mas^{c}ūdī (mort en 345/ 956), Les Prairies d'Or. Traduction française de Barbier de Meynard et Pavet de Courteille. Revue et corrigée par Charles Pellat (Société Asiatique, Collection d'Ouvrages orientaux), Tom. I, Paris 1962.

McNEILE Alan Hugh, The Book of Exodus, with introduction and notes (Westminster Commentary), London 19o8, ^{2}1917.

MEGGEN Iodocus a: Iodoci a Meggen Patricii Lvcerini Peregrinatio Hierosolymitana, Dilingae 158o.

MÉLY Fernand de, Histoire des sciences. Les Lapidaires de l'antiquité et du moyen-âge. Tome II, Fasc. 1: Les Lapidaires grecs. Texte, avec la collaboration de M. Ch.-Ém. Ruelle, Paris 1898.

MEYER Eduard, Die Israeliten und ihre Nachbarstämme. Alttestamentliche Untersuchungen, Halle a.S. 19o6.

MEYER Heinrich August Wilhelm, Kritisch exegetisches Handbuch über den Brief an die Galater (KEK), Göttingen ^{4}1862.

MILNE John, Geological Notes on the Sinaitic Peninsula and North-Western Arabia: The Quarterly Journal of the Geological Society of London 31 (1875) 1-28.

MOLDENKE Harold Norman and MOLDENKE Alma Lance, Plants of the Bible (Chronica Botanica 28), New York 1952.

MONCONYS Balthasar de: Iovrnal des Voyages de Monsievr de Monconys ... etc. ... Publié par le Sieur de Liergves son Fils. Premiere Partie. Voyage de Portugal, Prouence, Italie, Egypte, Syrie, Constantinople,& Natolie, Lyon 1665.

- - Des Herrn de Monconys ungemeine und sehr curieuse Beschreibung Seiner In Asien und das gelobte Land / nach Portugall / Spanien / Italien / in Engelland / die Niederlande und Teutschland gethanen Reisen ... etc. ... zum erstenmahl aus der Frantzösischen in die Hochteutsche Sprache übersetzet von M. Christian Juncker, Leipzig und Augspurg 1697.

MOORE George Foot, A critical and exegetical Commentary on Judges (ICC) Edinburgh 1895, New York 19o1.

MORANVILLÉ Henri, Un pèlerinage en Terre Sainte et au Sinai au XVe siècle: Bibliothèque de l'École des Chartes 66 (19o5) 7o-1o6.

MORISON Antoine A., Relation historique, d'un voyage nouvellement fait au Mont de Sinaï et a Jerusalem. On trouvera dans cette relation un detail exacte de ce que l'autheur a vû de plus remarquable en Italie, en Egipte & en Arabie. Dans les principales provinces de la Terre-sainte. Sur les côtes de Syrie & en Phoenicie. Dans les Isles de la Méditerranée & de l'Archipel. Dans l'Asie mineure & dans la Thrace, sur les côtes de Negrepont, du territoire d'Athénes, de la Morée & de la Barbarie ..., Toul 17o4.

MORITZ Bernhard, Der Sinaikult in heidnischer Zeit: Abhandlungen der Königlichen Gesellschaft der Wissenschaften zu Göttingen, phil.-hist. Kl., NF Bd. 16, Nr. 2 (Berlin 1916) 1-64.

- - Beiträge zur Geschichte des Sinaiklosters im Mittelalter nach arabischen Quellen (Abhandlungen der Königlich Preußischen Akademie der Wissenschaften, Philos.-hist. Kl. Nr. 4), Berlin 1918.

MORRIS Edward Joy, Notes of a Tour through Turkey, Greece, Egypt, Arabia Petraea, to the Holy Land: Including a Visit to Athens, Sparta, Delphi, Cairo, Thebes, Mt. Sinai, Petra, &c., 2 Vols., Philadelphia 1842.

MOSCATI Sabatino (Ed.), SPITALER Anton, ULLENDORFF Edward, SODEN Wolfram von, An Introduction to the Comparative Grammar of the Semitic Languages. Phonology and Morphology (Porta Linguarum Orientalium N.S. VI), Wiesbaden 1964.

MOSES ben Josua (Ben Mar David) NARBONI: Der Commentar des Rabbi Moses Narbonensis, Philosophen aus dem XIV. Jahrhundert, zu dem Werke More Nebuchim des Maimonides. Zum ersten Male nach einer seltenen Handschrift der K.K. Hofbibliothek zu Wien, hrsg. von Jacob Goldenthal, Wien 1852.

MUQADDASĪ Muhammad Ibn Aḥmad: Descriptio Imperii Moslemici auctore Shams ad-dīn Abū Abdallah Mohammed ibn Ahmed ibn abī Bekr al-Bannā al-Basshārī al-Moqaddasi. Edidit M.J. de Goeje (Bibliotheca Geographorum Arabicorum III), Lugduni Batavorum (1877) [2]19o6.

MURRAY G.W., Sons of Ishmael. A Study of the Egyptian Bedouin, London 1935.

MUSIL Alois, (Vorbericht über seine jüngste Reise nach Arabien): Anzeiger der Kaiserlichen Akademie der Wissenschaften. Philos.-hist. Kl., 48. Jg. (Wien 1911) 139-159.

- - The Northern Ḥeǧâz. A Topographical Itinerary (American Geographical Society. Oriental Explorations and Studies No. 1), New York 1926.

MUSSNER Franz, Hagar, Sinai, Jerusalem. Zum Text von Gal 4,25a: Theologische Quartalschrift 135 (1955) 56-6o.

- - Der Galaterbrief. Auslegung (HThK), Freiburg . Basel . Wien 1974.

NEGEV Avraham, New Dated Nabatean Graffiti from the Sinai: IEJ 17 (1967) 25o-255 (Plate 48).

- - A Nabatean Sanctuary at Jebel Moneijah, Southern Sinai: IEJ 27 (1977) 219-231 (Plates 31-35).

NEITZSCHITZ Georg Christoph von: Des weiland Hoch=Edelgebohrnen / Gestrengen / und Vesten Herrn Georg Christoph von Neitzschitz / uff Stöckelberg / Wöhlitz und Zörbitz / Sieben=Jährige und gefährliche Welt=Beschauung Durch Die vornehmsten Drey Theil der Welt Europa / Asia und Africa. Worbey alles / aller Orte Denckwürdiges fleißig erforschet und auffgezeichnet worden / dergleichen vorhin niemahls an Tag kommen. Nunmehr auf Beförderung dessen Hochansehnlichen Herrn Bruders aus des Seligen Handbuche ... Durch den Druck mitgetheilet von M. Christoff Jägern, Budißin und Leipzig 1673 (Erstausgabe: Budissin 1663 u. 1666).

NICCOLÒ da Poggibonsi: Fra Niccolò of Poggibonsi, A Voyage beyond the Seas (1346-135o). Translated by Fr. T. Bellorini O.F.M. and Fr. E. Hoade O.F.M. on the occasion of the sixth centenary (Publications of the Studium Biblicum Franciscanum N. 2, Part II), Jerusalem 1945.

NIEBUHR Carsten, Reisebeschreibung nach Arabien und andern umliegenden Ländern, 3 Bde, Kopenhagen 1774-78 (Nachdruck: Graz 1968).

NIELSEN Ditlef, The Site of the Biblical Mount Sinai: The Journal of the Palestine Oriental Society 7 (1927) 187-2o8.

NILUS: Nili Monachi Eremitae Narrationes: PG 79,589-694.

NOÉ Bianco: s. COLA Joanne.

NÖLDEKE Theodor, Die Namen der aramäischen Nation und Sprache: ZDMG 25 (1871) 113-131.

NÖLDEKE Theodor, Geschichte des Qorāns. 3. Teil : Die Geschichte des Korantexts, von G. Bergsträßer und O. Pretzl, Leipzig [2]1938 / Hildesheim 1961.

NOTH Martin, Der Wallfahrtsweg zum Sinai (4. Mose 33): Palästinajahrbuch 36 (194o) 5-28.

- - Überlieferungsgeschichtliche Studien. Die sammelnden und bearbeitenden Geschichtswerke im Alten Testament, Tübingen [2]1957, Darmstadt [3]1967 (1. Aufl. 1943 = Schriften der Königsberger Gelehrten Gesellschaft. Geisteswissenschaftliche Klasse 18, 1943, 43-266).

- - Geschichte Israels, Göttingen [6]1966.

- - Das zweite Buch Mose: Exodus. Übersetzt und erklärt (ATD), Göttingen [4]1968.

OBERHUMMER Eugen, Die Sinaifrage: Mitteilungen der k.k. Geographischen Gesellschaft 54 (Wien 1911) 628-641.

OEPKE Albrecht, Der Brief des Paulus an die Galater, bearbeitet von Joachim Rohde (ThHK), Berlin [3]1973.

OLIN Stephen, Travels in Egypt, Arabia Petraea, and the Holy Land, 2 vols., New-York 1843.

- - Mittheilungen über Stephen Olin's Reise in das Morgenland. Sinai bis 'Akabah: ZDMG 2 (1848) 315-335 (auszugsweise Übersetzung von M. Preusser).

OLSHAUSEN Hermann, Biblischer Commentar über sämmtliche Schriften des Neuen Testaments, zunächst für Prediger und Studirende. 4. Bd.: Die Briefe Pauli an die Galater, Ephesier, Kolosser und Thessalonicher enthaltend, Königsberg 1844.

OPPENHEIM Max Freiherr von, Die Beduinen. Unter Mitbearbeitung von Erich Bräunlich und Werner Caskel. Bd. II: Die Beduinenstämme in Palästina, Transjordanien, Sinai, Ḥedjāz, Leipzig 1943.

ORIGENES, In Numeros homilia 27: PG 12, 78o-8o1.

ORPHICA, recensuit Eugenius Abel, Lipsiae / Pragae 1885.

PALERNE Jean: Peregrinations du S. Iean Palerne Foresien, Secretaire de François de Valois Duc d'Anjou, & d'Alençon, &c. Où est traicté de plusieurs singularités, & antiquités remarquées és Prouinces d'Egypte, Arabie deserte, & pierreuse, Terre Saincte, Surie, Natolie, Grece, & plusieurs Isles tant de la mer mediterranee, que Archipelague ... etc., Lyon 16o6.

PALMER Edward Henry, Der Schauplatz der vierzigjährigen Wüstenwanderung Israels. Fußreisen in der Sinai-Halbinsel und einigen angrenzenden Gebieten, in Verbindung mit der Ordnance Survey of Sinai und dem Palestine Exploration Fund unternommen. Mit Genehmigung des Verfassers aus dem Englischen übersetzt. Mit fünf Karten, Gotha 1876.

PALMER Henry Spencer, Sinai. From the Fourth Egyptian Dynasty to the present day (Ancient History from the Monuments 6), London 1878.

PAPAIOANNOU Evangelos, The Monastery of St. Catherine, Sinai. Edited by St. Catherine's Monastery, Tel Aviv 1976.

PERLITT Lothar, Sinai und Horeb, in: Beiträge zur Alttestamentlichen Theologie. Festschrift für Walther Zimmerli zum 7o. Geburtstag. Hrsg. von Herbert Donner, Robert Hanhart und Rudolf Smend, Göttingen 1977, 3o2-322.

PETRIE Sir William Matthew Flinders, Researches in Sinai. With Chapters by C.T. Currelly. With 186 Illustrations and 4 Maps, London 19o6.

PHILBY Harry Saint John Bridger, The Land of Midian, London 1957.

PHILIPP von Katzenellenbogen: Reinhold Röhricht und Heinrich Meisner (Hrsg.), Die Pilgerreise des letzten Grafen von Katzenellenbogen (1433-1434): Zeitschrift für deutsches Alterthum und deutsche Litteratur 26, NF 14 (1882) 348-371.

PHYTHIAN-ADAMS William John, The Mount of God: PEFQS (193o) 135-149 u. 192-2o9.

- - The Volcanic Phenomena of the Exodus: JPOS 12 (1932) 86-1o3.

PIRENNE Jacqueline, Le site préislamique de al-Jaw, la Bible, le Coran et le Midrash: RB 82 (1975) 34-69.

PLINIUS Cajus Secundus: Pliny Natural History with an English Translation in ten Volumes (verschiedene Herausgeber) (The Loeb Classical Library), London, Cambridge/Mass. 1947-62.

POCOCKE Richard, A Description of the East, and Some other Countries. Volume the First: Observations on Egypt, London 1743.

- - Beschreibung des Morgenlandes und einiger andern Länder. Zwote Auflage nach der englischen Grundschrift genau durchgesehen und verbessert von M. Johann Friedrich Breyer und mit Anmerkungen erläutert von D. Johann Christian Daniel Schreber. Erster Theil, Erlangen 1771.

POSNIAKOW Basilius: Le pèlerinage du marchand Basile Posniakov aux saints lieux de l'Orient 1558-1561, in: Publications de la Société de l'Orient latin. Série géographique V: Itinéraires russes en Orient, trad. par B. de Khitrovo, Paris, Leipzig, Genève 1889, 283-334.

POSTUMIANUS, in: Sulpicius Severus, Dialogus I,17 = Sulpicii Severi libri qui supersunt. Recensuit et commentario critico instruxit Carolus Halm: CSEL 1 (1866) 169-17o.

PRAETORIUS Franz, Aethiopische Grammatik, mit Paradigmen, Litteratur, Chrestomathie und Glossar, New York 1955.

PROCOPIUS, with an English translation by H.B. Downey ... In seven volumes. VII: Buildings, General Index to Procopius (The Loeb Classical Library), London, Cambridge/Massachusetts 1961 (First printed 194o).

PTOLEMAIOS: Claudii Ptolemaei, Geographia. Edidit Carolus Fridericus Augustus Nobbe, Tom. I-III, Lipsiae 1898-1915.

QAZWĪNĪ Zakārīyā Ibn Muḥammad Ibn Maḥmūd Abū Yaḥyā al-: Zakarija Ben Muhammed Ben Mahmud el-Cazwini's Kosmographie. Erster Theil. كتاب عجايب المخلوقات Die Wunder der Schöpfung. Zweiter Theil. كتاب آثار البلاد Die Denkmäler der Länder. Aus den Handschriften der Bibliotheken zu Berlin, Gotha, Dresden und Hamburg hrsg. von Ferdinand Wüstenfeld, Göttingen 1849 u. 1848.

REYßBUCH deß heyligen Lands / Das ist / Ein grůndtliche beschreibung aller vnd jeder Meer vnd Bilgerfahrten zum heyligen Lande / so bißhero / in zeit dasselbig von den Vngläubigen erobert vnd inn gehabt / beyde mit bewehrter Hand vnd Kriegßmacht / zu wider eroberung deren Land / denn auch auß andacht vnd Christlicher anmutung zu den heyligen Orten / von vielen Fürsten / Graffen / Freyen / Rittern / vom Adel vnd andern fürtrefflichen / Ehr vnd Tugendliebenden / geistlichs vnd weltlichs Stands Herren / zu Wasser vnd Land vorgenommen / ins Werck gericht / vnd durch wunderbarlich Abentheuwr / auch vngläublich grosse gefahr Leibs vnd Guts vollnbracht ... Etc. etc. ... Gedruckt zu Franckfurt am Mayn / durch Johann FEYERABENDT (=Hrsg.) / in verlegung Sigmundt Feyerabendts, 1584.

RICHTER Wolfgang, Die sogenannten vorprophetischen Berufungsberichte. Eine literaturwissenschaftliche Studie zu 1 Sam 9,1-1o, 16, Ex 3f. und Ri 6,11b-17 (Forschungen zur Religion und Literatur des Alten und Neuen Testaments 1o1), Göttingen 197o.

RIETER Sebald, junior: Das Reisebuch der Familie **Rieter**,hrsg. von Reinhold Röhricht und Heinrich Meisner (Bibliothek des Litterarischen Vereins in Stuttgart. CLXVIII), Tübingen 1884.

RITTER Carl, Die Erdkunde im Verhältniß zur Natur und zur Geschichte des Menschen, oder allgemeine vergleichende Geographie ... - 14. Theil: Die Erdkunde von Asien: Bd. VIII, 2. Abtheilung: Die Sinai=Halbinsel, Palästina und Syrien. 1. Abschnitt: Die Sinai=Halbinsel, Berlin ^{2}1848.

- - Die Sinaitische Halbinsel und die Wege des Volkes Israel zum Sinai, in: Evangelischer Kalender. Jahrbuch für 1852, hrsg. von Ferdinand Piper, 3. Jg., Berlin,S. 31-52.

RIVET André: Andreae Riveti ... Commentarii, In Librum secundum Mosis, qui Exodus apud Graecos inscribitur: In quibus Praeter Scholia, Analysim, explicationem, & observationes doctrinarum in usum Concionatorum, variae quaestiones Theoreticae & practicae discutiuntur, & solvuntur etc., 2 pt., Lugduni Batavorum 1634.

ROBINSON Eduard, Palästina und die südlich angrenzenden Länder. Tagebuch einer Reise im Jahre 1838 in Bezug auf die biblische Geographie unternommen von E. Robinson und E. Smith. Nach den Original-Papieren mit historischen Erläuterungen herausgegeben, 1. Bd., Halle 1841.

RÜPPELL Eduard, Reisen in Nubien, Kordofan und dem peträischen Arabien vorzüglich in geographisch-statistischer Hinsicht, Fankfurt am Main 1829.

- - Reise in Abyssinien, 2 Bde, Frankfurt am Main 1838.

SA^{c}ADJA GAON: *Kitâb al-Amânât wa'l-I^{c}tiqâdât* von Sa'adja b. Jûsuf al-Fajjûmî. Herausgegeben von S. Landauer, Leiden 188o.

ŠĀBUŠTĪ Abū 'l-Hasan ^{c}Alī Ibn Muḥammad aš-: Eduard Sachau, Vom Klosterbuch des Šâbuštî (Abhandlungen der Preußischen Akademie der Wissenschaften, Philos.-hist. Kl. Nr. 1o), Berlin 1919, 1-43.

SANDIE George, Horeb and Jerusalem, Edinburgh 1864.

SARATOVKIN D.D., Dendritic Crystallization. Translated from Russian by J.E.S. Bradley, New York ^{2}1959.

SAYCE Archibald Henry, The "Higher Criticism" and the Verdict of the Monuments, London ^{4}1894.

SCHEUCHZER Johann Jacob, Herbarium Diluvianum. Editio Novissima, duplo Auctior, Lugduni Batavorum 1723.

- - Kupfer=Bibel / In welcher Die Physica Sacra, Oder Geheiligte Natur=Wissenschafft Derer In Heil. Schrifft vorkommenden Natürlichen Sachen / Deutlich erklärt und bewährt ... Anbey Zur Erläuterung und Zierde des Wercks In Künstlichen Kupfer=Tafeln Ausgegeben und verlegt Durch Johann Andreas Pfeffel, Kayserlichen Hof=Kupferstecher in Augspurg. Erste Abtheilung ..., Augspurg und Ulm 1731.

SCHIWIETZ Stephan, Die altchristliche Tradition über den Berg Sinai und Kosmas Indikopleustes: Der Katholik 88 (19o8) 9-3o.

- - Das morgenländische Mönchtum. 1. Bd.: Das Ascetentum der drei ersten christl. Jahrhunderte und das egyptische Mönchtum im vierten Jahrhundert, Mainz 19o4. - 2. Bd.: Das Mönchtum auf Sinai und in Palästina im vierten Jahrhundert, Mainz 1913.

SCHLIER Heinrich, Der Brief an die Galater. Übersetzt und erklärt (KEK), Göttingen [12]1962.

SCHMIDT Johann Jacob, Biblischer Geographus, Oder Vollständige Beschreibung aller in der H. Schrift benanten Länder und Städte, oder zur Geographie gehörigen Oerter und Sachen, Mit Mathematischen, Philologischen, Physicalischen, Moralischen, Politischen, Historischen und Theologisch= Mystischen Anmerckungen durchgehends versehen ..., Züllichau 174o.

SCHMIDT Werner H., Exodus (BK), Neukirchen-Vluyn 1977.

SCHNELLER Ludwig, Durch die Wüste zum Sinai. In Moses Spuren vom Schilfmeer bis zum Nebo, Leipzig 191o.

SCHNYDRIG Ernst, Komm in das Land, das ich dir zeigen werde, Stuttgart 1964.

SCHOENFELD Emil Christian Dagobert, Die Halbinsel des Sinai in ihrer Bedeutung nach Erdkunde und Geschichte auf Grund eigener Forschung an Ort und Stelle dargestellt, Berlin 19o7.

SCHRADER Eberhard, Die Keilinschriften und das Alte Testament. 3. Aufl. ... von H. Zimmern und H. Winckler, Berlin 19o2.

SCHUBERT Gotthilf Heinrich von, Reise in das Morgenland in den Jahren 1836 und 1837, 3 Bde, Erlangen 1838-39.

SCHWARZ Klaus, Osmanische Sultansurkunden des Sinai-Klosters in türkischer Sprache (Islamkundliche Untersuchungen 7), Freiburg im Breisgau 197o.

SEEBASS Horst, Mose und Aaron, Sinai und Gottesberg (Abhandlungen zur evangelischen Theologie 2), Bonn 1962.

SEETZEN Ulrich Jasper, Reisen durch Syrien, Palästina, Phönicien, die Transjordan-Länder, Arabia Petraea und Unter-Aegypten. Herausgegeben und commentirt von Fr. Kruse in Verbindung mit Prof.Dr. Hinrichs, Dr. G. Fr. Hermann Müller und mehreren andern Gelehrten, 4 Bde, Berlin 1854-59.

ŠEVČENKO Ihor, The Early Period of the Sinai Monastery in the Light of its Inscriptions: Dumbarton Oaks Papers 2o (1966) 255-264, 18 Plates.

SHAW Thomas, Travels, or Observations relating to several parts of Barbary and the Levant, Oxford 1738.

- - Herrn Thomas Shaws ... Reisen oder Anmerkungen verschiedene Theile der Barbarey und der Levante betreffend. Nach der zweyten engländischen Ausgabe ins Deutsche übersetzt [von J.H. Merk] und mit vielen Landcharten und Kupfern erläutert, Leipzig 1765.

SIMONIS Johann, Onomasticum Veteris Testamenti, sive Tractatus Philologicus, quo nomina V.T. propria ad appellativorum analogiam reducta ex originibus et formis suis explicantur ...,Halae Magdeburgicae 1741.

SIMPSON Cuthbert Aikman, The Early Traditions of Israel. A Critical Analysis of the Pre-deuteronomic Narrative of the Hexateuch, Oxford 1948.

SKROBUCHA Heinz, Sinai. Mit Aufnahmen von George W. Allan, Olten und Lausanne 1959.

SMITH John, Bible Plants: Their History, with Review of the Opinions of various Writers regarding their identification, London 1878.

SPENER Johann Jacob.: Museum Spenerianum, Sive Catalogus Rerum Tam artificiosarum, quam **naturalium**, tam antiquarum, quam recentium, tam exoticarum, quam domesticarum, Quas clarissimus Johannes Jacobus Spener ... dum viveret, singulari industria & indefesso labore paravit atque collegit, Consignatum opera Johann Mart. Michaelis. - Das Spenerische Cabinet / Oder Kurtze Beschreibung Aller So wol künstlich= als natürlicher / alter / als neuer / fremder / als einheimischer curiösen Sachen / Welche Herr Johann Jacob. Spener ... mit unermüdetem Fleiß colligiret, Leipzig 1693.

SPEYER Heinrich, Die biblischen Erzählungen im Koran, Grono 1931, Hildesheim ^{2}1961.

STAAB Karl, Pauluskommentare aus der griechischen Kirche; aus Katenenhandschriften gesammelt und herausgegeben (Neutestamentliche Abhandlungen 15), Münster i.W. 1933.

STADE Bernhard, Die Entstehung des Volkes Israel, Giessen 1897.

STAMMER Arndt Gebhard von: Morgenländische Reise=Beschreibung / Deß Hoch Edelgebohrnen / Gestrengen und Vhesten / Herrn Arndt Gebhardts von Stammern / etc. ... Darinnen Die denckwürdigsten Dinge / so in solchen Ländern zu sehen und zu mercken / und zuförderst Das Heilige Grab / unsers liebsten HErrn und Heylandes Jesu Christi / Neben andern umbliegenden Heiligen Oertern / gantz eigentlich beschrieben werden, Jena 1671.

STANLEY Arthur Penrhyn, Sinai and Palestine in connection with their History, Cheap edition, with maps and plans, London 191o (Erstausgabe: London 1856).

STERN Samuel Miklos, A Fāṭimid decree of the year 524/113o: BSOAS 23 (196o) 439-455.

- - Fāṭimid Decrees. Original Documents from the Fāṭimid Chancery (All Souls Studies 3), London 1964.

STEUERNAGEL Carl, Das Deuteronomium, übersetzt und erklärt (HK), Göttingen ^{2}1923.

STEWART Robert Walter, The Tent and the Khan: A Journey to Sinai and Palestine. With map and illustrations, Edinburgh 1857.

STOCHOVE Jor. Vincent, Voyage du Levant. Seconde Edition reveüe, & augmentée, Bruxelles 165o.

STOLBERG Friedrich Leopold Graf zu, Geschichte der Religion Jesu Christi, 2. Bd., Hamburg 1811.

STRACK Hermann L. und BILLERBECK Paul, Kommentar zum Neuen Testament aus Talmud und Midrasch, 4 Bde, München 1924-28 (^{5}1969-^{6}1974).

STRAETEN Ian vander, Voyagie ofte Reyse naer Jerusalem ende Sinte Catharine Graue / ende diuersche landen. Gedaen, ende beschreuen door den E. Pater Broeder Ian vander Straeten, Biechtvader vande Annunciaten, Brugge 162o.

STRAUSS Friedrich Adolph, Sinai und Golgatha. Reise in das Morgenland, Berlin 1847.

SZCZEPAŃSKI Ladislaus, Nach Petra und zum Sinai. Zwei Reiseberichte nebst Beiträgen zur biblischen Geographie und Geschichte (Veröffentlichungen des biblisch-patristischen Seminars zu Innsbruck 2), Innsbruck 19o8.

ṬABARĪ Abū Ǧa^{c}far Muḥammad Ibn Ǧarīr aṭ-, *Ta'rīḫ ar-rusul wa-'l-mulūk:* Annales, quos scripsit Abu Djafar Mohammed Ibn Djarir at-Tabari, cum aliis edidit M.J. de Goeje. Prima series I. Recensuit J. Barth, Lugd. Bat. 1879-1881.

- - *Ǧāmī^{c} al-bayān fī tafsīr al-Qur'ān*, 3o Tle in 1o Bdn, Kairo 1321 (= 19o3).

- - *Tafsīr aṭ-Ṭabarī. Ǧāmi^{c} al-bayān ^{c}an ta'wīl āy al-Qur'ān*. Ḥaqqaqahu wa-ḫarraǧa aḥādīṯahu Maḥmūd Muḥammad Šākir. Rāǧa^{c}a aḥādīṯahu Aḥmad Muḥammad Šākir, Bd. 13, Miṣr 196o.

TAFUR Pero, Travels and Adventures, 1435-1439. Translated and Edited with an Introduction by Malcolm Letts (The Broadway Travellers 1), New York and London 1926.

THENAUD Jean: Le Voyage d'Outremer (Égypte, Mont Sinay, Palestine) de Jean Thenaud, Gardien du couvent des Cordeliers d'Angoulême ... publié et annoté par Ch. Schefer (Recueil de voyages et de documents pour servir à l'histoire de la géographie depuis le XIIIe jusqu'à la fin du XVIe siècle), Paris 1884.

THÉVENOT Jean de, Relation d'vn Voyage fait av Levant, dans laqvelle il est cvrievsement traite des Estats sujets au Grand Seigneur, des Moeurs, Religions, Forces, Gouuernemens, Politiques, Langues,& coustumes des Habitans de ce grand Empire. Et des singularitez particulieres de l'Archipel, Constantinople, Terre-Sainte, Egypte, Pyramides, Mumies, Deserts d'Arabie, la Meque; & des plusieurs autres lieux de l'Asie, & de l'Affrique, remarquées depuis peu, & non encore décrites iusqu' apresent ... etc., Paris 1664.

THIETMAR: Magistri Thetmari Iter ad Terram Sanctam anno 1217. Ex codice manuscripto edidit Titus Tobler, St. Galli et Bernae 1851.

- - Mag.Thietmari Peregrinatio. Ad fidem codicis Hamburgensis cum aliis libris manuscriptis collati edidit ... J.C.M. Laurent, Hamburgi 1857.

THOMPSON Charles, Travels through Turkey in Asia, the Holy Land, Arabia, Egypt, and others Parts of the World: Giving a Particular and Faithful Account of what is most Remarkable in the Manners, Religion, Polity, Antiquities, and Natural History of those Countries ..., 2 vols., London 1754.

TISCHENDORF Constantin, Reise in den Orient, 2 Bde, Leipzig 1846.

- - Aus dem heiligen Lande, Leipzig 1862.

TOURNAY, R., Le nom du "Buisson ardent": VT 7 (1957) 41o-413.

TRISTRAM Henry Baker, The Natural History of the Bible: being a Review of the Physical Geography, Geology, and Meteorology of the Holy Land; with a Description of every Animal and Plant mentioned in Holy Scripture, London ^{3}1873, ^{7}1883.

TROILO Frantz Ferdinand von, Rittern des Heiligen Grabes, Orientalische Reise=Beschreibung, Wie dieselbe Aus Teutschland über Venedig, durch das Königreich Cypern, nach dem gelobten Lande, insonderheit der Stadt Jerusalem, von dannen in Egypten, auf den Berg Sinai, und vielen andern entlegenen Morgenländischen Orten mehr, So wohl Zu Wasser, als Lande, unter sehr vielerley Glücks= und Unglücks=Fällen vollbracht ... etc., Dresden und Leipzig 1733.

TUCHER Johann: Verzeichnusz der Reysz zum Heyligen Land / vnd zum Berg Sinai / vnd was an diesen Orten zu sehen. Alles trewlich an Tag geben / von dem achtbarn vnd fürnemmen Johan Tuchern / Bürgern zu Nürnberg / der obgemeldte Ort im Jar 1479. vnnd 148o. durchreyset, in: Reyßbuch (1584) 349b-374b.

TURNER William, Journal of a Tour in the Levant, 3 vols., London 182o.

ULLMANN Manfred: Wörterbuch der klassischen arabischen Sprache ... hrsg. durch die Deutsche Morgenländische Gesellschaft. Bd. I ك. Begründet von Jörg Kraemer und Helmut Gätje. In Verbindung mit Anton Spitaler bearbeitet von Manfred Ullmann, Wiesbaden 197o.

UNIVERSAL LEXICON: Grosses vollständiges Universal Lexicon Aller Wissenschafften und Künste, Welche bißhero durch menschlichen Verstand und Witz erfunden und verbessert worden ... etc. etc., verlegt durch Johann Heinrich Zedler, 64 Bde, Leipzig und Halle 1732-54.

VALENTINI Michael Bernhard, Musei Museorum, Oder Der vollständigen Schau Bühne frembder Naturalien Zweyter Theil / Worinnen Die rareste Natur=Schätze aus allen biß daher gedruckten Kunst=Kammern / Reiß=Beschreibungen und andern Curiosen Büchern enthalten / und benebenst einer Neu=auffgerichteten Zeug= und Rüst=Kammer der Natur / auch vieler Curiosen Kupffer=Stücken vorgestellet sind, Franckfurt am Mayn 1714 (Teil I, 17o4).

VINCENT Hugues, Notes d'épigraphie palestinienne: RB 12 (19o3) 271-279.

VISCONTI Giammartino Arconati, Diario di un viaggio in Arabia Petrea (1865), Roma · Torino · Firenze 1872.

WAHRMUND Adolf, Handwörterbuch der neu-arabischen und deutschen Sprache, 2 Tle, Gießen ^{3}1898.

WALTER von Waltersweil Bernhard: Beschreibung Einer Reiß auß Teutschland biß in das gelobte Landt Palaestina, vnnd gen Jerusalem / auch auff den Berg Synai / von dannen widerumb zu ruck auff Venedig vnd Teutschland. Durch den Edlen vnnd Vesten Bernhardt Walter / von Walterßweyl ... eigener Person besichtigt vnd beschriben ..., München 16o8.

WEDEL Lupold von, Beschreibung seiner Reisen und Kriegserlebnisse 1561-16o6. Nach der Urhandschrift herausgegeben und bearbeitet von Max Bär: Baltische Studien 45 (Stettin 1895) 51-216 (= Reise ins Hl. Land).

WEHR Hans, Arabisches Wörterbuch für die Schriftsprache der Gegenwart. Unter Mitarbeit mehrerer Fachgenossen bearbeitet und herausgegegeben, Wiesbaden ^{3}1958.

WEILL Raymond, Le séjour des Israélites au désert et le Sinai dans la relation primitive, l'évolution du texte biblique et la tradition christianomoderne, Paris 19o9.

WEIMAR Peter, Die Berufung des Mose. Literaturwissenschaftliche Analyse von Exodus 2,23-5,5 (Orbis Biblicus et Orientalis 32), Freiburg Schweiz u. Göttingen 198o.

WELLHAUSEN Julius, Prolegomena zur Geschichte Israels, Berlin ^{3}1883, ^{6}19o5.

WELLSTED James Raymond, Travels in Arabia, 2 vols., London 1838.

- - J.R. Wellsted's Reisen in Arabien. Deutsche Bearbeitung herausgegeben mit berichtigenden und erläuternden Anmerkungen und einem Excurs über himjaritische Inschriften von E. Rödiger, 2 Bde, Halle 1842.

WESTPHAL Gustav, Jahwes Wohnstätten nach den Anschauungen der alten Hebräer. Eine alttestamentliche Untersuchung (BZAW 15), Gießen 19o8.

WIEGAND Theodor, Sinai. Mit Beiträgen von F. Freiherrn Kress von Kressenstein, W. Schubart, C. Watzinger, E. Werth und K. Wulzinger. Mit 8 Tafeln und 142 Abbildungen im Text (Wissenschaftliche Veröffentlichungen des Deutsch-Türkischen Denkmalschutz-Kommandos 1), Berlin und Leipzig 192o.

WINDISCHMANN Friedrich, Erklärung des Briefes an die Galater, Mainz 1843.

WINNET Frederick Victor, The Mosaic Tradition (Near and Middle East Series 1), Toronto 1949.

WINSTEDT Eric Otto, The Christian Topography of Cosmas Indicopleustes, edited with geographical notes, Cambridge 19o9.

WOLFF Joseph: Journal of the Rev. Joseph Wolff ... in a series of Letters to Sir Thomas Baring, Bart., containing an account of his Missionary labours from the years 1827 to 1831; and from the years 1835 to 1838, London 1839.

WORMBSER Jacob: Eigentliche Beschreibung der Auszreysung vnd Heimfahrt deß edlen vnd vesten Jacob Wormbsers / wie er im Jar 1561. naher dem heyligen Land vnd dem Berg Synai abgereyset / vnnd im folgenden Jar wider zu Hauß kommen. Von jhm selbst allein im gedächtniß auffgeschrieben / Jetzund aber in besserer außfertigung dieses Wercks in Druck gegeben, in: Reyßbuch (1584) 213a-235a.

WORM(IUS) Ole (Olaus): Museum Wormianum. Seu Historia Rerum Rariorum, Tam Naturalium, quam Artificialium, tam Domesticarum, quam Exoticarum, quae Hafniae Danorum in aedibus Authoris servantur. Adornata ab Olao Worm ... Variis & accuratis Iconibus illustrata, Amstelodami 1655.

YĀQŪT ar-Rūmī, Šihāb ad-Dīn Abū ^{c}Abdallāh Ya^{c}qūb Ibn ^{c}Abdallāh al-Ḥamawī: Jacut's Moschtarik, das ist: Lexicon geographischer Homonyme. Aus den Handschriften zu Wien und Leyden hrsg. von Ferdinand Wüstenfeld, Göttingen 1846.

– – Jacut's Geographisches Wörterbuch, aus den Handschriften zu Berlin, St. Petersburg, Paris, London und Oxford auf Kosten der Deutschen Morgenländischen Gesellschaft herausgegeben von Ferdinand Wüstenfeld, 6 Bde, Leipzig 1866-1873.

YVES de Lille: Itinéraire aux Lieux-Saints du P. Yves de Lille (1624-1626), ed. F.-M. Abel: Études Franciscaines 44 (1932) 468-5o3, 677-697 et 45 (1933) 2o8-224, 299-315.

ZABĪDĪ Muḥammad Murtaḍā al-Ḥussainī az-, *Tāǧ al-^{c}arūs min ǧawāhir al-Qāmūs*, Taḥqīq ^{c}Abdassattār Aḥmad Farrāǧ, al-Kuwait 1365 (=1945/6).

ZAHN Theodor, Der Brief des Paulus an die Galater, ausgelegt (KNT), Leipzig ^{2}19o7.

ZAMAḪŠARĪ Abū 'l-Qāsim Maḥmūd Ibn ^{c}Umar az-, *Al-Kaššāf ^{c}an ḥaqā'iq ġawāmiḍ at-tanzīl wa-^{c}uyūn al-aqāwīl fī wuǧūh at-ta'wīl*, 2 Bde, Kairo 13o8 (=189o/91).

ZENGER Erich, Der Gott der Bibel. Sachbuch zu den Anfängen des alttestamentlichen Gottesglaubens, Stuttgart 1979.

ZUBER Beat, Vier Studien zu den Ursprüngen Israels. Die Sinaifrage und Probleme der Volks- und Traditionsbildung (Orbis Biblicus et Orientalis 9), Freiburg Schweiz u. Göttingen 1976.

Blick vom Gipfel des Katharinenberges auf den Ǧabal Mūsā (Bildmitte). Auf der Bruchfläche des (etwa einen Meter breiten) Steinblockes in der Mitte vorn sind Dendriten zu erkennen (vgl. Taf. II)

Tafel II

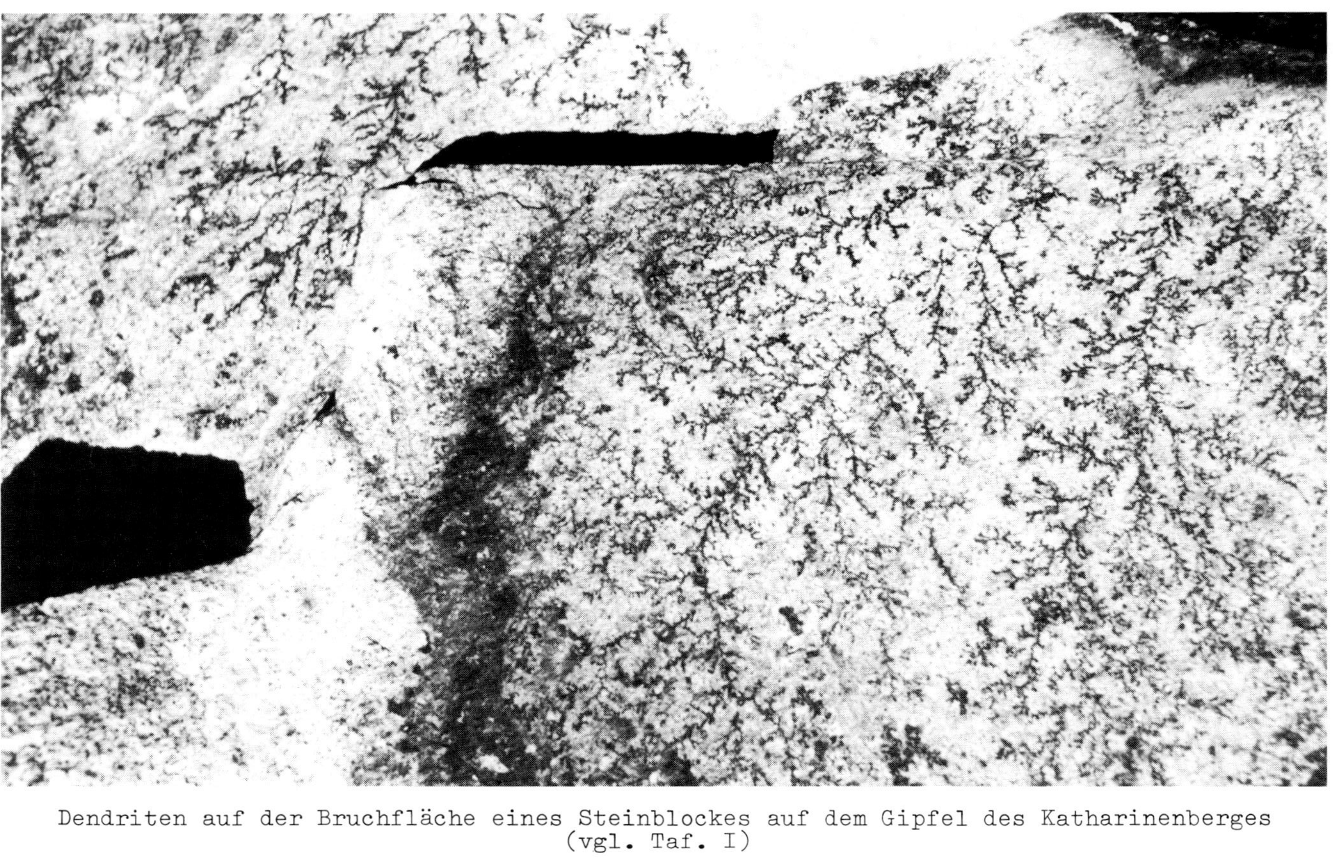

Dendriten auf der Bruchfläche eines Steinblockes auf dem Gipfel des Katharinenberges
(vgl. Taf. I)

Dendriten in einer Felsspalte des Ǧabal Mūsā neben dem Treppenweg oberhalb der Eliaebene

Tafel IV

Dendriten auf einem Felsblock des Ǧabal Mūsā neben dem Treppenweg oberhalb der Eliaebene

Zierliche Dendriten auf einem Solnhofener Kalksteinplättchen (Fränkische Alb)

Tafel VI

Kubischer Dendritenstein aus dem sinaitischen Zentralmassiv (vgl. Taf. VII)

Tafel VII

Stein von Taf. VI in drei Teile zerbrochen: Wie auch immer die Steine des Ṭūr Sīnā zerbrochen werden, sagt Yāqūt, kommt aus ihnen das Bild eines Rankengewächses zum Vorschein (s. S.32+46)

Tafel VIII

Drei Dendritensteine aus dem sinaitischen Zentralmassiv (vgl. Taf. IX)

Dendritenstein aus dem sinaitischen Zentralmassiv
(mittlerer Stein von Taf. VIII)

Tafel X

Dendritenstein vom Ǧabal Aḫḍar (nordöstl. von Fīrān)

Tafel XI

I. A. Fridrich sculps.

Mose vor dem Brennenden Dornbusch am Sinai mit einem Dendritenstein im Vordergrund (aus der "Kupfer=Bibel" von Johann Jacob Scheuchzer, Augsburg und Ulm 1731)

هذا الدفتر المبارك منقول من الدفتر الكبير

حرر في تاريخ مسيحيه ـــ ٥٣٠ ـــ

ظهر ونبين نحن القسوس والرهبان المتوحدين الموجودين والقاطنين
في جبال طور سينا وكافة مجمع الثوره انه لاجل اننا لم نقدر نحتمل اطهاد
عربان الزنبيه الموافيين البنام البحر الاحمر ومن الحبش ومن كل ناحية
ينهبوا اي شي وجدوه عندنا ويذبحونا ويعملون معنا كل
الشرور الذي يعلمهم عليها الشيطان فلاجل هذه الاعمال الرديه
الشنعه والزوار الذين يحضرون من كل ناحية يزورون هذه
الاماكن المقدسه هم نهبونا وعلمونا ونحن لقينا احسن واصلح
حتى نرسل نترجى ملكنا المعظم يوستينيانوس في مدينة
المتملكه القسطنطينيه حتى يبني لنا برجا حصينا لكيما
اذا وافة العرب نحرس انفسنا في البرج لاجل هذا اجتمعنا
يوما واحدا في مطرح الذي يدعى جبل الله الذي فيه كلم سيدنا
موسى وحتمنا واخترنا اناسا بان الى عند الملك يروحوا :.
الذي يذكر اسماهم الشيخ المتوحد ثاوضوسيوس وبركوبيوس
ونجوميوس وسابا وانطونيوس فللوقت والحال قاموا سافروا
في البحر ووصلوا الى المدينه بالسلامه بدعا السواح الذين
بطور سينا فلما وصلوا طلعوا قدام الملك وقدموا له الدعا
والصلوات المرسوله من الاباء وخروا على اقدامه وبكوا
بكاء مرا قدامه واعلنوا وبينوا كل الشرور والاعمال
الرديه التي يعملوها فينا البربر النهب والذبح والملك
اقبلهم بوجه فرح متهلل واكرمهم اكراما زايدا واعطاهم
الراحه وسمع كلامهم باصغاء كلي ووعدهم ان يعمل كل
الذي طلبوه ومطلوبهم لم يكن شيا ماعدا ان يبني لهم برجا
مثل ما نحن وصيناهم . فللوقت الملك يوستينيانوس
ارسل المتقدم في اراخنته جاورجيوس . ومعه
اناسا مكرمين وارسل فرمان سلطاني بختم يده الى
المتولي في مدينة مصر ثاوذروس وكتب الى المذكور
ان يعطي الى جاورجيوس مالا كثير من خزينة السلطان
وان يرسل اناسا من عنده معلمين وكل شي يعوزنشاد
البنا

البنا حتى يرسلهم الى عندنا حتى يبنوا لنا برجا وايضا
كتب الى المتولي في مصر ثاوذروس حتى لا يحزن
على صرف اموال لكن يعمل كل جهده حتى يبني برجا
قويا . وان الحاكم الذي في مصر ثاوذروس . للوقت
حضر كل شي يعوزوه للبنا . وشيع الارخن المرسل من
قبل الملك ومعه جملة معلمين . ووصل الى عندنا المذكور
جاورجيوس بالسلامه . ولما وصل الى هاهنا فدار كل المطارح
ولم لقي احسن من مطرح العليقه . لاجل ان المطرح سهل
وفيه موجود الما . وهو موضع مقدس من الله تعالى لاجل
العجيبه التي صارت في العليقه . وفي هذا المطرح ابتدوا
يعمروا ويبنوا وخلصوه كما هو موجود لان لاجل هذا نحن
دعينا الى الملك بان الله يطول عمره ويعطيه ملكا مخلدا
دنيا واخره امين :.
لكن الرهبان لم وجدوا راحة كليا . لاجل ان العربان البربر
كانوا يجوا يختفوا في الجبال والمغاير وكل ما لقوا احدا
من السواح يمسكوه ويذبحوه . واما الملك ابوستيانوس
فلما اخذ هذه الاخبار الصايره من البربر فارسل الى البحر الاسود
الى بلاد الافلاخ . وجاب مايه عيله رجال وحريمهم واولادهم
وارسلهم الى مصر وكتب الى الحاكم المتولي في مصر ثاودروس
حتى انه يرسل مايه عيلة عنده رجالا وحريمهم واولادهم :.
والحاكم المتولي في مصر ثاوذروس فللوقت الحاكم المذكور
ارسل المايه عيله من عنده من مصر مع المايه الذي
ارسلها الملك من عنده من بلاد الفلاخ فلما وصلوا
الى هاهنا عمروا لهم بلدين ورا الجبل الذي قدام الدير
بعيدا عن الدير ثمانية اميال وسكنوهم هناك وحتم
الملك المعظم يوستينيانوس بان يكونوا عبيدا الى الدير هم
وحريمهم واولادهم الى ابد الابدين الى ان الله يرث الارض
وما عليها حتى يحرسوا ويخدموا الرهبان والدير في
كل خدمه وانهم يكونوا في طاعة الدير والرهبان

Fol 1b und 2a der im Katharinenkloster befindlichen arabischen Handschrift Nr. 692 (nach dem Katalog von Atiya und der Check-list von Clark; bei Kamil Nr. 581) mit dem hier edierten Text

(2b)

1 لكى لا يخالفوا ابدًا . وانكان احدًا يخالف ويخطى بحق الدير
معنا اذن نادبه مثل ما نريد هو وكل عيلته ونطرده :.
:. ولكن لاجل ان البر معراج قفر يابس لم يخرج معاشًا
امر الملك بختمه الملوكى وامر المتولى فى مصر ثاودروس
5 حتى يعطى الى نحو الدير الى ابد الابد :. من كل اردب
واحد قدح من كل الحبوب قمح وشعير وعدس وجميع ما
يوجد لاجل ياكلوا الرهبان وخدامين الدير :.
وهذه العطية الملوكيه حققها وختمها النبى والرسول محمد واول
ملوك الاسلام كما هو موجود ومكتوب فى عهدت محمد
10 الذى اعطاها الى يد رهبان طور سينا المكتوبه بيده .
:. هولاى عبيد الدير امر الملك يوستينيانوس ان لم
يعطوا ولا لملك من الملوك لاميره ولا خراج ولا
بلص لا كثير ولا قليل ابدًا . وايضًا امر ان يكونوا
معتوقين من كل خدمة ملوكيه . وايضًا امر انه لا يكون
15 لاحد عليهم سلطان . ما عدا الدير والرهبان ايهم
وحاكم عليهم . هولاى عبيد الدير بقيوا حافظين دينهم
وامانتهم فى طاعة الدير الى وقت السلطان سليم حين
حكم فى مصر واخذ الملك من الشراكسى وبعد لما
حكم السلطان سليم فى مصر ونزلوا عربان البر جميعًا
20 من كل جنس وقابلوه وخضعوا لاوامره طايعين
ومن جملتهم نزلوا صبيان الدير الى مصر وقابلوا المذكور
السلطان سليم وبعد ما قابلوه قالوا له يا سلطانا
نحن جينا الى ملكك لكى نسلم ونطلع من خدمة الدير
فرد عليهم جواب السلطان سليم انا بسلمكم لكن لم اخرجكم
25 عن خدمة الدير والرهبان . لان اوامر الملوك
لا يحلها احد من ملوكًا غيره . وان كنت انا احل
امر الملك يوستينيانوس ياتى غيرى بعدى ويحل
28 امرى . فلما قال هذا الكلام اسلمهم ولم اخرجهم
عن

(3a)

1 عن تعب الدير . لكن كل المواهب والعطايا الذى انعم
بها عليهم الملك ايوستينيانوس وبعده كتبها محمد فى عهدانه
الذى اعطاها الى رهبان الدير هذه عينها حققها وختمها
بيده السلطان سليم :. ثمن حيث انه جميع الملوك الذين استولوا
5 الدنيا باسرها نصارى واسلام والنبى والرسول محمد اعطوا
هذه المواهب كلها الى الدير وخلوا صبيان الدير احرار
معتوقين . من هو المتكبر المتشامخ الذى يتعدى على
الدير وعلى صبيانه ويصير عدوًا الى محمد وكل من
يفعل هذه الفعل يتعدى على الدير او على صبيانه
10 يكون ملعونًا من الله ويصير عدوًا الى محمد دنيا واخرة
وغضب الملوك يادبه تاديبًا مرًا :.
وبعد عدة سنين هولاى صبيان الدير تحاربوا فى بعضهم
بعضًا منهم قتل ومنهم هرب الى الشام والذين بقيوا
نساهم فى خدمة الدير حسب الاوامر السلطانيه ،
15 ليس لاحد عليهم سلطه لا عربان ولا حضر ابدًا
ابدًا :.

سنة ١٠٠٨

مسيحيه

فى ايام الملك ابن مرزان ملك مصر لما تكاونوا صبيان الدير
فى بعضهم بعض وقتلوا من بعضهم بعض . والذين بقيوا
20 قليلين جدًا . ولم يقدروا يحموا نفوسهم من العربان . واما
فى ايام السلطان ملك الظاهر ملك مصر . كانت العربان
يقوموا ياكلوا اموالهم وينهبوهم . وفى ذلك الوقت الدير
والغفرا ما كانوا يقدروا يحموهم . لاجل ان الغفرا كانوا
قليلين جدًا . وفى تلك الايام انوجد بدنة من العربان
25 الموجودين وكانوا اكثر واقوى من كل بدنة من غفرا وغيرهم
واسمهم المحاسنه :. فلما شافوا الرهبان ان الصبيان لم يقدروا
ان يعيشوا من غير ان احدًا يسعفهم نعملوا شوره كافة
رهبان الدير . وحضروا الغفرا الثلاثة بدنات . واتفقوا الرهبان
والغفرا . واعطوا الصبيان الى المحاسنه امانه ولم عملوا
30 عليهم حسنه . لكى يكونوا المحاسنه حفظه الى الصبيان .
ولاجل هذه الامانه اعطوا الرهبان الى المحاسنه

Fol 2b und 3a der arabischen Handschrift Nr. 692 (581)

ORBIS BIBLICUS ET ORIENTALIS

Bd. 1 OTTO RICKENBACHER: *Weisheitsperikopen bei Ben Sira.* X–214–15* Seiten 1973. Vergriffen.

Bd. 2 FRANZ SCHNIDER: *Jesus der Prophet.* 298 Seiten. 1973. Vergriffen.

Bd. 3 PAUL ZINGG: *Das Wachsen der Kirche.* Beiträge zur Frage der lukanischen Redaktion und Theologie. 345 Seiten. 1974. Vergriffen.

Bd. 4 KARL JAROŠ: *Die Stellung des Elohisten zur kanaanäischen Religion.* 294 Seiten, 12 Abbildungen. 1982. 2. verbesserte und überarbeitete Auflage.

Bd. 5 OTHMAR KEEL: *Wirkmächtige Siegeszeichen im Alten Testament.* Ikonographische Studien zu Jos 8, 18–26; Ex 17, 8–13; 2 Kön 13, 14–19 und 1 Kön 22, 11. 232 Seiten, 78 Abbildungen. 1974. Vergriffen.

Bd. 6 VITUS HUONDER: *Israel Sohn Gottes.* Zur Deutung eines alttestamentlichen Themas in der jüdischen Exegese des Mittelalters. 231 Seiten. 1975.

Bd. 7 RAINER SCHMITT: *Exodus und Passa. Ihr Zusammenhang im Alten Testament.* 124 Seiten. 1982. 2. neubearbeitete Auflage.

Bd. 8 ADRIAN SCHENKER: *Hexaplarische Psalmenbruchstücke.* Die hexaplarischen Psalmenfragmente der Handschriften Vaticanus graecus 752 und Canonicianus graecus 62. Einleitung, Ausgabe, Erläuterung. XXVIII–446 Seiten. 1975.

Bd. 9 BEAT ZUBER: *Vier Studien zu den Ursprüngen Israels.* Die Sinaifrage und Probleme der Volks- und Traditionsbildung. 152 Seiten. 1976. Vergriffen.

Bd. 10 EDUARDO ARENS: *The ΗΛΘΟΝ-Sayings in the Synoptic Tradition.* A Historico-critical Investigation. 370 Seiten 1976.

Bd. 11 KARL JAROŠ: *Sichem.* Eine archäologische und religionsgeschichtliche Studie, mit besonderer Berücksichtigung von Jos 24. 280 Seiten, 193 Abbildungen. 1976.

Bd. 11a KARL JAROŠ / BRIGITTE DECKERT: *Studien zur Sichem-Area.* 81 Seiten, 23 Abbildungen. 1977.

Bd. 12 WALTER BÜHLMANN: *Vom rechten Reden und Schweigen.* Studien zur Proverbien 10–31. 371 Seiten. 1976.

Bd. 13 IVO MEYER: *Jeremia und die falschen Propheten.* 155 Seiten 1977.

Bd. 14 OTHMAR KEEL: *Vögel als Boten.* Studien zu Ps 68, 12–14, Gen 8, 6–12, Koh 10, 20 und dem Aussenden von Botenvögeln in Ägypten. – Mit einem Beitrag von Urs Winter zu Ps 56, 1 und zur Ikonographie der Göttin mit der Taube. 164 Seiten, 44 Abbildungen. 1977.

Bd. 15 MARIE-LOUISE GUBLER: *Die frühesten Deutungen des Todes Jesu.* Eine motivgeschichtliche Darstellung aufgrund der neueren exegetischen Forschung. XVI–424 Seiten. 1977. Vergriffen.

Bd. 16 JEAN ZUMSTEIN: *La condition du croyant dans l'Evangile selon Matthieu.* 467 pages. 1977. Epuisé.

Bd. 17 FRANZ SCHNIDER: *Die verlorenen Söhne.* Strukturanalytische und historisch-kritische Untersuchungen zu Lk 15. 105 Seiten 1977.

Bd. 18 HEINRICH VALENTIN: *Aaron.* Eine Studie zur vor-priesterschriftlichen Aaron-Überlieferung. VIII–441 Seiten. 1978.

Bd. 19 MASSÉO CALOZ: *Etude sur la LXX origénienne du Psautier.* Les relations entre les leçons des Psaumes du Manuscrit Coislin 44, les Fragments des Hexaples et le texte du Psautier Gallican. 480 pages. 1978.

Bd. 20 RAPHAEL GIVEON: *The Impact of Egypt on Canaan.* Iconographical and Related Studies. 156 Seiten, 73 Abbildungen. 1978.

Bd. 21 DOMINIQUE BARTHÉLEMY: *Etudes d'histoire du texte de l'Ancien Testament.* XXV–419 pages. 1978.

Bd. 22/1 CESLAS SPICQ: *Notes de Lexicographie néo-testamentaire.* Tome I: p. 1–524. 1978. Epuisé.

Bd. 22/2 CESLAS SPICQ: *Notes de Lexicographie néo-testamentaire.* Tome II: p. 525–980. 1978. Epuisé.

Bd. 22/3 CESLAS SPICQ: *Notes de Lexicographie néo-testamentaire.* Supplément. 698 pages. 1982.

Bd. 23 BRIAN M. NOLAN: *The royal Son of God.* The Christology of Matthew 1–2 in the Setting of the Gospel. 282 Seiten. 1979.

Bd. 24 KLAUS KIESOW: *Exodustexte im Jesajabuch.* Literarkritische und motivgeschichtliche Analysen. 221 Seiten. 1979.

Bd. 25/1 MICHAEL LATTKE: *Die Oden Salomos in ihrer Bedeutung für Neues Testament und Gnosis.* Band I. Ausführliche Handschriftenbeschreibung. Edition mit deutscher Parallel-Übersetzung. Hermeneutischer Anhang zur gnostischen Interpretation der Oden Salamos in der Pistis Sophia. XI–237 Seiten. 1979.

Bd. 25/1a MICHAEL LATTKE: *Die Oden Salomos in ihrer Bedeutung für Neues Testament und Gnosis.* Band Ia. Der syrische Text der Edition in Estrangela Faksimile des griechischen Papyrus Bodmer XI. 68 Seiten. 1980.

Bd. 25/2 MICHAEL LATTKE: *Die Oden Salomos in ihrer Bedeutung für Neues Testament und Gnosis.* Band II. Vollständige Wortkonkordanz zur handschriftlichen, griechischen, koptischen, lateinischen und syrischen Überlieferung der Oden Salomos. Mit einem Faksimile des Kodex N. XVI–201 Seiten. 1979.

Bd. 26 MAX KÜCHLER: *Frühjüdische Weisheitstraditionen.* Zum Fortgang weisheitlichen Denkens im Bereich des frühjüdischen Jahweglaubens. 703 Seiten. 1979.

Bd. 27 JOSEF M. OESCH: *Petucha und Setuma.* Untersuchungen zu einer überlieferten Gliederung im hebräischen Text des Alten Testaments. XX–392–37* Seiten. 1979.

Bd. 28 ERIK HORNUNG / OTHMAR KEEL (Herausgeber): *Studien zu altägyptischen Lebenslehren.* 394 Seiten. 1979.

Bd. 29 HERMANN ALEXANDER SCHLÖGL: *Der Gott Tatenen.* Nach Texten und Bildern des Neuen Reiches. 216 Seiten, 14 Abbildungen. 1980.

Bd. 30 JOHANN JAKOB STAMM: *Beiträge zur Hebräischen und Altorientalischen Namenkunde.* XVI–264 Seiten. 1980.

Bd. 31 HELMUT UTZSCHNEIDER: *Hosea – Prophet vor dem Ende.* Zum Verhältnis von Geschichte und Institution in der alttestamentlichen Prophetie. 260 Seiten. 1980.

Bd. 32 PETER WEIMAR: *Die Berufung des Mose.* Literaturwissenschaftliche Analyse von Exodus 2,23–5,5. 402 Seiten. 1980.

Bd. 33 OTHMAR KEEL: *Das Böcklein in der Milch seiner Mutter und Verwandtes.* Im Lichte eines altorientalischen Bildmotivs. 163 Seiten, 141 Abbildungen. 1980.

Bd. 34 PIERRE AUFFRET: *Hymnes d'Egypte et d'Israël.* Etudes de structures littéraires. 316 pages, 1 illustration. 1981.

Bd. 35 ARIE VAN DER KOOIJ: *Die alten Textzeugen des Jesajabuches.* Ein Beitrag zur Textgeschichte des Alten Testaments. 388 Seiten. 1981.

Bd. 36 CARMEL McCARTHY: *The Tiqqune Sopherim and Other Theological Corrections in the Masoretic Text of the Old Testament.* 280 Seiten. 1981.

Bd. 37 BARBARA L. BEGELSBACHER-FISCHER: *Untersuchungen zur Götterwelt des Alten Reiches im Spiegel der Privatgräber der IV. und V. Dynastie.* 336 Seiten. 1981.

Bd. 38 MÉLANGES DOMINIQUE BARTHÉLEMY. Etudes bibliques offertes à l'occasion de son 60e anniversaire. Edités par Pierre Casetti, Othmar Keel et Adrian Schenker. 724 pages. 31 illustrations. 1981.

Bd. 39 ANDRÉ LEMAIRE: *Les écoles et la formation de la Bible dans l'ancien Israël.* 142 pages. 14 illustrations. 1981.

Bd. 40 JOSEPH HENNINGER: *Arabica Sacra.* Aufsätze zur Religionsgeschichte Arabiens und seiner Randgebiete. Contributions à l'histoire religieuse de l'Arabie et de ses régions limitrophes. 347 Seiten. 1981.

Bd. 41 DANIEL VON ALLMEN: *La famille de Dieu.* La symbolique familiale dans le paulinisme. LXVII–330 pages, 27 planches. 1981.

Bd. 42 ADRIAN SCHENKER: *Der Mächtige im Schmelzofen des Mitleids.* Eine Interpretation von 2 Sam 24. 92 Seiten. 1982.

Bd. 43 PAUL DESELAERS: *Das Buch Tobit.* Studien zu seiner Entstehung, Komposition und Theologie. 532 Seiten + Übersetzung 16 Seiten. 1982.

Bd. 44 PIERRE CASETTI: *Gibt es ein Leben vor dem Tod?* Eine Auslegung von Psalm 49. 315 Seiten. 1982.

Bd. 45 FRANK-LOTHAR HOSSFELD: *Der Dekalog.* Seine späten Fassungen, die originale Komposition und seine Vorstufen. 308 Seiten. 1982.

Bd. 46 ERIK HORNUNG: *Der ägyptische Mythos von der Himmelskuh.* Eine Ätiologie des Unvollkommenen. Unter Mitarbeit von Andreas Brodbeck, Hermann Schlögl und Elisabeth Staehelin und mit einem Beitrag von Gerhard Fecht. XII–129 Seiten, 10 Abbildungen. 1982.

Bd. 47 PIERRE CHERIX: *Le Concept de Notre Grande Puissance (CG VI, 4).* Texte, remarques philologiques, traduction et notes. XIV–95 pages. 1982.

Bd. 48 JAN ASSMANN / WALTER BURKERT / FRITZ STOLZ: *Funktionen und Leistungen des Mythos.* Drei altorientalische Beispiele. 118 Seiten. 17 Abbildungen. 1982.

Bd. 49 PIERRE AUFFRET: *La sagesse a bâti sa maison.* Etudes de structures littéraires dans l'Ancien Testament et spécialement dans les psaumes. 580 pages. 1982.

Bd. 50/1 DOMINIQUE BARTHÉLEMY: *Critique textuelle de l'Ancien Testament.* 1. Josué, Juges, Ruth, Samuel, Rois, Chroniques, Esdras, Néhémie, Esther. Rapport final du Comité pour l'analyse textuelle de l'Ancien Testament hébreu institué par l'Alliance Biblique Universelle, établi en coopération avec Alexander R. Hulst †, Norbert Lohfink, William D. McHardy, H. Peter Rüger, coéditeur, James A. Sanders, coéditeur. 812 Seiten. 1982.

Bd. 51 JAN ASSMANN: *Re und Amun.* Die Krise des polytheistischen Weltbilds im Ägypten der 18.–20. Dynastie. XII–309 Seiten. 1983.

Bd. 52 MIRIAM LICHTHEIM: *Late Egyptian Wisdom Literature in the International Context.* A Study of Demotic Instructions. X–240 Seiten. 1983.

Bd. 53 URS WINTER: *Frau und Göttin.* Exegetische und ikonographische Studien zum weiblichen Gottesbild im Alten Israel und in dessen Umwelt. XVIII–928 Seiten, 520 Abbildungen. 1983.

Bd. 54 PAUL MAIBERGER: *Topographische und historische Untersuchungen zum Sinaiproblem.* Worauf beruht die Identifizierung des Ǧabel Mūsā mit dem Sinai? 189 Seiten, 13 Tafeln. 1984.

Bd. 55 PETER FREI / KLAUS KOCH: *Reichsidee und Reichsorganisation im Perser Reich.* 119 Seiten, 17 Abbildungen. 1984.